CW00403588

Luise Tietjen, 27 Jahre alt, Haupterbin eines Vaters, der es sich zum Prinzip gemacht hatte, zu zerstören, was nach ihm kam, um loszuwerden, was vor ihm gewesen war. Luise erwartet viel vom Leben und bekommt das, was sie nie gewollt hat: *Tietjen und Söhne,* Jahresumsatz 38 Millionen, Umsatzentwicklung minus 2,7 Prozent, Tendenz rückläufig. Luise muss allen Erwartungen gerecht werden, sie muss die Firma retten, die Familientradition bewahren, und sie muss ihren Vater, der in New York untergetaucht ist, nach Hause holen. Doch als sie ihn endlich gefunden hat, im heruntergekommensten Viertel Brooklyns, ist es zu spät.

Präzise und feinsinnig erzählt Nora Bossong die Geschichte einer Familie, die mit ihren Frotteeprodukten einst das kaiserliche Heer ausstattete und deren Handtücher in jedem Haushalt hingen. Doch die Tage der Tietjens scheinen gezählt – bis Luise ihr Schicksal in die Hand nimmt.

Nora Bossong, 1982 in Bremen geboren, studierte in Berlin, Leipzig und Rom. Sie veröffentlichte die Romane ›Gegend‹ (2007) und ›Webers Protokoll‹ (2009) und die Gedichtbände ›Reglose Jagd‹ (2007) und ›Sommer vor den Mauern‹ (2011, ausgezeichnet mit dem Peter Huchel-Preis 2012).

Nora Bossong

Gesellschaft mit beschränkter Haftung

Roman

Deutscher Taschenbuch Verlag

Ausführliche Informationen über
unsere Autoren und Bücher
finden Sie auf unserer Website
www.dtv.de

2014
Deutscher Taschenbuch Verlag GmbH & Co. KG,
München
Lizenzausgabe mit Genehmigung des Carl Hanser Verlags
München

Umschlagkonzept: Balk & Brumshagen
Umschlaggestaltung: Wildes Blut, Atelier für Gestaltung,
Stephanie Weischer unter Verwendung eines Fotos
von plainpicture/Fernando Alda/Fabpics
Druck und Bindung: Druckerei C.H.Beck, Nördlingen
Gedruckt auf säurefreiem, chlorfrei gebleichtem Papier
Printed in Germany · ISBN 978-3-423-14322-6

Mantenere lo stato

Niccolò Machiavelli

I Essen lag 6000 Kilometer entfernt, gefühlt neun Stunden, zwei Lufthansa-Menüs, drei Tageszeitungen. Luise Tietjen befand sich durch ein Weltmeer von der Firma Tietjen und Söhne getrennt und wurde dennoch in das Unternehmen hineingeschleudert, dorthin, wo sie hingehörte, wo sie zuletzt hatte hingehören wollen. Jahresumsatz 38 Millionen Euro, Umsatzentwicklung minus 2,7 Prozent, 14 Millionen verkaufte Frotteeprodukte im letzten Geschäftsjahr. Es war die Wucht von 8,9 Millionen Eigenkapital, die Luise an diesem Tag, mitten im verschneiten Brooklyn, traf. 226 Mitarbeiter, Verlustvorträge nach wie vor über dem Stammkapital, Tendenz rückläufig. Kurt Tietjen hatte es sich zum Prinzip gemacht, zu zerstören, was nach ihm kam, um loszuwerden, was vor ihm gewesen war, und Luise, 27 Jahre alt, war die Haupterbin ihres Vaters.

Sie war um 16.30 Uhr in Newark gelandet. Als sie ihr Telefon eingeschaltet hatte, war eine Nachricht eingegangen.

Luise – Ihr Vater in ernstlich schlechtem Zustand. Bin auf dem Weg zu ihm. Halte Sie informiert. Bemühen Sie sich vorerst NICHT um einen Flug nach NY. KvW

Kiesbert von Weiden, ein alter Bekannter ihres Vaters, der seit einigen Monaten in der Verwaltung der Firma saß, hatte nicht gewusst, dass sie bereits angekommen war – dass Kurt sie wieder einbestellt hatte, zum ersten Mal nach monatelangem Schweigen.

Luise hatte die Nachricht unbeantwortet gelassen, hatte ihre Koffer aus dem Flughafengebäude gerollt und war im weißen Sonnenlicht stehen geblieben. Schneeberge an den Rändern der Fahrwege. Darüber die Flagge der Vereinigten Staaten. Luise besaß kein Gefühl für dieses Land, doch sie war jedes Mal, wenn sie am Flughafen Newark ankam, von der Zuverlässigkeit des blauen Himmels überrascht. Beißender Optimismus. Sie hatte ein paar Züge lang die helle Luft geatmet und war dann in ein Taxi gestiegen. Wenig später war sie durch den Holland Tunnel nach Manhattan eingefahren.

In all den Wochen, die Luise in New York verbracht hatte, weil sie von Kurt herzitiert worden war, weil sie stets, wenn Kurt sie anrief, umgehend ihre Sachen packte und nervös zum Flughafen fuhr, war ihr nie klar gewesen, weswegen er gerade sie zu sich holte. Als sie klein gewesen war, hatte ihr Vater kaum von ihr Notiz genommen, erst mit ihrer Volljährigkeit war sie für ihn zu jener Person geworden, auf die er irgendwann das Familienvermögen schieben würde, die Verantwortung, die an ihm hing, wohin er auch zog, in welchem Loch er sich auch versteckte, all das Geld, das sich in Aktien, Immobilien und diverse weitere Anlagetricks aufteilte.

Luise ging mit Kurt spazieren, und er zeigte ihr seine Lieblingsplätze, die nicht zahlreich waren, den Battery Park an der Südspitze Manhattans, die alten Fabrikgebäude und Lagerhallen, die nun von Galerien besetzt waren, das ABC-Viertel, in dem einige Häuser noch an jene baufälligen Jahrzehnte erinnerten, da in diesen Straßenzeilen Sodafabriken mittellosen Einwanderern eine erste Arbeitsstelle geboten hatten. Er zeigte ihr das Gebäude der Triangle Textilfabrik, in dem vor knapp hundert Jahren ein Zigarettenstummel auf einen Stapel Stoffe gefallen war und einen Großbrand verursacht hatte. Einige der Arbeiterinnen hätten noch an ihren Schreibmaschinen gesessen, als man sie später barg, fünfzehn verkohlte Leichen, sagte Kurt. Es war kein schöner Anblick, fügte er hinzu, diese Mädchen, nicht einmal der Tod hat sie von ihrem Diensteifer befreit.

Vor zwei Jahren, bei ihren ersten Besuchen, hatte Luise angenommen, er ginge mit ihr nur deshalb stundenlang durch die Stadt, weil er wissen wollte, wie es in Deutschland stand. Nie hätte er es fertiggebracht, dergleichen zuzugeben, sich selbst gegenüber nicht und schon gar nicht gegenüber anderen, Werner zum Beispiel, der auf Kurts Niederlage wartete wie ein Geier, was auch immer er sich von Kurts Niederlage versprach. Kurt Tietjen musste angenommen, zumindest befürchtet haben, dass Luise alles, was er ihr sagte, nach Deutschland trug und dort dem immer bitterer zusammenschrumpelnden Kern der Familie preisgab. Denn der, wie Kurt ihn einmal nannte, dümmliche Rest der Familie wartete ja nur darauf, von ihm, Kurt, zu hören, der es gewagt hatte, sich zu entziehen. Kurt aber lud Luise immer wieder zu sich ein, nahm die Gefahr der Tratscherei in Kauf. War das Gerede ihm gleichgültig geworden? Sah er darin vielleicht sogar einen Vorteil, den Luise nicht erkannte? Was er Luise über die wirtschaftliche Lage der Firma erzählte, stimmte selten mit den Tatsachen überein, und wenn, dann nur teilweise, seine Pläne, seine Prognosen, seine Meinungen zielten, ob mit Absicht oder aus Unwissenheit, stets treffsicher auf einen Nachteil für die Firma ab, und Luise konnte nicht sagen, ob ihr Vater in ihr eine Verbündete sah oder das Trojanische Pferd, mit dem er hinterrücks in den heimischen Betrieb einfallen wollte.

Erst im kachelförmig geordneten Inneren Manhattans, langsam gegen die Schneemengen ansteuernd, dachte Luise daran, dass sie ihren Vater diesmal in Brooklyn treffen würde. Die halbe Stunde, die das Taxi mit Hupen und Halten zwischen den Wohnhäusern der 20th West und dem Midtown Tunnel verlor, könnte die halbe Stunde sein, die sie zu spät kam, dachte Luise. Weil sie es nicht ertrug, hinaus in den blockierten Verkehr zu blicken, starrte sie auf den Bildschirm vor ihr, auf dem ein Werbefilm für eines der überteuerten Restaurants in Soho gezeigt wurde.

Natürlich könne er sie direkt vor die Haustür fahren, sagte der Taxifahrer. Wenn sie den ganzen Nachmittag in diesem Taxi festsitzen wolle. Er ließ Luise zwei Straßen von der Wohnung entfernt aussteigen. Der Schnee hatte die Stadt in eine Taubheit versetzt. Räumfahrzeuge schoben die weißen Massen zu Wällen längs der Fahrbahn auf. Das war Brooklyn an diesem Nachmittag: Die Geschwindigkeiten waren abgesackt, die Autos fuhren fast geräuschlos und im Schlittentempo durch die Straßen. Post kam verspätet an, wenn überhaupt, so wie Luise heute verspätet angekommen war.

New York. Die Stadt, in die Kurt, ihr Vater, sich vor zweieinhalb Jahren geflüchtet hatte, als könnte man je flüchten, man konnte nur weggehen. Sie überquerte die Straße, die in einem schäbigen Streifen Brooklyns lag. Rostig heruntergelassene Metallrollläden, Linen Store, Bed Bath Gifts

(Store for rent). Die Hochhäuser, Sozialwohnungen, die seit Jahrzehnten verwahrlosten. Domino's Pizza. Ein Grocery. Beauty Supply. Die Immobilienfirma Dimokritos Properties warb an einem Wellblechzaun. Call Patrick Cohen, Sales Agent. Das Wort sold war auf den Zaun gesprüht, unklar, worauf es sich bezog. Die Fenster des Nachbarhauses waren mit Pappe abgedichtet, der Müll sackte durch die Kälte in den offenen Tonnen ein. Frauen mit violett geschminkten Lidern folgten Luise mit ihren Blicken, Luise sah ihre mit dem Glätteisen gebändigten Frisuren, die nach verbranntem Haar riechen mussten. Anwohner prophezeiten Wetterkatastrophen von den Balkonen herab, weiteren Schneefall, Blitzeis, einen Hurrikan. Und die U-Bahn wird auch nicht fahren! Sie fährt nie bei dieser Kälte!

Drei Jugendliche liefen, einen Basketball zwischen sich hin und her werfend, an Luise vorbei, musterten sie, und Luise fiel, wie sie sich auch bewegte, ob sie den Blick senkte oder hob, zwischen ihnen auf.

Weshalb Kurt gerade dieses Viertel ausgesucht hatte, fragte sie sich, ein Viertel, in das er nicht hineingehörte, wie jeder, nicht zuletzt der Makler, gesehen haben musste. Es passte noch weniger zu Kurt als sein vorheriger Wohnort, der in einer Arbeitergegend gelegen hatte. Ob er sich womöglich verkleidet hatte, um die Wohnung zu bekommen oder einen Bekannten vorgeschickt, es war Luise umso schleierhafter, da sie nun selbst in dieser Straße stand und begriff, wie wenig sie hierhergehörte, wie wenig ihr Vater hierhergehört hatte, ein Eindringling, der hier suchte, was ihm nicht zustand, nämlich seine Ruhe, die in Wahrheit die Unruhe der anderen war.

Von dieser Wohnung aus, in die er fünf Monate zuvor, im August 2011, eingezogen war, hatte Kurt endgültig kein Lebenszeichen mehr von sich gegeben, ein Spiel, das er zwei Jahre zuvor begonnen, aus dem er seine Tochter aber bislang herausgehalten hatte. Seit August war sie von dieser Sonderstellung vertrieben und stand ebenso wie ihr Onkel Werner, ihre Mutter und überhaupt jeder aus Kurt Tietjens altem Leben mitten in den Zügen einer Partie, in der sie alle ein Phantom jagten, das als Geschäftsführer der Firma Tietjen fungierte, sich aber seit Jahren nicht mehr um die Geschäfte gekümmert hatte, sondern die Firma vor sich hin siechen ließ.

Luise war seit seinem amerikanischen Rückzug die einzige Verbindung zu Kurt Tietjen gewesen. Werner hatte sie damals beauftragt, ihren Vater aus seinem Exil zurückzuholen – und wenn nicht zurückzuholen, dann zumindest ausfindig zu machen. Eine Unterschrift, das ist alles, was wir von ihm brauchen, danach kann er mit seinem Leben machen, was er will, hatte Werner erklärt, und sie war in regelmäßigen Abständen zu ihrem Vater geflogen. Kurt rief sie an, bestellte sie zu sich, und sie nahm die nächste Maschine nach New York. Es war simpel und verlässlich gewesen, zumindest hatte sie das geglaubt. Zunächst besuchte sie ihn nach Absprache mit ihrem Onkel, eine Allianz, die sie ihrem Vater gegenüber verschwieg, doch nach jeder Reise hatte sie Werner weniger erzählt, bis sie ihre Berichte schließlich ganz unterließ. Sie sah die Verwandlung ihres Vaters, vom Unternehmer zu einem Mann, der kaum mehr als ein Obdachloser war, blass und schäbig, zuletzt verwahrlost, sie traf seine Freundin, Fanny, und sie nahm all das auf sich, weil sie nicht akzeptierte, dass ihr Vater ihr vollständig abhandenkam. Und als sie verstand, dass sie nie genug von ihm besessen hatte, um ihn zu verlieren, dass ihr Vater sich ihr nur zeitweise angenähert hatte, solange sie ihm eben nützlich war, die alte Art der Tietjens, die Kurt seinem Vater und seinem Großvater vorgeworfen hatte – als Luise das einsah, obwohl sie es nie hatte einsehen wollen, reiste sie umso entschiedener zu ihm, weil sie wiederaufzubauen beschlossen hatte, was dieser Mensch ihr über Jahre nahm.

Und dann hatte er sie nicht mehr bestellt. Damit war der letzte Faden gerissen, der ihren Vater mit der Familie verband. Das war im August gewesen. Nachdem sie über acht Wochen auf eine Nachricht von ihm gewartet hatte, hatte sie Anfang Oktober ihrerseits versucht, ihn zu erreichen. Der Brief, den sie an sein Postfach schickte, blieb unbeantwortet. Unter der neuen Adresse, die Kurt ihr in seiner letzten Nachricht mitgeteilt hatte, war kein Telefonanschluss auf seinen Namen angemeldet. Als sie bei der Dame in der Auskunftszentrale insistierte, wurde ihr mitgeteilt, dass es nicht einmal die Adresse gab.

Fanny ließ sich leichter ausfindig machen. Sie wohnte in dem Wohnblock, in dem auch Kurt einige Zeit gelebt hatte. Luise hatte Fannys Telefonnummer ermittelt und sie beim dritten Versuch erreicht. Doch es half Luise wenig. Nein, auch sie wisse nicht, wohin Kurt gezogen sei, erklärte Fanny, das Letzte, was sie von ihm gesehen habe, sei ein Haufen Gerümpel gewesen, den er in seiner Wohnung zurückgelassen hatte, und sie sei vom Hausmeister dafür zur Rechenschaft gezogen worden. Nein, wiederholte Fanny, sie habe von Kurt nichts mehr gehört, und dass die Adresse, die er der Hausverwaltung für Nachzahlungen hinterlassen habe, falsch sei, habe sie schon vom Hausmeister erfahren. Nun reiche es ihr, nun wolle sie sich nicht noch einmal für etwas rechtfertigen müssen, was nicht ihre Angelegenheit sei. Kurt Tietjen sei für sich selbst verantwortlich, sie seien getrennte Leute, discharged, wie Fanny sich ausdrückte.

Luise schrieb erneut an Kurts Postfach. Zwar war sie weniger gereizt als vielmehr verletzt, aber das hätte sie ihm gegenüber nie zugegeben. Er hätte sie, das zumindest glaubte Luise, fallengelassen, unwiderruflich, wie er ja auch sein restliches Leben einfach fallengelassen hatte.

Der dritte Brief, besorgt. Schließlich war Kurt nicht mehr jung, und schließlich kannte er, wie Luise vermutete, niemanden in seiner neuen Nachbarschaft. Vielleicht konnte er, wenn es tatsächlich schlecht oder noch schlechter um ihn stand, gar nicht antworten. Sie überlegte, nach New York zu fliegen, einen weiteren Brief zu schreiben erschien ihr zwecklos. Irgendjemand redete es ihr aus, irgendjemand wollte Kurt gesehen haben, wie er an der Südspitze Manhattans Eichhörnchen fütterte, was dort, wie Luise glaubte, verboten war.

Der vierte Brief, unbeschwert. Als hätte es die vorhergehenden drei Briefe nicht gegeben, erkundigte sie sich nach seinen Spaziergängen in Manhattan. Der fünfte Brief schrieb sich wie von selbst, denn es war Weihnachten. Im sechsten Brief versuchte sie ihn zu provozieren und im siebten fingierte sie eine wichtige Entscheidung, die in Essen anstünde. Auf diesen endlich erhielt sie Antwort, aber Kurt bezog sich nicht auf das, was sie geschrieben hatte. Es war eine Mitteilung darüber, dass sie nach New York zu kommen habe, und zwar unverzüglich. Es war jene von ihr seit langem gefürchtete Nachricht eines Unglücksfalls; Luise hatte sie erwartet, aber sie hatte nicht erwartet, dass der Moment, in dem sie einträfe, jemals kam.

Luise Tietjen glich die Hausnummer mit der Adresse ab, die sie in der unruhigen Schrift ihres Vaters bei sich trug. Sie fand seinen Namen an der Klingelleiste, die Tür sprang surrend auf, alles passte zusammen, und dennoch wusste Luise nicht, wie sie selbst hierher passte. Ein Beamter in Polizeiuniform öffnete ihr in der dritten Etage die Wohnungstür, eine Tür aus verschrammtem Metall.

You are –? May I see your ID, Miss?

Er blickte sie an, sie sah nur seine Wangen, zu viel Fleisch, und fingerte ihren Führerschein hervor. Nichts Ungewöhnliches war es, versuchte Luise sich einzureden, dass ein Polizeibeamter in der Wohnung wartete, bis der Arzt vor Ort war. Nichts Ungewöhnliches, dass bei schwerem Schneefall ein Arzt noch nicht bis in diesen Winkel Brooklyns vorgedrungen war. Es war nichts Ungewöhnliches. Es bedeutete ihr nur mit Gewissheit, dass in dieser Wohnung jemand verstorben war.

Gegen Mittag, erfuhr sie von dem Beamten, hatte sich Kurt Tietjen aus dem stumpfen Geruch der verwohnten Räume zurückgezogen, aus dem Gewühl jener heruntergewirtschafteten Stadt. Die halbe Stunde, die Luise im Feierabendverkehr Manhattans verloren hatte, war bereits unwichtig gewesen. Jene Frau, die auf dem Sofa lag und Diet Coke trank, sei die einzige Person gewesen, die dabei gewesen sei, als Kurt Tietjen gestorben war.

Durch die offene Wohnzimmertür konnte Luise Fanny sehen. Sie hatte sich also wieder in Kurts Leben gedrängt, allen Beteuerungen zum Trotz, natürlich, dachte Luise, solche Leute hielten es nie lange allein aus. Fanny war in einen Bademantel gehüllt, Modell Sunshine Sally, den Kurt ihr überlassen haben musste, da niemand außer Kurt das Modell Sunshine Sally in den Staaten beziehen konnte, obwohl es extra für die Staaten konzipiert worden war, ein Fehlschlag der Firma, einer von vielen. Fanny drückte das Kinn auf die Brust und tupfte sich mit dem Frotteeärmel über die Wangen.

Vor einem halben Jahr, bei Luises letztem Besuch, waren sie sich kurz begegnet, im Foyer des Hotels, in dem Luise übernachtet hatte. Fanny war ihr aufgefallen, weil diese Frau nicht in das Interieur des Hotels hineingepasst hatte, alles an ihr wirkte preiswert, und selbst das Preiswerte nur aus zweiter Hand. Luise hatte sie verwundert angesehen, ein Kuriosum, dem man einen Moment lang seine Aufmerksamkeit schenkt und das man im Laufe des Tages wieder vergisst. Fanny war jedoch nicht, wie Luise erwartet hatte, auf der anderen Seite der Halle geblieben, sondern in ihren hohen Pumps auf sie zugestöckelt.

Luise Tietjen?, fragte sie, und Luise erschrak, wie man über etwas Ungehöriges erschrickt. Sie sah sich im Foyer um, ob jemand der Gäste Fanny gehört hatte, und natürlich ruhten alle Blicke auf dieser Person, die hier falsch war, ein Stück Blech zwischen Silbermünzen. Luise hätte verneinen, hätte türmen können, aber sie hatte das Gefühl, dass Fanny sehr genau wusste, wer Luise war, dass sie ein Nein nicht hingenommen hätte.

Sie stellte sich als Fanny vor, nur Fanny, so als habe man es in ihrer Familie noch nicht zu einem Nachnamen gebracht. Sie sei die Freundin von Kurt Tietjen, girlfriend, sagte Fanny, was im Zusammenhang mit Luises knapp sechzigjährigem Vater seltsam klang. Luise hatte ihren Vater von ihr sprechen hören, in einem Nebensatz hatte er sie einmal als *this Fanny* erwähnt, was Luise als *this funny* missverstanden und auf ein nachfolgendes Hauptwort gewartet hatte. Zweifelsohne konnte eine solche Frau nicht ernsthaft zu ihrem Vater gehören. Sie war eine jener bemitleidenswerten Existenzen, die glaubten, einen Millionär geangelt zu haben, und doch nur selbst an der Angel hingen, zappelten, bis sie an der Luft erstickt waren. Ein Mann wie ihr Vater, dachte Luise, hatte zu viel Format, als dass es ihm möglich gewesen wäre, mit einer solchen Frau zu leben.

Doch Luise ging von einem Mann aus, den es lang nicht mehr gab. Seit ihr Vater sich nach New York zurückgezogen hatte, wirkte er ärmlich, wie jene Arbeiter, die zur Mittagszeit an den Resopaltischen neben den Supermarktkassen sitzen und verkochtes Gemüse aus Aluminiumschalen essen. Seine Kleidung war farblos und ohne Stil. Er trug einen Dreitagebart, der an ihm ungepflegt wirkte. Er sah aus wie ein Arbeitsloser, der sich um die Nachmittage drückte. An manchen Tagen wirkte er noch verlorener. Wie ein Obdachloser, dachte Luise. Ja, und war er nicht eben das? Jemand, der nach New York gekommen war, um ohne festen Wohnsitz, ohne festes Leben zu sein?

Die beiden Frauen setzten sich ins Foyer, Luise bestellte zwei Gläser Wasser, sah auf die dürren Mädchenfinger, mit denen Fanny sich an ihrer zu weiten Stoffhose festhielt.

Ihr Vater steigert sich in etwas hinein, sagte Fanny. Ich dachte zuerst, es sei nur ein Spleen, aber er hat sich nicht mehr unter Kontrolle. Ich weiß nicht, warum er Ihre Firma derart hasst. Er erzählt mir von Geschäften, über die ich nichts wissen will. Ich kann nicht einmal sagen, was davon der Wahrheit entspricht. Und ich will es auch nicht. Die Firma geht mich nichts an. Das ist Ihre Angelegenheit.

Luise zuckte die Schultern. Hören Sie ihm zu, oder lassen Sie es bleiben. Ich dränge Sie ganz sicher nicht, sich weiter um meinen Vater zu kümmern.

Aber er drängt mich, antwortete Fanny.

Was wollen Sie damit sagen? Dass er Ihnen Geld gibt?

Er kümmert sich um mich, das ist alles, er bezahlt mich nicht.

Luise musterte Fanny, ihr kaputtes Haar, ihre spröden Lippen, auf denen Lipgloss glänzte. Für Luise bestand das Problem nicht in der Geschichte, die Kurt erzählte, sondern darin, dass diese Frau überhaupt in seine Nähe kam.

Luise, ich verstehe von diesen Angelegenheiten nichts, wiederholte Fanny, als könnte Luise Zweifel daran haben, dabei hatte sie an diesem Punkt ganz sicher keine. Ich möchte davon nichts verstehen, fügte Fanny hinzu. Ich wollte Ihnen sagen, dass ich mir nicht sicher bin, ob ich länger bei Ihrem Vater bleiben kann.

Ob das ihr einziges Problem sei, fragte Luise.

Sehen Sie denn nicht, worum es Ihrem Vater geht?, fragte Fanny.

Was bitte schön verstehen denn Sie von meinem Vater?, entgegnete Luise. Bilden Sie sich nicht ein, begreifen zu können, wer wir sind.

Luise erhob sich, winkte dem Ober zum Zahlen. Diese Frau, die mit ihren schlecht blondierten Haaren vor ihr saß, in einem ausgewaschenen Pullover (fruit of the loom, fünfzehn Jahre alt), so jemand hatte nicht über ihren Vater zu urteilen, nicht über Luise und schon gar nicht über das Verhältnis zwischen ihr und ihm. Luise hatte sie nicht aufgesucht. Für sie existierte Fanny nur als Störfaktor, mit derlei hielt sie sich nicht auf.

Luise? Sie sind schon da? Fanny erhob sich vom Sofa, der Bademantel verrutschte ein wenig, gab den Blick auf ihr Dekolleté frei, dünn, fast durchscheinend war sie, und ihre Bewegungen zitterten von zu viel Diet Coke. Ich habe nicht mit Ihnen gerechnet, heute.

Und ich habe nicht mit Ihnen gerechnet, entgegnete Luise.

Sie sah den weichen Stoff, die ausgebeulten Taschen, die abgeschabten Ärmelsäume, die zeigten, dass der Mantel häufig getragen war.

Sie sollten zu Ihrem Vater gehen, sagte Fanny. Das wäre gut. Wenn ich auch nicht weiß – sie stockte, klopfte mit den Nägeln gegen die Getränkedose – ich glaube nicht, dass es gut für Sie ist, hier zu sein.

Kurz blickte Fanny zu Boden, und dann, ohne Luise noch einmal anzusehen, wandte sie sich wieder dem Fernseher zu, in dem eine Reportage über ein Ehepaar von der Westküste lief, Bob und Erin, die ihr baufälliges Haus verlassen mussten, weil sie seit Monaten zahlungsunfähig waren.

Kiesbert von Weiden sah nicht von den Unterlagen auf, als Luise das Arbeitszimmer betrat, vielleicht hielt er sie für einen der beiden Polizisten, vielleicht nahm er sie, so unauffällig, wie sie gekommen war, nicht ernst. Ein wenig gelbstichig war er, wie eine Figur auf einem schlecht eingestellten Bildschirm. Luise setzte sich ihm gegenüber an den Tisch, Kiesbert hob seinen Blick und erschrak.

Sie sind –? Entschuldigen Sie, aber ich habe nicht damit gerechnet, dass Sie schon hier sind. Herr Tietjen ist ja erst vor wenigen Stunden –, verteidigte er sich hilflos gegen ihre plötzliche Anwesenheit. Kiesbert hatte sich in den letzten Monaten so sehr in die Dokumente vertieft, dass er offensichtlich aufgehört hatte, an etwas außerhalb davon zu glauben. Kurt hatte ihn, wie Luise wusste, zu seinem Nachlassverwalter bestimmt, als könnte sie nicht selbst entscheiden, von wem sie ihr Erbe verwalten lassen wollte. Luise aber hatte es längst entschieden, sie würde sich ihren eigenen Vermögensverwalter suchen. Falls sie ihr Erbe herunterwirtschaften sollte, wollte sie wenigstens dafür verantwortlich sein und von Weiden saß vergebens in dem schmalen, staubigen Zimmer über die Akten gebeugt, die Luise ihm im Laufe des Tages entziehen würde.

Luise, es tut mir leid, sagte Kiesbert, doch es klang nicht, als bezöge er sich auf ihren Vater. Er blickte an ihr vorbei und errötete.

Es muss Ihnen nicht leidtun.

Luise, wissen Sie – nein, genau genommen wissen Sie wohl nicht –

Einer der beiden Polizisten kam vorbei und Kiesbert verstummte. Luise hätte Kiesbert gern gebeten zu gehen, doch dann wäre sie mit Fanny und den Polizisten allein geblieben. Sie erhob sich und trat in den Flur, sah einen der Beamten seine oktogonale Mütze in den Händen drehen, blickte an ihm hinauf bis zu seinem fetten Hals. Sein Kollege stand daneben, schmal wie ein zu schnell in die Höhe geschossener Konfirmand.

Die Leute vom Bestattungsunternehmen hätten längst eintreffen müssen, bemerkte der Dicke.

Bei dem Schnee!, erwiderte der Konfirmand.

Luise stand vor der Tür des Schlafzimmers. Kiesbert ging mit einem Stoß Papiere an ihr vorbei. Als in seinem Mantel das Telefon vibrierte, hielt er inne und tastete in den Taschen danach.

Es war zu spät, als ich ankam, sagte er, nur die Frau war da. Er deutete zum Wohnzimmer, wo Fanny auf dem Sofa saß und das Schicksal im Fernsehen vor sich ablaufen ließ. Sie hat mir die Tür geöffnet, sagte Kiesbert, sie hat mich ins Arbeitszimmer geführt und mir die Unterlagen gezeigt. Ich war der Einzige, den sie informiert hat.

Warum hat sie keinen Arzt gerufen?, fragte Luise.

Schock, was weiß ich. Herr Tietjen hat ihr aufgetragen, meine Nummer anzurufen, im Ernstfall. Während ich mit ihr gesprochen habe, hat sie auf den Fernseher gestarrt. Ich glaube, das war für sie realer als der Tote hier in der Wohnung. Später hat sie den Polizisten so verschreckt die Tür geöffnet, als warte sie darauf, abgeführt zu werden.

Er warf einen Blick ins Schlafzimmer, zog seine Augenbrauen hoch und blickte hinab auf das Display seines Telefons. Vielleicht hat sie vorher nicht einmal gemerkt, dass er bereits am Sterben war, sagte Kiesbert und ließ seine Finger über das Display gleiten. Sie entschuldigen mich.

Mit dem Telefon am Ohr zog er sich in das Arbeitszimmer

zurück, Luise hörte ihn auf und ab gehen. Licht fiel über Bett und Laken, der Himmel vor dem Fenster war wolkenlos und grell. Es stimmte nicht, dass nur Fanny dabei zugesehen hatte, wie es mit Kurt Tietjen zu Ende ging. Luise sah, wie sich zuerst sein Kopf bewegte, dann der ganze Körper, der auf seinem Bett in die Baumwollwäsche eingeschlagen war, als müsse er vor Kälte geschützt werden (die Sonne schien mild, beinah warm herein, und das Zimmer war zudem beheizt). Er wandte ihr sein Gesicht zu, das blass und eingefallen war, aber nicht fremd, wie sie es erwartet hatte. Träg zirkulierte das Blut in seinem Körper, die Verfärbungen auf seiner Haut wurden kleiner, bis sie nur noch wie Altersflecken aussahen. Er schloss seine Augen und öffnete sie wieder. Seine Lippen zuckten, aber er sagte nichts. Luise hörte die Wortfetzen aus dem Zimmer nebenan, ein gebrochenes O, ein gezogenes I, wie in *feed* oder *need* oder *deed*. Sie sah die geöffneten Augen Kurts, seine Lippen, sein Gesicht, noch warm, noch lebendig. Da lag es. Und dann zerfiel es zu dem, was da tatsächlich lag, zu einer Maske aus kalter Haut. Sie lief ins Bad, um sich zu übergeben.

Dass das ihr Vater war –

Luise kauerte über der Toilette, ein Gestank nach Chemikalien überdeckte den beißenden Geruch des Erbrochenen, sie hielt sich am Plastikrand des Toilettensitzes fest und dachte, dass all das nicht möglich war. Menschen starben nicht mit Anfang sechzig. Sie ließen sich Zeit, bis sie siebzig Jahre alt waren, achtzig. Ohnehin starb man in ihrer Familie nicht, in der Familie Tietjen trat man ab. Aber ihr Vater hatte bereits für die Zeit nach seinem endgültigen Rücktritt gesorgt: Er hatte Kiesbert in Position gebracht, er hatte Fanny Weisung gegeben, wen sie zu informieren habe. Kurt Tietjen wollte auch nach seinem Tod das Unternehmen nicht freigeben, so wie das Unternehmen ihn niemals freigegeben hatte, nicht einmal in seinem selbstgewählten New Yorker Exil.

Die beiden Polizisten lungerten in der Küche herum, unterhielten sich über die Wohnung, über die Möbel, Bücher und Lampen, über all das, was von dem Leben hier noch übrig war, *Poor guy, not one nice piece, and this area, gosh, I'd never live here,* während Fanny sich eine neue Cola öffnete und den Fernseher lauter stellte. Der Arzt war noch immer nicht eingetroffen, würde vielleicht erst in ein, zwei Stunden hier sein, New York hatte zu viele Tote oder zu wenig Ärzte, doch er musste kommen, um schriftlich festzuhalten, weshalb Kurt sich nicht mehr erhob. Erst dann würde offiziell, dass da nur noch etwas Lebloses lag.

Fannys Blick folgte den bläulich abstrahlenden Bildern des Fernsehers. In der Hand hielt sie einen Frotteefetzen, mit dem sie sich über die Wange strich. Luise dachte an das bleiche Nichts im Nebenraum. Und vermutlich dachte auch Fanny daran, wenn es sich für sie auch anders anfühlen musste. Fanny weinte; es schien Luise tatsächlich, als weine sie, und sie stellte sich Fanny neben dem Bett vor, in dem Kurt Tietjen vor wenigen Stunden gestorben war. Wie jede seiner Entscheidungen hatte er sie getroffen, ohne jemanden in seine Überlegungen einzubeziehen.

Seit Jahren hatte Luise angenommen, Kurt sei, so physikalisch unmöglich das auch sein mochte, nicht mehr vorhanden und nur wenn sie selbst alle zwei bis drei Monate nach New York kam und ihre Stichproben machte, in Erscheinung getreten. Sie hatte angenommen, dass es eine New Yorker Kurtwelt ohne sie nicht gab. Luise fürchtete nicht allein, Kurt zu verlieren, mehr noch hatte sie Angst davor, ihn an jemanden zu verlieren. Gern hätte sie geglaubt, dass sie über die Jahre hinweg Kurts einzige Vertraute gewesen war, und wenn nicht seine Vertraute, dann seine Botin, und wenn nicht seine Botin, dann seine Leidtragende. Sie hatte Fanny das eine Mal im Foyer getroffen, aber kaum war Luise nach Deutschland zurückgekehrt, hatte sie nicht mehr an Fanny gedacht. Jetzt sah sie diese kunststofffarbene Frau mit ihrer Coladose spielen und begriff, dass Kurt hier, wo sie ihn all die Jahre lediglich zwischengelagert geglaubt hatte, ein Leben besessen hatte.

II

Kurt Tietjen war am 11. Mai 2009 in Newark angekommen. Die Umsatzprognosen seiner Firma tickten weit entfernt durch die Leitungen der kaufmännischen Abteilung, waren schlechter als im Mai vor einem Jahr und besser als im vergangenen Dezember. Es ging nicht besonders gut, aber es ging. Es würde noch lange weitergehen. Diese Firma war wie eine alte, schwerkranke Verwandte, die sich ans Leben klammerte, und niemand verstand so recht, weshalb.

Die Luft hatte sich auf 69 Grad Fahrenheit aufgewärmt, wenig über 20 Grad Celsius, was angenehm war, angenehmer als das störrische Wetter in Deutschland, das verhangen und regnerisch auf das Land drückte. Kurt war einen Moment lang von dem ungewohnt klaren und sonnigen Himmel gelähmt. *Excuse me, Sir.* Er blockiere den Gehweg, erklärte eine Frau, die ein ganzes Taschenarsenal vor sich her wuchtete. Er lächelte verhalten und trat zur Seite. Dann suchte er ein Taxi, fand aber den Taxistand nirgends, er musste einen Seitenausgang genommen haben. Kurt Tietjen war schlecht im Orientieren, nur hatte er sich bislang nie orientieren müssen, das hatten andere für ihn übernommen.

Ein gigantischer grauer Bus hielt an der Station, an der einige junge Leute, ein schlecht gekleidetes Ehepaar und die Frau mit den Koffern warteten. Der Fahrer stieß die Gepäckstücke in den geöffneten Bauch des Busses, sie schrammten über den Metallboden, und die Reisenden rückten in das hoch über dem Gepäck gelagerte Passagierdeck ein. Sie mussten eine gute Aussicht von dort haben, dachte Kurt. Wie kläglich war dagegen ein Taxi, das so dicht am Boden fuhr. Es dauerte eine Weile, bis alle Passagiere das Deck erklommen hatten. Der Fahrer lehnte neben der geöffneten Tür und zündete sich eine Zigarette an. Der Halbschatten, in dem Kurt und er standen, unter einem Dach aus Beton, umgeben von Asphalt, wäre jedem trostlos vorgekommen. Kurt aber fühlte sich wohl, anders zumindest als gewöhnlich, distanziert von jener Öde, die darin bestand, dass alles schon, ehe es eintrat, vorgezeichnet war. In Deutschland lebte er das Leben der Firma, das Recht auf ein eigenes Leben hatte er nicht.

Durch den Schatten war die Luft grau wie die Umgebung, und die bunten Mäntel der Menschen, die aus dem Terminal zogen, wurden stumpf, sobald sie aus dem Licht heraustraten. Eine Frau hob ihren Arm, Kurt sah unbeteiligt, aber interessiert zu, sie grüßte jemanden, doch dort, wohin sie grüßte, stand niemand. Nur er. Er kannte die Frau nicht, er konnte sie gar nicht kennen, da er gewöhnlich nicht zu den Leuten gehörte, die in der Unterführung auf Busse warteten. Ihn traf man am Taxistand, und Leute, die er kannte, warteten ebenfalls dort. Die Frau löste sich aus der Gruppe der anderen stumpfen Mäntel und kam auf ihn zu. James!, rief sie hart und bestimmt.

Er drehte sich noch einmal um, niemand anderes als er stand hier, die wenigen Gestalten, die es an diesen rauhen Ort des Flughafengeländes verschlagen hatte, waren im Bus verschwunden, selbst der Fahrer war mittlerweile hineingeklettert. Die Frau blieb wenige Meter vor Kurt stehen, sie war blass und schmal und trug eine Vielzahl Ringe an ihren Fingern, Modeschmuck, kein einziger von Wert. James, wir warten mit dem Wagen auf der anderen Seite, erklärte sie. Sie sprach englisch mit einem leichten Akzent, freundlich, aber zugleich ungeduldig, und winkte Kurt zu sich.

Ja, rief er ein wenig zu laut. Ich komme gleich, geh schon vor. Es war ihm unbehaglich, eine fremde Frau zu duzen, aber alles andere schien ausgeschlossen. Sie lief fast tänzelnd auf ihn zu, griff nach seiner Hand und zog ihn mit sich. Sein Schalenkoffer rasselte über den Asphalt, ihre Hand war überraschend leicht.

Sie konnte James nur von einem Foto kennen, sonst wäre ihr aufgefallen, dass Kurt nicht aussah, wie er auszusehen hatte. Wenn überhaupt, hatte sie ihn das letzte Mal vor Jahren getroffen – ihn, das hieß diesen James, Kurt verwechselte sich nun schon selbst mit dem Unbekannten. Im Auto würde jemand sitzen und den Irrtum bemerken, es würde herauskommen, dass Kurt nur ein blinder Passagier war.

Er löste seine Hand aus ihrer, er müsse zurück, ein Gepäckstück sei bereits in den Bus geräumt, sie solle vorgehen, sie solle nun wirklich vorgehen, sagte er und winkte ihr mit der Hand. Kurz hatte er Angst, sie würde darauf bestehen, mit ihm zum Bus zu kommen. Sie nickte, bat ihn, sich zu beeilen. Wir warten im Wagen auf dich. Parkdeck 2, ein roter Nissan.

Die Glastüren glitten auseinander, und sie betrat das Terminal, aus dem sie gekommen war. Kurt Tietjen blieb zurück. Er dachte an die Stimme der Frau, forsch, beinahe fordernd, James!, als habe sie ihn aufschrecken wollen, und er stellte sich vor, wie er seinen Namen einfach verlöre, nicht mehr Kurt Tietjen war, sondern ein anderer. Einer, den es noch nicht gab, weil niemand sich bislang für ihn interessiert hatte. Für den sich niemand je interessieren würde. Den man in Frieden ließ.

Hinter ihm hob ein Flugzeug ab, Tasche um Tasche kippte vom Fließband, Flugzeiten klapperten über die Anzeigetafeln, Menschen wurden durchleuchtet, ausgefragt, ihre Pässe abgestempelt. Hier, zwischen Asphalt und Beton, glaubte er, ausbrechen zu können. Der Bus war noch immer nicht abgefahren, auch wenn die Tür sich inzwischen geschlossen hatte. Fasziniert sah Kurt an dem riesigen Gefährt hinauf. Über ihm schauten die Reisenden aus dem Fenster und warteten darauf, endlich nach New York zu kommen. Er erkannte jene Frau mit den Koffern, die gelangweilt seinen Blick erwiderte. Kurt hatte jahrelang keinen Bus mehr bestiegen, doch plötzlich überkam ihn der Wunsch, dort oben mit den anderen mitzureisen. Er klopfte an die Scheibe. Der Busfahrer reagierte zunächst nicht, und als er Kurt bemerkte, warf er ihm einen herablassenden Blick zu, sah kurz nach hinten in den Passagierraum, der noch nicht vollständig besetzt war, und ließ schließlich die Türhydraulik aufschnauben. Er kam herunter, riss die Bauchklappe des Busses auf, um Kurts Gepäck hineinzuschleudern, stellte jedoch fest, dass die Koffer alle eng aufeinanderlagen und keine Lücke mehr frei war. Der Fahrer stieß die Klappe wieder zu und kletterte zurück in den Bus.

Man werde ihn hier zurücklassen, dachte Kurt erschrocken, ihn auf den nächsten Bus vertrösten, und wer wusste schon, wann der nächste Bus kam. Am Ende würde er doch ein Taxi nehmen, und alles würde normal verlaufen, so wie es seit jeher verlief. Kurt stand am Boden, ein wenig paralysiert, ein wenig panisch. *Now come on in!*, rief der Fahrer ungeduldig. Kurt trat ungläubig an den Bus heran, wuchtete die Tasche Stufe um Stufe hinauf, und als er die zwölf Dollar in die Hand des Fahrers zahlte, fühlte er sich beinahe sicher. Schwer atmend ließ er sich auf einen freien Sitz fallen, hinter der Frau, deren Taschenarsenal einen Gutteil des Gepäckraums besetzte.

Er blickte hinaus auf die schattige Umgebung, die plötzlich durchbrochen wurde von grellem Sonnenschein. Sie waren aus der Unterführung herausgefahren, kurvten durch das labyrinthisch angelegte Straßensystem des Flughafens, das sie nur wenig später auf die Schnellstraße entließ. Grüne Richtungsschilder, gelbe Spurstreifen, in der Ferne Wolkenkratzer. All die Leere Deutschlands fiel von ihm ab, eine Leere, die er als Vertrautheit verstanden hatte, und Kurt Tietjen merkte, dass er langsam daraus entkam.

Kurt stieg an der ersten Haltestelle aus, die der Busfahrer anbot, das Zufällige daran verblüffte ihn. Er folgte einfach den anderen Passagieren, die hier den Bus verließen. Die Frau mit den Taschen verzögerte die Weiterfahrt, skeptisch barg sie ihre Habseligkeiten aus dem Gepäckraum, untersuchte jedes Stück in aller Ruhe, und in der Tat, an einer Tasche waren Kratzspuren zu sehen, die vermutlich vom Metall des Businneren stammten.

Während der Fahrt hatte Kurt sie beobachtet, ihren Hinterkopf, ihr Profil, ihre Schultertasche, die sie neben sich in den Gang gestellt hatte, ihre Hand, die über den abgenutzten Taschenstoff gefahren war. Sie schien in ihrer eigenen Welt zu sein. Es war Kurt nicht entgangen, dass sie hübsch war, aber das war es nicht gewesen, was seine Aufmerksamkeit geweckt hatte. Erst am Ende der Fahrt, als er sie erneut mit ihrem Gepäck vor dem geöffneten Bauch des Busses stehen sah, meinte er sagen zu können, was ihn faszinierte. Nicht ihr Gesicht war es, weder ihre Haltung noch ihre Figur, es war genau genommen nichts, was man gemeinhin als bewundernswert empfand. Es war der Ausdruck vollkommener Gleichgültigkeit gegenüber der Umgebung und dem, was diese von ihr verlangte.

Nachdem der Bus abgefahren war, hatte er sie angesprochen. Kurt Tietjen, der Unterhaltungen mied, wenn er nur konnte, hatte sie angesprochen, im letzten Moment, ehe sie über die Kreuzung gelaufen und im unüberschaubaren Manhattan verschwunden war.

Ob sie sich auskenne?

Nein, ja, ein wenig. Normalerweise wohne sie nicht in Manhattan, es sei doch zu teuer hier.

Sie sprachen englisch miteinander, sie ein wenig hastig, er mit deutschem Akzent. Er sei das erste Mal hier? Nein, nein – er sei schon mehrmals – Sie warfen sich einige Sätze hin und her, Nichtigkeiten, mit denen man ein Gegenüber kurz zum Bleiben zwang. Sie empfahl ihm ein Hotel am Port Authority oder vielmehr nannte sie es, es sei nah und billig, auch sie wohne dort.

Kurz darauf betrat Kurt zum ersten Mal ein Hotel, das ihm aufgrund seiner niedrigen Preise genannt worden war, ein schummriges Gebäude, in das er sich nach kurzem Zögern einquartierte. Durch die schmutzige Glastür konnte er hinaus auf die Straße sehen. Dort, von hundert Meter hohen Gebäuden flankiert, strömten ununterbrochen Menschen vorbei, sie kamen ihm wie seltsam widerstandsfähige Lebensformen am Grund einer Gebirgsspalte vor.

Sein Zimmer war trostlos, das Bett ein Wrack, die Handtücher im Bad nicht mehr als Lappen, der Ausblick ein Lichtschacht. Hoch oben, zwischen den Spitzen der Hochhäuser, schien die Sonne, aber das Licht reichte nicht bis zu seinem Fenster hinab. Allein der Fernseher funktionierte einwandfrei und zeigte Menschen, die alle gleich und alle anders als Kurt aussahen. Das war ihm früher nie aufgefallen, vielleicht, weil er nie Zeit gehabt hatte, den Menschen im Fernsehen ins Gesicht zu blicken, er hatte den Fernseher nur als Lärmpegel gegen die Schlaflosigkeit eingeschaltet, als letzten Ausweg, um die Stille eines morgendlichen Hotelzimmers zu ertragen. Er hatte überhaupt selten Zeit gehabt, jeder Tag war von seiner Sekretärin in kleine Häppchen eingeteilt worden, halbstündige Termine, Eröffnungen, Gespräche, Sitzungen, jetzt floss die Zeit um ihn, und er wusste nicht recht, wie er sie begrenzen konnte. Er überflog die Gästeinformationen, erfuhr, dass der Frühstücksraum von sieben bis zehn Uhr geöffnet war – das gab ihm eine Chance, die Frau noch einmal zu treffen, wenn er auch fürchtete, das Frühstück könne zu schäbig sein, um sie zu interessieren.

Die Gesichter, die ihm auf dem Hotelflur und in der trostlosen Lobby begegneten, blieben für ihn flüchtig. Allein dass auch sie, die Frau mit den Koffern, hier wohnte, gab ihm ein diffuses Gefühl von Sicherheit. Er wusste nicht, wie lange sie bleiben würde, was sie hierherbrachte, er wusste nicht, in welchem Zimmer sie wohnte, nur, dass es im dritten Stockwerk lag, dort war sie aus dem Fahrtstuhl gestiegen, während er weiter hinaufgefahren war.

Am nächsten Morgen sollte er kein Glück haben, obwohl er ab sieben Uhr im Frühstücksraum ausharrte, den zunehmend skeptischen Blicken der Angestellten ausgeliefert. Erst um kurz nach halb elf verließ er den mit Neonlicht gefluteten Raum, noch immer hungrig, denn er hatte kaum etwas gegessen, und der Geruch von altem Kaffee verfolgte ihn. Draußen war es kalt wie im Vorfrühling, als seien die gestrigen Temperaturen nur eine Täuschung gewesen. An den Straßenecken schoss der Wind um Müll und Menschenmassen. Am Times Square fiel Kurt in eine riesige Werbung hinein und kam mehrere Blocks weit nicht mehr aus ihr heraus. Über seinem Kopf rauschten die Slogans, neben seinem Kopf, in seinem Kopf. Es war elf Uhr. Er konnte sich beim besten Willen nicht daran erinnern, wen er an diesem Tag um elf Uhr hätte treffen sollen. Sein Leben lief irgendwo, fern von ihm, weiter, während er durch die Straßen ging, Menschen sah, die ihn nicht sahen.

Bis zum Mittag waren die Temperaturen stark gestiegen, achtzehn, zwanzig Grad mussten es inzwischen sein. Kurt war den Broadway hinabgelaufen, der bronzene Stier glänzte vor ihm in der Sonne, Kurt passierte die vor Schwere berstenden Hinterschenkel, den schnaubenden Kopf des Tiers, und sah in die Bucht von Manhattan. Er betrachtete die Eichhörnchen im Battery Park, die an hingeworfenen Krumen nagten, er betrachtete die Freiheitsstatue in der

Ferne. Freiheit, was für ein Unsinn, dachte Kurt. Er wandte sich wieder der Straße zu, ließ seinen Blick über die zahllose Menge ähnlicher Wesen schweifen, mechanisch gingen sie ihrer Wege, hastig, getrieben, blind.

Er blickte auf Ampeln und Autos. Frauen in kurzen Kostümröcken eilten vorbei, hinter tausend Fenstern brannten Lichter, obwohl es helllichter Tag war, Schilder verkündeten: *going out of business*, Menschen in Anzügen und Windjacken verließen die Wall Street, Raucher standen vor der Börse. Erneut kam Kurt an dem Bronzebullen vorbei, wieder die Freiheitsstatue in der Ferne, er war im Kreis gegangen, wieder die knabbernden Eichhörnchen, die, sobald er sich ihnen näherte, auf einen nahen Baum flohen. So wie die Eichhörnchen wich an diesem Tag alles vor ihm zurück. Eine beeindruckende Weite umgab ihn. Er wusste nicht, ob er sich befreit oder einsam fühlte.

Am 12. Mai war er nicht im Waldorf Astoria erschienen, am 13. hatte er ein Treffen mit Kiesbert von Weiden ausfallen lassen, ohne eine Nachricht zu schicken, am 14. ging er mittags nicht ins Bloom's, nachmittags erschien er nicht zu seiner Verabredung mit dem Einkaufsleiter der Badabteilung von Macy's, wegen der er eigentlich angereist war, und abends ging er nicht in den Club und auch nicht zum Kulturabend des Deutschen Vereins.

Am 15. Mai ließ er den Kauf des Apartments in der 68th Street platzen. Kurts Frau Carola hatte sich die Wohnung gewünscht, hatte sie ausgewählt, hatte sie im Geiste schon eingerichtet, ihren winzigen Palast mitten im Lärm der Großstadt. Fünf Zimmer, ausgelegt mit Mahagoni-Parkett (Oxford-Verband), in denen zuvor die Gattin eines französischen Sozialisten gelebt hatte. Ererbte Tische und Truhen und Tuche, die hoch versichert über den Atlantik geschafft worden waren und Madame zwischen sich eingeschlossen hatten.

Während die Maklerin vor dem Haus wartete und ein verzweifeltes Gespräch mit dem Doorman begann, ein so großes Geschäft löste sich nicht einfach in Luft auf, was der Doorman mit einem Nicken quittierte, zog Kurt ziellos durch die Stadt, wie ein wildgewordenes Tier. Gegen vier kehrte er von seinen Streifzügen zurück, die nirgendwo hinführten und ihn doch einen großen Teil des Tages gekostet hatten. Er betrat das Hotel, dessen Eingangsbereich nach scharf gereinigtem Teppichboden stank, in einer Schale lagen alte Minzbonbons, und da sah er sie, umgeben von ihrem Kofferbataillon. Sie verhandelte mit dem Rezeptionisten, der ihr eine Cola aus der Minibar auf die Rechnung gesetzt hatte, die sie nicht getrunken haben wollte.

Nur vier Nächte, sagte Kurt, als er dicht neben ihr stand. Zu teuer?

Sie drehte sich zu ihm um, anscheinend erleichtert, von dem Ärger um die Cola abgelenkt zu werden. Sie könne jetzt ihre Wohnung beziehen, in Redhook, Brooklyn, die Wände seien noch nicht fertig gestrichen, sie lachte, auch wenn ich nicht glaube, dass sie je vorhatten, sie zu streichen. Vier Nächte reichten ihr, dieses Hotel sei ja eine Zumutung. Dabei war das hier New York, nicht Sizilien, hier galten Verträge, oder nicht?

Aber Sie haben mir das Haus empfohlen, bemerkte Kurt. Ob er ihr mit den Koffern behilflich sein könne.

Sie wehrte höflich ab. Kurt war erstaunt, ja empört, er wünschte, ihr behilflich zu sein, sie aber gehorchte ihm nicht. Plötzlich war er nur ein aufdringlicher alter Mann, der eine junge Frau hofierte. Er hob zwei Gepäckstücke an, einen Koffer und die Tasche, ein abscheuliches gelbes Ding. Solche Taschen kannte er aus den Achtzigern, als billiges Werbegeschenk. Er trug das Gepäck zum Bordsteig und winkte in den Verkehr. Nein, rief ihn die Frau zurück, ein Taxi sei zu teuer. Er insistierte, die Metro sei umständlich bei so viel Gepäck. Mag sein, entgegnete sie.

Die Menschen in der Metro gehörten nicht in seine Welt. Sie waren zu jung und zu lässig gekleidet, Jackett kombiniert mit Jeans, T-Shirt und Flipflops zur Aktentasche, einige trugen Anzüge, dazu Nikes. Die Zähne glänzten, und plötzlich war alles um ihn herum gealtert. Kurt war von einer Gruppe in Falten gelegter Rentner umgeben, die laut und mit mehligem Südstaatenakzent schwatzten. Die Fahrt war eine Tortur, und er verlor Fanny drei Haltestellen lang aus den Augen. Dann war sie wieder da und dirigierte ihn durch die unterirdischen Gänge zu einer anderen Linie, mit der sie, wie Fanny ihm versprach, ihr Ziel erreichen würden.

Sie kamen an einer Station an, die von gewaltigen Metallstreben zehn Meter über den Erdboden gestemmt war und etwa zwei Kilometer von ihrem Ziel entfernt lag. Die Rollkoffer schrappten über das unebene Pflaster, die Taschen trug Kurt. Er wollte Fanny etwas fragen, er wollte sich nach ihrer Herkunft oder wenigstens nach ihrer Reise erkundigen, aber er hatte nicht genügend Atem, nicht genügend Kraft. Er blickte auf die zweistöckigen Häuser, die

Straßenzüge sahen hier europäischer aus als in Manhattan, aber von einem Europa, das kurz vor dem Abriss stand.

Sie gingen an Garagentoren mit Graffiti vorbei, gesprayte Sternenbanner, Revolver, Genitalien, sie passierten dreckige Fenster und aufgebrochene Eingangstüren. Selbst die Vorderseiten der Häuser sahen nach Hinterhöfen aus. An einigen Hauswänden liefen zickzackförmig Feuerleitern hinauf, eine Flucht aus diesen Häusern schien Kurt tatsächlich wünschenswert. Sie passierten verrostete Autos, die unmöglich noch fahren konnten und dennoch fuhren, sie kamen an verlebten Männern vorbei, die Hunde ausführten, an hochschwangeren Frauen, die in wenigen Wochen ein Kind in diese Misere setzen würden. Vor einem Wohnblock hieß Fanny ihn anzuhalten. Da waren sie also, dachte Kurt. Die Tür war zertreten und dreckig, ein Fenster eingeschlagen und mit Pappe provisorisch repariert. Neben den Klingeln hatte jemand mit Filzstift *I was here* an die Wand geschrieben, als sei es eine Heldentat, hier gewesen zu sein. Fanny dankte ihm und nahm ihm die beiden Taschen ab, die er eben noch getragen hatte. Resolut. An diesem Ort bestimmte sie. Dies war nicht Kurt Tietjens Revier.

Sie drückte eine Klingel, dankte ihm erneut und gab ihm zu verstehen, dass ihre Bekanntschaft nun an ihr Ende gelangt war. Knackend wurde durch die Gegensprechanlage Unverständliches mitgeteilt, doch die Haustür war ohnehin nicht versperrt. Fanny wuchtete die Taschen und Koffer in den Hausflur, nickte Kurt zu und verschwand hinter der Grenze aus Milchglas und Metall.

Er blieb eine Weile vor dem Haus stehen, blickte hinauf. Oben, im vierten Stock, ging in einem Fenster das Licht an, es mochte ihre Wohnung sein oder die einer anderen Person. Das Haus trug die Nummer 347.

Kurt hatte nicht auf den Weg geachtet, er lief einfach los und spürte plötzlich bleiern das Gewicht der gelben Tasche, die er noch immer über der Schulter trug. Hatte Fanny es so eilig gehabt, von ihm fortzukommen, dass sie nicht einmal auf ihre Habseligkeiten geachtet hatte? Die Gegend lag rauh um ihn, sein Anzug wirkte hier lächerlich. Als er an den East River kam, auf der anderen Seite Manhattans, sah er, wie weit er sich von dem entfernt hatte, was einst seine Wirklichkeit gewesen war.

Kurt hatte, wenn er in New York gewesen war, in der Upper East Side gewohnt, wenigstens zwei Mal im Jahr war er hergereist. Er gehörte zur Upper East Side, er gehörte noch immer zu ihr, auch wenn er den Kaufvertrag für das Apartment nicht unterschrieben hatte.

Als Jugendlicher war er nach New York geschickt worden, um sein Englisch zu verbessern, ein paar Wochen lang vom stumpfen Geruch des Internats befreit und gefangen in dem ewig blühenden Parfumgeruch einer alternden Bekannten, deren Haut vor lauter Nachtcreme im Dunkeln phosphoreszierte. Er hatte während seines Aufenthaltes diesen und jenen kennengelernt, *Kurt, you have to meet Richard,* und dann musste er mit den Töchtern von diesem oder jenem im Central Park spazieren gehen oder auf einem Tennisplatz hin und her hüpfen, was ihm bemerkenswert schlecht gelang. Er interessiere sich nicht für Sport, und die in Chanelduft eingelegte Gastmutter machte sich Sorgen um ihn, was sie gerne tat, da ansonsten nicht viel los war in ihrem Leben. Die Mädchen waren glatt, jung und voller Erwartung, mit dem Erben eines Frotteekonzerns in ein paar Jahren eine Familie zu gründen, an der Upper East Side oder in einem Haus in New Hampton zu wohnen. Sie wussten schon, wie die Kissen bestickt sein würden, und hatten bereits das Sofa ausgewählt. Sie wussten, wie der erste Sohn heißen und was der zweite Sohn studieren würde, wie ihre Abschlussdiplome ausfallen würden, sie hatten ihr ganzes Leben schon einmal durchlebt, und es war nur noch eine Frage des Anstands, es öffentlich aufzuführen, an der Seite von Kurt Tietjen. Dieser aber machte sich schneller aus dem Staub, als sie greifen konnten, und zog sich, sobald sich ihm die Gelegenheit bot, mit einem Stapel Illustrierter in sein Gästezimmer zurück.

Begierig las er Artikel über Einwanderer, die binnen weniger Jahre als Unternehmer reich geworden waren, und mit noch größerer Lust verfolgte er die Geschichten von Niederlagen, von Unternehmern, die innerhalb weniger Monate alles verloren hatten. Hier konnte sich ein Leben noch verändern, hier legte die Herkunft nicht alles fest. Nächtelang blieb er wach und sah auf die erleuchteten Büroetagen im Süden der Stadt. Er stellte sich die Männer hinter den Fenstern vor, elegant wie Cary Grant, die von einer texanischen Farm oder aus einem irischen Dorf gekommen waren und auch wieder dorthin zurückkehren konnten, wenn sie denn wollten, diese Männer, die sich von niemandem zwingen ließen.

Er selbst musste am nächsten Morgen übermüdet zu einem Tennismatch gegen eine weitere Tochter aus gutem Hause antreten. Grundsätzlich hatte er nichts gegen diese

Mädchen, er interessierte sich lediglich weder für Sport noch für New Hampton, was für alle um ihn her unvorstellbar war.

Dass Frauen ihn nur seines Geldes wegen lieben würden, hatte seine Mutter ihm prophezeit. Sie wollen nur dein Geld. Es war ihre alte und faltige Angst gewesen, das eigene Erbe an jemanden abzugeben, die seiner Mutter keine Ruhe gelassen hatte. Sie hatte über die Besitzverhältnisse gewacht, als wären das die Fäden, die die Welt zusammenhielten. Und selbst wenn sie es waren, dachte Kurt, selbst wenn.

Am 16. Mai ging er spazieren, am 17. Mai lief er manisch Stunde um Stunde durch die Straßen, er überquerte den Columbus Square, ließ sich im Central Park von Rollschuhfahrern einholen, folgte der 74th East, dann der Park Avenue. Um 17.15 Uhr hob die Maschine ab, die ihn nach Düsseldorf hätte zurückbringen sollen. Zu dem Zeitpunkt stand Kurt Tietjen in der Second Avenue und sah den Autos nach, die auf die Brooklyn Bridge fuhren, er selbst ging nicht noch einmal auf die andere Seite des East River, wenn er auch immer wieder daran dachte.

Erschöpft war sein Blick zwischen den rechten Winkeln hin und her getrieben. Diese in Glas erstarrte Stadt. Vollständig in Rechtecke aufgeteilt: Häuser Fenster Straßen Höhen Längen Breiten. Blaustichig im Beginn der Dämmerung. In der Ferne sah er links das Empire State, rechts das Chrysler, es überraschte ihn noch immer, dass es diese Gebäude tatsächlich gab.

Sie wollen dich nur, weil sie dein Geld wollen. Er hörte

die Stimme seiner Mutter: Nur dein Geld. Nur dein Geld. Nur dein Geld. Aber wer konnte sich schon aussuchen, wofür er geliebt wurde? Der eine wurde wegen seines Aussehens geliebt, das er selbst nicht leiden konnte, der andere wegen seines Wissens, das er nur vorgab, der dritte wegen seiner Freundlichkeit, die gelogen war. Da war es doch besser, wegen seines Geldes geliebt zu werden, dachte Kurt, das besaß er tatsächlich, darüber herrschte Einvernehmen.

Sie wartete vor seinem Hotel, gegen die Mauer gelehnt, einen Pappbecher mit Kaffee in der Hand. Kurt sah sie schon von weitem.

Ihre Tasche, begann sie.

In seinem Zimmer, unterbrach er sie.

Ihre Zerstreutheit, entschuldigte sie sich.

Nein, nein, seine Zerstreutheit.

Kurz lachten sie auf. Sie seien wohl beide ein wenig durch den Wind gewesen. Ob sie nicht einen Augenblick Zeit habe. Mit hereinkommen wolle. Ob er ihr etwas zu trinken anbieten könne.

Diesmal schlug sie die Einladung nicht aus.

Es war halb zehn abends, draußen sog der Verkehr, das weiße Rauschen der Stadt. Unter sich fühlte Kurt das billige Lederimitat der Couch, sie aßen gebratene Nudeln von einem Lieferservice, dazu tranken sie eine Flasche zu süßen, angeblich französischen Chablis, das Kopfweh hatte bereits nach dem ersten Glas eingesetzt, ein heller, freundlicher Schmerz, der die Gedanken wegdrückte.

Seit langem habe sie aus dieser Stadt weggewollt, erzählte Fanny, aber wie so vieles habe auch das nicht geklappt, und jetzt sei sie eben wieder hier. New York. Zum Leben unerträglich, wenn man kein Geld besaß.

Kurt lehnte sich zurück, seine Hand lag nah bei ihrem Nacken, er hätte bloß die Finger strecken müssen, um ihre Haut zu berühren. Er hörte ihre Stimme, die weich und kraftlos war, und wenn sie stockte, stellte er eine Frage, damit sie weitersprach.

Fanny hatte in ihrem Leben vieles werden wollen, und vieles war sie nicht geworden, vielleicht, sagte sie, wäre es ihr auch nicht bekommen. Sie habe ja gesehen, was aus den Menschen wurde, die Karriere machten, selbst im Schlaf waren sie auf Abruf, um vier Uhr morgens sprangen sie aus dem Bett, damit sie rechtzeitig zur Arbeit kamen, ihr wäre das auf Dauer nicht bekommen. Vermutlich aber bekam ihr vor allem das Leben nicht, das sie stattdessen erhalten hatte. Denn was hatte sie schon erhalten, sagte sie. Da waren sie bereits bei der zweiten Flasche Wein, und ihr fiel nicht mehr ein, was genau es nun war. Nichts, sagte sie schließlich, ich habe nichts bekommen, und begann zu kichern. Kurt strich mit der Hand über ihren Unterarm. Er konnte sich nicht erinnern, dass er jemals zuvor zu derart leichten Berührungen fähig gewesen war. Vielleicht hatte ihn seine schwere Armbanduhr bislang daran gehindert, vorhin hatte er sie von seinem Handgelenk gelöst und in seine Jacketttasche gleiten lassen, die Metalluhr von Hublot, er wollte nicht zu erkennen geben, dass er Geld besaß. Er betrachtete Fanny, ihr schmales, feines Gesicht, ihren gewichtlosen Körper, ihren Vogelkörper, sie war fast noch ein Mädchen, viel zu jung für ihn, oder vielmehr war er viel zu alt für sie. Er wollte ihr seinen Körper nicht zumuten, nicht seine rauhe Haut, seinen fauligen Atem.

Er hätte gern gewusst, wofür sie ihn hielt. Für den Angestellten eines Logistikunternehmens? Einen Handlungsreisenden? Den Mitarbeiter eines IT-Unternehmens? Sicherlich nicht für jemanden, der wohlhabend war, obwohl das, was sie als wohlhabend bezeichnete, nicht ganz dem entsprach, was er sich darunter vorstellte. Kurt Tietjen konnte in diesem Moment alles sein, bis sie ihn fragen würde, bis er sich auf etwas festlegen musste. Dann wäre er – was? Journalist, Privatgelehrter, Architekt, Anwalt? Weshalb kamen Menschen nach New York? Wusste sie überhaupt, woher er kam, oder wollte sie gar nichts anderes in ihm sehen als einen Fremden?

Sie lachte, schob sich an ihn, kroch über seine Seite bis vor seine Brust, zog seinen Kopf zu sich, lachte wieder. Vermutlich machte sie sich gar keine Gedanken über seinen Beruf, seine Herkunft, sein Geld. Irgendeinen Beruf würde er haben, irgendwo würde er herkommen. Er fühlte ihren Atem. Ihre Hand an seinem Rücken. Ihr Körper strauchelte über seinen. Sie drückte seinen Kopf beiseite und lehnte sich an ihn.

III

Das Vermögen der Tietjens war aus einem kleinen Betrieb herausgewachsen, der am Anfang des 20. Jahrhunderts seine Maschinen angeworfen hatte. Webrahmen klapperten ineinander, Schiffchen zischten von links nach rechts. Die erste Belegschaft bestand aus zwei ehemaligen Steinkohlearbeitern, die vor dem Dämmerlicht in den Schächten flohen, einem entlassenen Kruppianer und drei Frauen, die schweigend die Fäden sortierten. Justus Tietjen, der Firmengründer, schritt wie ein Fürst durch die Reihen, gab Anweisungen, prüfte sein Produkt, harte Leinenhandtücher, aus aschgrauen Fasern gewebt.

Abnehmer fanden sich nur zögerlich, ein Geschäft in Duisburg, zwei in Dortmund, die Konkurrenz aus Bielefeld und Münster war übermächtig, allen voran das Unternehmen Schermerhorn, das den Markt fest im Griff zu halten schien. Schließlich weigerte sich sogar Justus' Frau, seine Handtücher zu benutzen. Sie sei eine Tochter aus gutem Hause und Besseres gewöhnt, erklärte Eleonore. Ihrem fünfjährigen Sohn könne sie das grobe Gewebe erst recht nicht zumuten. Das sei ein Verrat an ihm und ihrer gemeinsamen Zukunft, schrie Justus. Nach zwei durchzankten Wochen fuhr Justus nach Frankreich, besuchte verschiedene Webereien und ließ sich von den dortigen Experten beraten. Im Herbst 1906 brachte er ein flauschiges Frotteehandtuch in zehn leuchtenden Farben auf den Markt.

Die Weichheit des Tietjenfrottees galt schnell als Pariser Chic, als Nouvelle Doucerie. Wer etwas auf sich hielt, leistete sich Tietjenfrottee. Bald konnte Justus fünf neue Arbeiter einstellen, dann zehn, schließlich, gegen Ende des Jahres 1909, waren es sechzig Menschen, die an den Maschinen und aufgereihten Tischen des neuen Fabrikbaus saßen.

Nebenan wurde das Wohnhaus von Justus Tietjen und seiner Frau immer prunkvoller – vor allem dank Eleonores Eifer. Erst Leinen, dann Satin, dann flatterte Seide vor den Fenstern. Ein Grammophon wurde angeschafft, obwohl niemand im Haus die Angewohnheit hatte, Musik zu hören. Es verstaubte, aber es war da. Überall lagen Pariser Modemagazine und Kataloge von Sotheby's herum. Jedes Jahr, kurz vor Pfingsten, wurden die allerneuesten Badezimmermoden aus ganz Europa bestellt und die Badewanne durch eine neue, noch elegantere ersetzt. Man speiste ausschließlich, nicht bloß sonntags, von Tellern mit Goldrand. Eleonore bestellte täglich frische Blumengestecke beim teuersten Floristen im ganzen Ruhrgebiet. Sogar die Aussicht schien weiter zu werden, als richte sich der Hang unter all der Verschwendung auf. Ein Springbrunnen wurde gebaut, dessen Wasser bald nicht mehr in ein einfaches Bassin sprudelte, sondern einen aus hellem Marmor gemeißelten künstlichen Wasserfall hinunterfloss. Unten spielte ihr Sohn Karl Schiffeversenken. Das war 1913 und Eleonore war gerade zum zweiten Mal schwanger geworden.

Justus Tietjen hatte ein gutes Gespür. Er wusste, dass sich die Mode ändern würde, dass man nicht ewig auf Paris, Müßiggang und Luxus setzen konnte, und er handelte vorausschauend. Als im Folgejahr der österreichische Thronfolger einem Attentat zum Opfer fiel und die Militaristen sich in Bewegung setzten, war Justus vorbereitet. Sein neues Erfolgsrezept lautete: Je härter die Welt, desto dringlicher der Wunsch nach weichen Stoffen. Wenn der Mensch fiel, musste er aufgefangen werden. Wenn das Leben hart wurde, musste man ihm etwas entgegensetzen. Der Mensch sehnte sich nach Weichheit, im Krieg mehr noch als im Frieden. Justus Tietjen war gewappnet.

Die maschinellen Webstühle, in denen die Schlaufen seit nunmehr fünf Jahren weicher und weicher gezogen wurden, ließ er anhalten und die Arbeiter für die Länge einer Gedenkminute von den Automaten zurücktreten. Durch eine neu installierte Lautsprecheranlage verkündete Justus Tietjen den Krieg. Er verkündete ihn mit all seinen Gefahren, seiner Gier und vergaß auch nicht die Details des Gemetzels auszumalen. Deshalb, so erklärte Justus mit seiner monotonen Stimme, müssten auch sie, die Mitarbeiter der Firma J. Tietjen, ihren Teil, wenn nicht zum Sieg, so doch zum Heil des Vaterlandes beitragen. Dass er an einem Sieg nicht im Geringsten zweifle, fügte er hinzu, aber auch ein Sieg könne bisweilen rauh gefüttert sein.

Die Maschinen surrten wieder an, die Webrahmen klappten ineinander, die Schiffchen schipperten von links nach rechts, beschleunigten, klapperten, zischten, beschleunigten, und das hysterische Fiepen der Fabrikation offenbarte, dass das kurze Innehalten während der Gedenkminute nichts anderes als ein Atemholen gewesen war, um sich daraufhin mit ganzer Kraft in die neue Aufgabe zu stürzen.

Justus Tietjen war als einziger Unternehmer auf die Idee

gekommen, Frotteeprodukte zur Rüstungsindustrie zu zählen. Er sicherte sich einen Exklusivvertrag mit dem kaiserlichen Heer, das ihn in Form eines rötlichen, nach Mottenkugeln riechenden Schnurrbartzwerges empfing. Der erste Vertragsentwurf sah vor, dass Offiziere vom Brigadegeneral aufwärts während des Fronturlaubs in Tietjenfrottee zu wickeln seien. In zähen Verhandlungen setzte Justus Tietjen durch, dass auch an der Front jeder Offizier mit einem Tietjenhandtuch ausgestattet werde. An einem gewaltigen Schreibtisch aus Kirschholz wurde das Abkommen unterzeichnet. Justus Tietjen lehnte sich nach vorne, eine Feder in der Hand, bemerkte dabei, dass der Schreibtisch so groß nun auch wieder nicht war, vielmehr der Mensch dahinter wirklich klein, und setzte seinen Namen auf das kaiserliche Papier.

Justus hatte geahnt, dass der Einsatz des Tietjenfrottees beim Stellungskrieg den Ausschlag für noch größeren Erfolg geben würde. Und er hatte recht behalten. Durch diesen Schachzug stieg die Popularität des Tietjenfrottees ins Unermessliche. Jeder wollte eine Tietjengarnitur (Badetuch, Handtuch, Gästehandtuch, Waschlappen) in seinem Badezimmer hängen haben. Der Vertrag wurde nochmals erneuert und das Frottee auch an Unteroffiziere verteilt. Nach den ersten Niederlagen gegen Deutschland trafen sogar aus Frankreich Bestellungen ein, die Justus, aus patriotischen Gefühlen, zunächst unbeantwortet ließ, dann aber mit einem Preisaufschlag von 300 Prozent entgegennahm. Er war ein Kosmopolit und würde es selbst in Kriegszeiten bleiben.

In den Hallen schnurrten die Garne durch die Maschinen, Justus stellte im Wochentakt neue Arbeiter ein, die Kaskade im Garten plätscherte, der ältere Sohn spielte Schiffeversenken, der jüngere schrie in der Wiege, und alles war, so fand Justus, in bester Ordnung. Noch.

War der Krieg bisher ein Glücksfall für Justus Tietjen, so wusste er, dass er ihm irgendwann doch gefährlich werden konnte. Die Lieferung der nötigen Garne verzögerte sich immer häufiger, und zudem würde sein älterer Sohn bald das kriegstaugliche Alter erreichen. Justus zählte auf seinen Ältesten – nicht, weil er ihn für besonders begabt hielt, sondern weil er seine beiden Söhne zu Rivalen erziehen wollte. Er wollte, dass sie einander die Erfolge neideten, um sich so gegenseitig anzustacheln. Nur mit Konkurrenz kam man voran. Zudem war der Kleine noch zu zart, Scharlach, Masern, Windpocken, all das musste erst überstanden werden. Für Justus Tietjen waren zwei Söhne nicht Geschwister, sondern einer in Reserve.

Obwohl er die meiste Zeit in der Firma verbrachte, war Justus durchaus nicht entgangen, dass seine Frau sich hinter einer Wand aus Rosengeruch verbarrikadiert hatte, sie zu müde war, um seine Kalkulationen zu kommentieren und nur noch gelangweilt in den Frotteemustern blätterte, die überall herumlagen. Die Eheleute Tietjen wurden einander immer fremder, doch Justus war zufrieden mit ihrer Existenz. Sie hatten zwei Kinder, ein opulentes Wohnhaus und die Firma Tietjen in die Welt gesetzt, und das war mehr, als andere Paare verband. Man musste nicht auch noch miteinander reden. So viel zu reden, das wusste Justus, gab es überhaupt nicht. Wenn sie sich zufällig in einem der Wohnräume über den Weg liefen, grüßten sie sich höflich, wie

Menschen, die viel voneinander halten, doch lieber nichts miteinander zu tun haben wollen.

Justus Tietjen hatte nie die Blicke seiner Arbeiter verstanden. Am unheimlichsten waren ihm die Truppen, die jeden Morgen bleigrau aus dem Dunst der Vorstädte auftauchten, den Straßenbahnen entstiegen, das Fabriktor durchschritten und sich ihre Anwesenheit von der Stechuhr bescheinigen ließen. Große runde nackte Schädel, Gesichter, die er kaum auseinanderhalten konnte. Eine Armee, zuverlässig wie die Schiffchen, die im Webautomaten hin und her klackten. Was, wenn sie sich einmal gegen ihn richten würde?

Darüber dachte er bisweilen an den freien Abenden nach, wenn er am Hang stand und sein Areal überblickte. In der Ferne rauchten Fabrikschornsteine, rasselten Zechen, wurden aus Wollballen Waschlappen und Handtücher hergestellt.

Er ging einige Schritte den Hang hinunter. Neben einem Zaun aus Rosen hatte der Gärtner ein kleines Feld angelegt, in dem kümmerlich und grün vereinzelte Erdbeeren wuchsen, perfekt geordnet, damit sie niemals über die Beete hinauswucherten. So, dachte Justus, müsste man es auch mit den Arbeitern handhaben, unter denen in letzter Zeit einige Aufwiegler mit sozialistischen Reden Unruhe stifteten. Justus schleppte sich wieder den Hang hinauf und wälzte dabei eine Idee hin und her, die ihm gerade gekommen war.

Am nächsten Tag teilte er seinem Prokuristen mit, er werde ein Haus, zwei Häuser, eine ganze Häuserzeile kaufen. Er wolle für seine Arbeiter Wohnungen schaffen.

Man erwarb einen schmalen Straßenzug unweit des Tietjen'schen Anwesens. Zehn Häuser für jeweils sechs Parteien. Da meist mehr als nur ein Familienmitglied bei Tietjen und Söhne arbeitete, machte das rund einhundert Angestellte, die Justus nun auch nach Dienstschluss in seiner Reichweite hatte.

Die Häuser waren Justus' Eigentum, sie enthielten Möbel, die ihm gehörten, und die Logik der Regel besagte, dass auch die Menschen darin Teil seines Besitzes waren. Zu jeder Wohnung hatte er einen Schlüssel, und er benutzte ihn auch, schließlich musste er darauf achten, dass sein Eigentum pfleglich behandelt wurde. Er tat es, weil es für alle das Beste war. Zunächst hatte er einen Hausmeister engagiert, der zusammen mit seiner Ehefrau regelmäßig die Wohnungen prüfte. Hygiene und Ordnung waren das A und O, wer nicht sauber und nicht ordentlich war, konnte auch keine gute Arbeit leisten, konnte seinen Tag nicht sinnvoll einteilen, konnte nicht denken, nicht leben, konnte kein sittlicher Mensch sein. Das aber war die Voraussetzung jeglicher Arbeit in einer Handtuchfabrik. Ein Produkt, das für Körperhygiene stand, konnte nicht von unhygienischen Menschen hergestellt werden. Der Hausmeister und seine Frau sollten das Unheil im Innern aufspüren, an der Quelle.

Eines Nachmittags in seinem Büro, an dem nicht viel zu tun war, kamen Justus Tietjen Zweifel: Ob der Hausmeister vertrauenswürdig und ob dessen Frau gründlich genug war? Hatten sie dieselben Ansprüche an Reinheit wie er? Er sah Fettspuren um den Herd, roch den Gestank schmutziger Wäsche, ungelüfteter Räume, und auf dem Boden, unter dem Sofa, lag eine benutzte Windel. All die fäkale Fäulnis kroch allmorgendlich mit den Arbeitern in die Fabrik, blieb an Handtüchern und Waschlappen haften, in die sein Name, Tietjen, eingestickt war.

So begann er an den Nachmittagen, an denen er keine Termine hatte, selber nachzusehen. Der Chauffeur riss sich unterwürfig die Mütze vom Kopf, als er Justus Tietjen die Tür aufhielt. Er werde gleich zurück sein, erklärte Justus. Und das war er auch. Er erledigte, was er zu erledigen hatte, eilig und exakt: Er brachte Ordnung in die Menschen, die er besaß. Zu dieser Tageszeit waren viele der Wohnungen unbelebt, die Männer arbeiteten, einige Frauen auch, und die Kinder waren in der nahe gelegenen Schule, die Justus mit großzügigen Spenden versah.

Im Erdgeschoss lagen kostenlos Zeitungen aus. Justus hatte dafür gesorgt, dass jeden Morgen ein Stapel frischer Nachrichten in seine Häuser geliefert wurde. Die Arbeiter mussten auf dem Laufenden sein, sie mussten lesen, denn lesen bildete, und Justus wünschte gebildete Arbeiter in seinem Betrieb. Andere als die ausgelegten Blätter waren im Haus nicht erlaubt. Was wusste ein Arbeiter schon, welche Zeitung für ihn die richtige war.

Das Treppenhaus roch nach billigem Putzmittel, und Justus stieg die Stufen hinauf. Er stieg langsam, denn er wusste, dass selbst die Zeit hier drinnen ihm gehörte. Die Frauen, die zu Hause waren, ahnten nichts. Sie ordneten Wäsche. Sie bereiteten das Abendessen vor. Sie sahen aus dem Fenster und dachten, wie gut sie es hatten. Anderes zu denken hätte Justus Tietjen nicht erlaubt.

Erst als sie hörten, wie sich der Schlüssel im Schloss drehte, wussten sie, dass es nicht der Hausmeister war, dessen Schritte sie im Treppenhaus gehört hatten. Erschrocken schaute Elsbeth/Anna/Käthe zur Wohnungstür: Wer konnte das sein? Die Ehemänner kamen niemals um diese Uhrzeit nach Hause, die Arbeitszeiten der Fabrik mussten genau eingehalten werden. Justus Tietjen betrat den Raum, ein Mensch, den sie nur aus der Ferne, aus Erzählungen gekannt hatten. Nie hätten sie damit gerechnet, ihm einmal leibhaftig zu begegnen.

Justus ließ sich von den Frauen die gewienerte Küche zeigen, das gescheuerte Bad, die ordentlich in der Vitrine aufgereihten Kristallgläser (vier Stück, klägliches Erbe), die gemachten Betten, die hart gefalteten Bezüge, die glänzenden Fensterscheiben. Er vergewisserte sich, dass alles in Ordnung war. Die Frauen boten ihm Kaffee an oder Likör, er lehnte ab. Nein, nein, er wolle sich hier nicht bereichern, sagte er und lachte. Die Frauen lachten verunsichert mit. Er wollte ihnen Gutes tun, wollte ihnen zeigen, dass sie für ihn wichtig waren. Er klopfte ihnen auf die Schulter, er tätschelte ihnen das Kinn, er legte seine Hand um ihre Hüften. Das Haar fiel aus dem Nacken, wenn sich der Kopf zu weit nach hinten bog. Die Strümpfe waren sauber, ebenso die Wäsche. Justus Tietjen nahm sich, was ihm zustand. Sie fürchteten ihn nicht. Furcht hätte sie aggressiv gemacht oder hysterisch. Vor Justus Tietjen hatten sie nur Angst.

Der Versuch, in New York Fuß zu fassen, eine Tietjenfiliale in jener fernen Metropole zu eröffnen, um der Firma neue Größe zu verleihen, war Anfang der vierziger Jahre zum ersten Mal gescheitert. Anfangs hatte alles vielversprechend ausgesehen: Die Konkurrenz war gesichtet, die ersten Produkte dem amerikanischen Markt angepasst worden und das Spektrum der Frotteefarben um California Sun und Indian Summer erweitert. Amerika hatte Deutschland den Krieg erklärt, und drei New Yorker Warenhäuser hatten ihr Interesse an ausgewählten Tietjenprodukten bekundet. Justus Tietjen schickte seine beiden Söhne. Er wusste, dass Kurt mehr Ehrgeiz besaß, und so ließ er ihn als Karls Begleiter auftreten, der Wettbewerb zwischen den Brüdern musste am Laufen gehalten werden.

Übernächtigt und zerstritten erreichten die beiden New York in den frühen Morgenstunden. Die Stadt kochte im Nebel. Doch während in Essen der Dunst alles verschlang, die Bestandteile an seinem Grund zu einer Masse vergor, stachen hier die Häuser aus dem Sud heraus, mit den Fensterreihen, die sich wie Maßeinheiten in exakt gleichen Abständen wiederholten. Hier lebte man nicht, hier handelte man Verträge aus.

Kurt und Karl Tietjen führten Vorgespräche mit dem Waldorf-Astoria und dem Ritz-Carlton. Sie besichtigten ein Ladengeschäft, gingen durch die Regalreihen und malten sich aus, wie die Frotteezungen aus den Fächern heraushängen würden. Die beiden Brüder saßen in einer überteuerten Bar in der Bleeker Street, tranken importiertes Bier, machten Scherze und lachten zusammen. In den Nebenstraßen warteten unzählige Drycleaner darauf, das widerstandsfähige Tietjenmaterial zu laugen. All die Chemie würde dem deutschen Gewebe nichts anhaben können, und hätte sich das erst einmal herumgesprochen, überlegten die Tietjenbrüder euphorisch, wäre ihnen eine Vorreiterstellung auf dem New Yorker Frotteemarkt sicher – und dann, den beiden wurde vor Aufregung flau im Magen, dann würde man Bundesstaat um Bundesstaat erobern, Massachusetts und Montana, Florida und New Mexico, bis der Name Tietjen im ganzen Land bekannt wäre. Und wäre Amerika gewonnen, so läge Europa ihnen zu Füßen.

Zum ersten Mal seit ihrer Kindheit verzichteten die beiden darauf, sich gegenseitig zu taxieren. Kurt dachte nicht mehr daran, dass er nur als Karls Begleiter reiste und Karl vergaß, seinem Bruder immer voraus sein zu wollen. Sie beschlossen, ihre Welt zwischen sich aufzuteilen. Amerika würde Karls Revier werden, Deutschland blieb für Kurt, den jüngeren der beiden. Ein Ozean würde künftig zwischen ihnen liegen, und ihre Konkurrenz in der Weite des Atlantiks untergehen. Endlich konnten sie Partner sein, etwas, was sie nie hatten sein dürfen, da es ihr Vater ihnen verbot.

An jenem Abend, während auf dem Atlantik eine halbe deutsche Flotte von amerikanischen Kampfschiffen versenkt wurde, begruben sie ihre Rivalität. Zwischen ihnen würde fortan Friede herrschen, so lange wenigstens, bis einem der Brüder sein Einflussbereich zu klein werden würde. Und das konnte noch eine Weile dauern. Deutschland war groß. Amerika war unermesslich. Die Brüder drehten ihre Bierdeckel auf der schmutzigen Tischplatte, nicht unruhig, nicht nervös, sondern von einem Tatendrang erfüllt, den sie kaum noch im Zaum halten konnten.

Kurt senior, Luises Großvater, reiste mit dem Gefühl ab, für die Eroberung der Neuen Welt alles getan zu haben, was in seiner Macht stand. Er ließ einhundertzweiundsechzig Kilogramm Frotteeware zurück, die teilweise bereits aus den Kartonschachteln hinausquoll, von Diplomatic Blue bis Sunshine Valley, von Hunting Green bis Empire Grey. Und er ließ seinen Bruder Karl zurück, der sich zwischen den Schlaufen und Farben der neuen Frotteekollektion verlor.

Die Eroberung Amerikas, die im Frühsommer 41 verheißungsvoll begonnen hatte, kam nur wenige Monate später zum Erliegen, fiel, um es genau zu nehmen, bereits kurz nach der Abfahrt des älteren Tietjenbruders in einen tiefen Schlaf, in dem zwar ein wirrer amerikanischer Traum geträumt, aber nur wenig Frottee verkauft wurde.

Karl Tietjen, der erste Vertreter für Tietjenprodukte in Amerika, bezog ein aus vorgefertigten Holzwänden gebautes Haus, eine Stunde von der Central Station entfernt. Im Vorortzug, auf dem Weg in die Geschäftsstraßen Manhattans, hielt er den Koffer mit den Mustern auf seinem Schoß, öffnete ihn leise und warf einen Blick in das geordnete Bunt. Alles war, wie es sein sollte: weich und gut. Abends besuchte Karl den deutschen Club in Manhattan, trank Highballs, rauchte Filterzigaretten, die besser zum hektischen New Yorker Leben passten als die gemächlichen deutschen Zigarren. Der Club bekam Gelder von der Parteizentrale in Berlin, mit denen Vorträge und opulente Feste finanziert wurden. Karl fühlte sich gut und fern, denn sie, die Männer des deutschen Clubs, waren in New York, und was in Europa geschah, war nicht mehr als eine Schimäre.

Karl, der jeden Abend in seinen Vorort zurückkehrte, wo die Sonne noch kurze Zeit in der Farbe California Sun erstrahlte, um schließlich in Indian Summer zu versinken, richtete sich schnell im sorglosen amerikanischen Leben ein und vergaß darüber jeden Wagemut, den es gebraucht hätte, um den Tietjenfrottee zu einem Erfolgsprodukt zu machen. Karl war zu bequem, um die nötigen Risiken einzugehen. Er vernachlässigte Termine, er hatte keinen Glanz in den Augen, wenn er in einem Linen Store seine Kollektion vorstellte. Er versprach keine Wunder, er umschmeichelte nicht, und er schüchterte niemanden ein. Die Verhandlungspartner der Hotels ebenso wie die beiden gebohnerten Abteilungsleiter des Kaufhauses Macy's hatten Karl Tietjen längst vergessen.

Zurück in Essen war die neue Welt für Kurt senior schnell in der Erinnerung verblasst. Ohne das Gewicht seines Bruders trieb Kurt Tietjen mühelos an die Spitze der Firma. Er brachte steigende Umsatzzahlen und nahm dem alten Justus das Wort aus dem Mund. Dieser begriff nicht länger, was in der Firma vor sich ging und wie man in der neuen Zeit vorankam. Hin und wieder erzählte Justus von seinen einstigen Erfolgen, von den Verträgen mit dem Heer, doch niemand interessierte sich mehr dafür. Mit dem Krieg von damals, entgegnete ihm sein Sohn, habe der jetzige so viel zu tun wie eine Flugabwehrkanone mit einem Burggraben. Justus wollte etwas erwidern, ließ aber dann nur den Kopf hängen und zog sich in den hintersten Teil des Hauses zurück.

Meine Zeit ist vorbei, erklärte Justus seiner Frau. Ein Handtuch ließe sich drei, vielleicht ein viertes Mal falten. Ein Handtuch aber, das sich fünf-, sechsmal falten ließe, sei nicht schicklich. Das sei grotesk. Und er selbst habe sich viermal gefaltet: Einmal für den Kaiser und seine Streitkräfte.

Einmal für die Sozialdemokraten. Einmal für das Zentrum. Und einmal für seine Mitarbeiter. Er könne nicht mehr. Justus Tietjen stahl sich in ein entlegenes Zimmer des Tietjen'schen Palastes fort, legte sich auf das Bett und stand nicht mehr auf. Alle im Haus mieden das Zimmer, in dem der einstige Phantast Justus Tietjen zusehends seine märchenhaften Ideen verlor. Die Luft sei dumpf, und man fühle sich, als würde man jeden Moment in einen tiefen Schlaf fallen, erklärte das Zimmermädchen dem neuen Hausherrn Kurt senior und weigerte sich, dort oben zu bedienen. Nur Justus' Frau kam jeden Morgen hinauf und brachte ihrem Mann, dem greisen Dornröschen, frische Blumen.

Kurt senior übernahm die Geschäfte. Und er machte Gewinne. Dabei hatte er sich, wie es im Nachhinein hieß, aus allem herausgehalten. Er hatte, wie man im Nachhinein sagte, nie mit der Regierung kollaboriert, er hatte nicht wie sein Vater mit dem deutschen Militär Verträge geschlossen. Kurt senior hatte sich in den Kriegsjahren still verhalten und Gewinne gemacht, mit nichts, in absentia. Irgendwann, Jahrzehnte später und in einem anderen Zusammenhang, tauchte ein Handtuch auf, in dem am unteren linken Rand ein Hakenkreuz eingestickt war. Keiner konnte sagen, wo es gelegen, wer es gefunden hatte, und da war es auch schon wieder verschwunden, so plötzlich, wie es aufgetaucht war, und niemand fragte weiter nach.

Karl hatte in der Zwischenzeit eine Frau gefunden, die ihm aufgrund ihres Silberblicks aufgefallen war. Gwendolyn, hübsch, gelangweilt und mit einer Heirat einverstanden, war Tochter zweier Einwanderer, eines Schwaben und einer Französin, die sich auf einem Nordamerikadampfer kennengelernt hatten. Ihre Mutter war Strickerin gewesen. Gwen und Karl teilten ihre Begeisterung für Textilien und Pferde. Zusammen durchstöberten sie die Stoffgeschäfte der Vororte, und Gwen begleitete Karl zum Springreiten, folgte mit ihrem schiefen Blick dem Geschehen, und niemand hätte sagen können, ob sie dem Lauf der Pferde oder dem Treiben ringsum zusah. Karls Pferd hieß Cottonball, im Sommer 43 gewann er zum ersten Mal ein kleines Turnier, und die Frotteelieferungen aus Deutschland gingen ein ums andere Mal in den Wirren des Krieges verloren.

Während die Männer in seiner Nachbarschaft auf dem Weg nach Island waren, um Krieg gegen ein Reich zu führen, das für Karl mittlerweile nur noch als Nachricht in den United News existierte, gewann er seinen ersten Pokal beim Mazuqueeka-Amateur-Derby und erhielt den Spitznamen »Der deutsche Baumwollbaron«. Gwen beteuerte allabendlich, wie stolz sie auf ihn sei, doch sie begannen bereits, zwischen Rosenhecken und Hollywoodschaukel die distanzierte Ehe seiner Eltern nachzuleben.

Einmal im Monat trafen Neuigkeiten aus Essen ein, die der junge Mann vom Telegrafenamt, kaum dass er vor Gwendolyn stand, auszurichten vergaß. Karls Frau erwachte aus ihrer Lethargie, war zugewandt, lebhaft und hatte nichts dagegen, dass Karl immer häufiger bis in die Nacht im Reitverein blieb. Freitags gingen sie ins Kino, Gwen und Karl, aßen Popcorn, und jede Woche setzte sich während der Wochenschau, wenn es im Saal schon dunkel war, der Mann vom Telegrafenamt neben Gwen. Der Krieg fand weit entfernt statt, vielleicht nur auf der Leinwand vor ihnen, das Gerücht ging um, er sei nicht mehr als ein Filmtrick aus Hollywood.

An dem Tag, an dem Karls amerikanischer Traum platzte, war es sonnig und kalt. Ein weiteres Rennen, bei dem die Wettquoten eins zu dreihundert für den deutschen Baumwollbaron standen. Ein einziger Gegner war angetreten, ein lächelnder Greis mit einem Klappergaul. Karls Pferd stürzte noch schneller als erwartet dem letzten Hindernis entgegen, ein Huf blieb am Gestänge hängen, das Pferd rollte sich über den Rücken ab. Der auf dem Sattel festgezurrte Karl Tietjen wurde unter dem Gewicht des Araberhengstes erdrückt. Ein Riss in der Lunge, durch gebrochene Rippen hineingestoßen, sei die Todesursache gewesen, schrieb das Lokalblatt am folgenden Tag.

Mit den paar Dollar aus der amerikanischen Lebensversicherung reiste Karls Frau Richtung Süden und kehrte nie wieder zurück. Das Haus in jenem nach Weichspüler duftenden Vorort, der den Namen einer ausgelöschten Indianerkolonie trug, verwahrloste. Erst als Monate später ein Makler nach dem Rechten sah, entdeckte er einen hellen Frotteefilm, der sich von der Garage aus über den Boden des gesamten Hauses ausgebreitet hatte. Was von Karl blieb, war ein kleiner Bericht in der Essener Presse und der Vermerk, er sei in Amerika gefallen.

IV

Über Nacht war Kurt Tietjen verschollen, irgendwo zwischen Düsseldorf und New York, im Wechsel vom 10. auf den 11. Mai 2009. Die Anrufe an seine Mobilnummer wurden von einer automatischen Ansage beantwortet: Die gewünschte Person sei vorübergehend nicht erreichbar. Die Fluggesellschaft bestätigte zwar, dass Luises Vater das Flugzeug bestiegen hatte und mit den übrigen Fluggästen um 10.35 Uhr in Newark gelandet war, aber danach verlor sich jede Spur von ihm. In dem Hotel, wo ein Zimmer für ihn reserviert war, kam er niemals an.

Luise hatte in den ersten Tagen kaum Notiz von Kurts Verschwinden genommen. Sie verbrachte ihre Zeit an der Kölner Uni, war mit der Vorbereitung eines Referats beschäftigt und blieb nach den Vorlesungen lange in der Bibliothek. In den Pausen saß sie mit einigen Kommilitonen, zwischen denen sie sich nach wie vor fremd fühlte, in der Cafeteria. Sie redeten über Politik, über die Bundestagswahl im September, und alle waren sich einig, nicht konservativ zu sein. Auch Luise teilte diese Meinung. Mit vierzehn war sie einmal vom Pförtner vor dem Tietjen'schen Firmengebäude aufgegriffen worden, um sechs Uhr morgens und mit einem Stapel Flugblätter in der Hand. Zusammen mit einem jungen Werkstudenten hatte sie gegen die Arbeitsbedingungen bei Tietjen und Söhne protestiert. Sie erzählte diese Episode der Cafeteria-Runde, ohne zu erwähnen, dass sie selbst die Tochter des Firmenleiters war. Alle lachten, ein Kommilitone klopfte ihr anerkennend auf die Schulter, ein anderer bemerkte, es sei Zeit, sich wieder an die Arbeit zu setzen. Währenddessen gingen Nachrichten von ihrem Onkel und ihrer Mutter auf Luises Mailbox ein.

Es ist eine Frechheit, dass Kurt mich nicht auf dem Laufenden hält, schimpfte Werner am Telefon, als Luise ihn endlich am Abend des 14. Mai zurückrief. Ich habe mit ihm die Verträge ausgearbeitet, wir haben gemeinsam den Einstieg in den amerikanischen Markt vorbereitet, ich habe bis zum Umfallen gearbeitet, und von ihm kommt – nichts!

Luises Mutter nahm das Verschwinden ihres Mannes mit eisiger Gelassenheit zur Kenntnis. Dein Vater wird wissen, was er tut, meinte sie spitz. Er hat es immer gewusst. Wahrscheinlich ist es kein Zufall, dass er den Kontakt zu uns abgebrochen hat. Morgen gibt es schlechte Presse, prophezeite Carola, sie sagte es am 15. Mai, sie sagte es am 16. und am 14. hatte sie es ebenfalls schon gesagt. In China ist er auch eine Woche länger geblieben, ohne uns Bescheid zu sagen, und ausgerechnet in der Woche hat sich die Presse auf ihn gestürzt. Nur gut, dass er damals in China war, nur gut, dass er jetzt in Amerika ist, es wird schlechte Presse geben, kündigte Carola an und zog ihre Augenbrauen hoch. Die schlechte Presse jedoch blieb aus, ebenso wie eine Nachricht von Luises Vater.

Er ist nicht einmal zu dem Treffen gegangen, donnerte Werner am 16. Ich habe gerade einen Anruf aus New York bekommen. Er hat den Einkaufsleiter einfach sitzenlassen. Das Geschäft ist geplatzt. Das Geschäft ist ein für alle Mal geplatzt.

Hast du mit Kurt gesprochen?, fragte Luise.

Gesprochen? Dem werde ich was erzählen, wenn er sich bei mir meldet. Einfach nicht hingegangen!, wiederholte Werner. Bei Macy's braucht sich die Firma Tietjen nicht mehr blicken zu lassen.

Das deutsche Konsulat konnte mit dem Namen Kurt Tietjen nichts anfangen. Attaché Wieland teilte am 20. Mai der Firma Tietjen – z. Hd. Siglinde Bloom, Sekretariat Werner Kettler – per Telefax mit, man habe bedauerlicherweise anderes zu tun, als einen verirrten Urlauber in New York zu suchen. Hochachtungsvoll.

Werner glaubte nicht daran, doch Luise war nach einer Woche ohne Nachricht von Kurt der festen Überzeugung, dass es sich um eine Entführung handelte. Sie sah ihren Vater in einer verdreckten New Yorker Wohnung auf einer Matratze liegen, einen Strick um die Handgelenke, und sie fühlte eine vollkommene Ruhe in sich, denn sie wusste nun, was sie erwartete: Ein Anruf, bei dem der Entführer mit einem Stimmverzerrer zu ihr sprechen und sie auffordern würde, die Polizei aus dem Spiel zu lassen.

Kurt Tietjen sei kein lohnendes Ziel für eine Entführung, erklärte Werner. Das Vermögen der Tietjens sei lange nicht mehr groß genug. Wenn jemand auch nur einen Funken Grips im Kopf hat, dann lässt er die Finger von uns. Bis wir das Lösegeld zusammenhaben, sind die Entführer längst in Rente gegangen.

Luise überhörte Werners Einwand. Ob sie nicht doch die Polizei benachrichtigen sollten? Werner schüttelte nur den Kopf. Das Vermögen der Firma sei zu gering. Viel zu gering, fügte er hinzu. Kurt sei nicht entführt, schon gar nicht in New York, und damit basta.

So ruhig, ja betäubt Luise sich gefühlt hatte, als sie auf die Idee gekommen war, Kurt könne entführt worden sein, so nervös wurde sie, als Tage später immer noch keine Nachricht eintraf. Sie fragte sich, ob die Entführer längst einen Brief geschrieben hatten, ob er an eine falsche Adresse geschickt oder in der Firma übersehen worden war. Luise wusste nicht, wem sie die Schuld geben sollte, einem Angestellten, sich selbst oder Kurt, der sich zum falschen Zeitpunkt an den falschen Ort begeben hatte. Nur die Entführer verdächtigte sie in diesen Tagen kein einziges Mal; deren Handeln erschien ihr logisch, und sie konnte nichts dagegen unternehmen, dass die Erpresser mit einer falschen Adresse verhandelten.

Am 27. Mai erreichte Luise Tietjen eine Ansichtskarte mit dem Empire State Building, auf der ihr Vater in seiner krakeligen Schrift mitteilte, dass man in Essen nicht auf seine Rückkehr zu warten brauche, alles sei geregelt.

Was bitte schön soll geregelt sein?, fragte Werner, als Luise ihm die Karte zeigte. Sie saß auf dem Besucherstuhl, auf dem sie nun fast täglich saß, um mit ihrem Onkel die Lage zu besprechen. Carola hatte sich geweigert, Werner zu helfen. Lass mich mit der Firma in Ruhe. Wie klug sie gewesen war, begriff Luise erst jetzt. Kurt hatte, wie Werner ihr erklärte, nur Löcher und Lücken zurückgelassen, Pläne, die auf Eis gelegt waren, Verträge, die halb ausgearbeitet auf seinem Schreibtisch vergilbten, und eine Unternehmenssatzung, die ihm, Kurt Tietjen, zu viel Macht einräumte, um ohne ihn ausreichend handlungsfähig zu sein.

Werner Kettler behauptete zwar, den neuen Anforderungen des Marktes gewachsen zu sein, in jedem Fall besser als Kurt, der einfach getürmt war und die Firma sich selbst überließ. Aber der Kern des Unternehmens war nicht mehr vorhanden, jener letzte echte Tietjen, der dem Familienunternehmen seine Legitimation gab. Kurt Tietjens Verschwinden war nicht nur unverständlich, sondern – und das konnte jeder in der Firma erkennen – ein Zeichen des Tietjen'schen Niedergangs, eines Traditionsunternehmens, das nun führungslos in eine immer wüster werdende Textillandschaft hinein produzierte.

Solange Luise denken konnte, hatte ihr Vater nichts unüberlegt getan, und so musste es auch für sein Verschwinden einen Grund geben, dachte sie. Sicherlich hatte er eine neue Strategie zur Etablierung seines Geschäfts ersonnen, er hatte das Empire State in Frottee gewickelt, ein paar Popstars in Bademäntel gesteckt und an der Wall Street mit Handtüchern geflaggt. Auf den Tresen der besten Frotteegeschäfte breitete Kurt seine Kollektion aus, er plauderte mit den Damen und machte auch den Herren Komplimente, er rauchte eine Zigarre mit Trumps Vize und spielte Minigolf mit einem Attaché des deutschen Konsulats. Seine Finger glitten über die gesammelten Visitenkarten, über die Tasten des Telefons, seine Stimme sang. Das Tietjen'sche Frottee-Imperium dehnte sich aus. Hatte Justus Tietjen, der Senior, das Frottee während des Krieges zur Leibgarde des Kaisers gemacht, so eroberte Kurt nun endlich die Welt.

Das stellte sich Luise vor, während sie in ihrem Essener Elternhaus auf ihren Vater wartete. Vorübergehend war sie nach Hause zurückgekehrt, um ihrer Mutter beizustehen, ihre Mutter aber zog es vor, rund um die Uhr unterwegs zu sein. So saß Luise allein in dem großen Wohnzimmer, sah hinaus in den Garten, der grau vor dem Fenster verfiel. Das Haus verschluckte sie jeden Abend aufs Neue, so wie New York Kurt Tietjen verschluckt hatte, dieser Moloch aus Phantasien und Abgas, Glas, Asphalt und Hitze.

Am 30. Mai trat Carolas Weissagung ein, und die Presse fiel über den abwesenden Kurt Tietjen her. Schmiergeld sei geflossen, so der Vorwurf der ersten Zeitung. Das zweite Blatt titelte: *Vom Bewahrer zum Bestecher. Wie ein edler Erbe lernt, Geld zu machen.* Unternehmensethik sei, so das Fazit, nirgends mehr vorhanden. Doch einem Unternehmer, der in den achtziger Jahren verzweifelt versucht habe, die schmutzigen Geschäfte seines Vaters aufzudecken, müsse dies doppelt angekreidet werden.

Die Affäre, die das Haus Tietjen Ende der achtziger Jahre aus den Fugen gebracht hatte, war kein gewöhnlicher Skandal gewesen. Mit dem Gewöhnlichen hatte man sich im Hause Tietjen nie zufriedengegeben. Es war der Firmenerbe Kurt Tietjen selbst, der gegen seinen eigenen Vater vor Gericht zog. Luises Vater hatte seit je einflussreichen Menschen misstraut, er misstraute Reichtum, er misstraute jeder Form von Besitz, er misstraute Unternehmern, Vorstandschefs und Aufsichtsratsvorsitzenden, allen voran aber misstraute er der Firma Tietjen und Söhne. Seinem Misstrauen hatte er im Herbst 1989 Ausdruck verliehen und die Firma Tietjen wegen Subventionsbetrug verklagt.

Der junge Tietjen gab sich ernst, still, mit einem feinen Humor, er wusste, was er wollte, und gerade das brachte ihm den Ruf ein, nicht gewissenhaft, sondern vielmehr gerissen zu sein. Vielleicht war es unmöglich für einen Menschen wie Kurt Tietjen, verstanden zu werden, da er den Habitus des Unternehmers nicht ablegen konnte. Zwar zeigte er Unterlagen vor, die beweisen sollten, wie und in welchem Ausmaß die Firma Zahlen gefälscht und öffentliche Gelder zu Unrecht bezogen hatte. Zwar trug er Korrespondenzen herbei, die nahelegten, dass es Absprachen zwischen der Tietjenführung und einem Landtagsabgeordneten im Finanzausschuss gegeben habe. Im Rahmen von struktur- und arbeitsmarktstabilisierenden Maßnahmen waren im Bereich Rhein-Ruhr Subventionen bewilligt worden. Bei der Beantragung dieser Maßnahmen hätte die Firma Tietjen allerdings unterschlagen, so der junge Tietjen, dass die betroffenen Stellen bereits nach Asien ausgelagert worden waren. Es waren Essener Arbeitsplätze subventioniert worden, die es überhaupt nicht mehr gab.

All dies mochte so wirken, als wolle der Junior tatsächlich der Firma an den Kragen. Aber über kurz oder lang würde es sich als Augenwischerei herausstellen. Irgendeinen Vorteil, so mutmaßten Beobachter, würde diese Affäre der Firma Tietjen bringen. Die finanzielle Schieflage der Firma bot Anlass für erste Gerüchte. Der junge Tietjen würde einmal 45 Prozent der Anteile besitzen, er war von seinem Vater als Nachfolger in der Firma aufgestellt, die seit Jahren nur noch schwerfällig ihr Frottee an den Handel loswurde. Seit Jahren ließen die Konkurrenzunternehmen preisgünstig in Südostasien produzieren, an klapprigen Nähmaschinen, in Sälen aus stinkendem Licht, und nur die Sturheit des alten Tietjen hatte verhindert, rechtzeitig hinter den anderen herzuziehen. Die Firma Tietjen war erst dort angekommen, als die anderen Unternehmen sich bereits die besseren Verträge und Standorte gesichert hatten. Der Senior hatte sich in seinen letzten Jahren an der Firmenspitze in ein heillos überteuertes Produkt und immer rotere Zahlen verfangen, die er so gut versteckt hielt, dass es zweifelhaft war, ob er sie überhaupt selber noch kannte.

Für Tietjen und Söhne trat neben dem Senior auch Werner Kettler auf, ruhig und kühl, es war sein neuerlicher Versuch, sich als Alternative zu Kurt aufzustellen. Werner bekräftigte, dass in ihren Büros nichts Unrechtmäßiges stattgefunden habe und auch nie stattfinden würde. Zumindest, solange man auf ihn hörte. Tatsächlich schienen Richter und Geschworene eher Werners Darstellung zu folgen und zeigten sich von den Dokumenten, die der junge Tietjen ihnen vorlegte, nur mäßig beeindruckt.

Was erwarten diese Leute, hatte Kurt seinen Anwalt Theo Wessner in einer Verhandlungspause gefragt. Dass es eindeutige Belege gibt? Dass man in unserer Familie seine Vergehen schriftlich festhält? Für wie blöd halten die uns denn? Natürlich zeichnet mein Vater ein falsches Bild von sich, jeder tut das, Menschen wollen nicht, dass man über sie redet.

Es gibt genügend Leute, die gern hätten, dass man über sie spricht, bemerkte Wessner.

Das sind Leute, über die nie geredet wird, erklärte Kurt Tietjen. Hier geht es um eine Familie, über die man redet, ganz gleich, was sie tut.

Dass es hier immer noch um die Tietjens gehe und nicht um die Familie Krupp. Außerdem, ermahnte ihn sein Anwalt, könnten seine Anschuldigungen gegen den Landtagsabgeordneten Hans-Dieter Bick selbst Gegenstand einer Verleumdungsklage werden.

Aber es hat die Absprache zwischen meinem Vater und ihm gegeben!, rief Kurt.

Was es gegeben hat, entscheidet am Ende die Presse, und der solltest du eine bessere Vorlage für ihre Artikel liefern.

Die Klage wurde durch die Verhandlungen geschoben, keine der Parteien stand sonderlich gut da. Die Schadenersatzsumme, die Kurts Anwalt ins Spiel gebracht hatte, wurde von Werner Kettler als absurd bezeichnet und zurückgewiesen. Geld für etwas, das überall geschah, wie Luises Onkel außerhalb der Gerichtsräume zu verstehen gab. Geld, das die Firma Tietjen überhaupt nicht mehr besaß.

Kurz schien sich die Stimmung zu Kurts Gunsten zu wenden. Eine Schande sei es, dass es vor einem deutschen Gericht noch immer derart schwierig sei, für eine gerechte Sache einzutreten, meinte eine linke Tageszeitung, und ein gemäßigtes Blatt befand, es sei »nicht nachvollziehbar, dass die Justiz sich in diesem Prozess, der über den Einzelfall hinaus Symbolcharakter gewinnen könnte, wenig kooperativ, ja nicht einmal besonders interessiert zeigt«.

Andere hingegen witterten weiterhin ein abgekartetes Spiel, in dem Vater und Sohn nur scheinbar gegeneinander kämpften, in Wahrheit aber am selben Strang zogen; es sei klar, behauptete eine konservative Zeitung, dass Kurt Tietjen mit dieser »Zauberaufführung« nur einen Nebenschauplatz zu schaffen versuchte, um von den schlechten Quartalszahlen abzulenken.

Es waren nicht allein solche Meldungen, die Kurts Erfolg

verhindert hatten, jenes »linken Gutmenschen«, wie er von einem Rundfunkreporter spöttisch genannt wurde. Auch Geschäftskollegen gaben bald ihre Zweifel kund, unterstellten selbstsüchtige Motive, gekränkten Stolz, Überforderung.

Sogar das Interesse einer überregionalen Zeitung war geweckt worden, die eine Dossiergeschichte über den Prozess in Auftrag gab, in dem der Ankläger selbst zum Mittelpunkt der medialen Anklage wurde. Der junge Tietjen sei »überfordert«, »zu jung«, »ahnungslos«, eben »einer jener Thronfolger, wie es sie in der Geschichte vielfach gegeben hat und mit denen nur wenige umzugehen wissen, wie es etwa ein Berthold Beitz gewusst hat, der den jüngsten Krupp zum Verzicht auf die Nachfolge bewegte, um die Geschäfte jenen zu überlassen, die mehr davon verstehen«.

Nachdem der Artikel erschienen war, sah endgültig niemand mehr auf das Gerichtsverfahren, alle blickten nur auf den Tietjensohn. Die Lokalreporter wollten nichts von seinem Vater wissen, der die Gelder über Jahre hinweg unberechtigt eingestrichen haben sollte, sondern von ihm, dem einzigen Sohn, erst im vorangegangenen Jahr in die Geschäftsführung befördert, möglicherweise zu allein, um in dieser Position gelassen zu bleiben.

Journalisten riefen in der Firma an, um Details zu erfahren. Mitarbeiter, Vertreter, selbst die Putzkolonne wurde auf dem Parkplatz der Firma abgefangen und befragt. Die Zeitungen sollten sich um den Prozess kümmern, sagte Kurt zu seiner Frau, als das öffentliche Interesse seinen Höhepunkt erreichte. Um den Prozess, sagte er, und nicht um mich.

Du hast den Prozess gewollt, entgegnete Carola, für sie bist du das Ereignis.

Die Berichterstattung hatte genug Dreck aufgewirbelt, um eine zeitweilige Umsatzeinbuße im Tietjen'schen Unternehmen herbeizuführen, doch es war nicht das, was Kurt Sorgen machte. Zwischen all den Gerüchten hatte sich Luises Vater einer Meute Schaulustiger preisgegeben gefühlt. Er war zu einem Gefangenen geworden in einer von ihm selbst heraufbeschworenen Geschichte, und er hatte erst Carola, dann seinem Anwalt erklärt, dass er es mit seinem Vater und auch mit Werner durchaus aufnehmen könne, aber nicht mit einem ganzen Journalistenbataillon. Er wolle seine Ruhe haben. Carola und Wessner nickten, wenngleich sie beide überzeugt waren, dass Kurt in Wahrheit vor seinem Vater eingeknickt war.

Werner Kettler hatte sich während des gesamten Prozesses zuversichtlich gezeigt, dass sein Schwager mit der Klage nicht durchkommen, dass keine Millionenstrafe anfallen würde und nicht einmal die eingestrichenen Subventionsgelder zurückgezahlt werden mussten. In der Prozesspause stand er mit dem Senior auf dem Gerichtsflur, redete ruhig auf den Alten ein, stützte ihn, wenn sie ein paar Schritte zusammen gingen. Der Senior hatte seinem Sohn während des gesamten Prozesses kein einziges Mal ins Gesicht geblickt, und als Kurt ihnen auf dem Flur entgegenkam, wandte der Senior sich zu seinem Schwiegersohn. Werner, bitte, könntest du dafür sorgen, dass wir ungestört sind? Ich verstehe nicht, warum manche Menschen meinen, den Judas spielen zu müssen. Was soll's, am Ende hängen sie sich doch immer selbst.

Wenig später geschah, was die meisten mittlerweile für richtig befanden: Kurt Tietjen ließ die Klage fallen.

V Über den Atlantik schipperten Schiffe von Bremerhaven nach New York, von Recife in den Hamburger Hafen, und auf der anderen Seite, im Pazifik, zogen sie von Kalifornien nach Bangladesch, von Sri Lanka nach Sydney. Die gute alte Sklavenarbeit hatte man nicht abgeschafft, man hatte sie nur exportiert.

Im Flugzeug, kaum hatte Kurt den grauen Sicherheitsgurt um sich geschnallt, gerieten ihm die Gedanken außer Kontrolle. Er saß reglos an seinem Platz, mit dem erbärmlichen Bewegungsspielraum, den ihm die verstellbare Rückenlehne und die ausklappbare Fußstütze boten. Längere Flüge versuchte er in die Nacht zu legen, weil er immer noch hoffte, zumindest einen Teil der Zeit zu verschlafen, wenn ihm das bislang auch kein einziges Mal geglückt war. Auf Flügen brachen die Erinnerungen aus ihrer Ordnung aus, und alles tauchte ungeschützt vor ihm auf.

Es war Herbst 2008, in einem halben Jahr würde Kurt Tietjen seine Reise nach New York antreten, von der er nicht mehr zurückkommen würde, das aber ahnte er noch nicht, er flog nach Schanghai, um neue Geschäfte zu machen und um alte Geschäfte am Laufen zu halten, was die größere Kunst war. Am Gate hatte zu Kurts Missfallen auch Hans-Dieter Bick gewartet, der bei den letzten Wahlen aus dem Landtag geflogen war. Jetzt war er Weinimporteur oder etwas in der Art. Kurt hatte versucht, sich zu verstecken, aber Politiker, vor allem jene, die nichts mehr zu melden hatten, wurde man nicht so leicht los.

Kurt Tietjen?, rief Bick laut.

Sie müssen mich verwechseln, entgegnete Kurt schroff und wandte sich ab.

Verzeihen Sie, aber Sie sehen einem Bekannten von mir zum Verwechseln ähnlich.

Mag sein, knurrte Kurt. Menschen sehen doch alle gleich aus.

Während des Fluges saß er neben einem jungen Mann, der im Auftrag irgendeiner Zeitung oder gar eines Ministeriums (so genau hatte Kurt nicht hingehört) einen Bericht über die Zustände in chinesischen Fabriken verfassen sollte. Direkt vor ihnen saß Hans-Dieter Bick, blickte gelangweilt aus dem Fenster und schien, wie Kurt meinte, ihrer Unterhaltung mit halbem Ohr zu folgen. Kurt konnte gut darauf verzichten, dass Gerüchte über ihn und seine Chinareise nach Düsseldorf getragen wurden.

Tietjen, stellte er sich deshalb flüsternd vor. Unterwegs für ein Textilunternehmen aus Essen.

Sein Sitznachbar machte ein interessiertes Gesicht, wie es nur jungen Menschen gelingt, die noch keine großen Misserfolge erlebt haben. Freut mich, ich bin Gustav, antwortete er und reichte Kurt die Hand. Sie lassen in China produzieren? Dazu würde ich gern mehr erfahren, sagte er und zog eine Visitenkarte aus seiner Jacketttasche. Vielleicht können wir in Kontakt bleiben.

Kurt nahm die Karte entgegen und entschuldigte sich, dass er keine von sich zur Hand hatte. Er werde sich bei ihm melden, beteuerte Kurt, woran er in Wahrheit keinen Moment lang glaubte, er hatte keine Lust, ausgefragt zu werden, und was gab es schon zu den Fabriken zu sagen. Konzentriert blickte er aus dem Fenster, um wieder seine Ruhe zu haben. Nichts, weiße Öde.

Die Grafik auf dem Bildschirm zeigte, wie sie unterhalb Griechenlands immer weiter in die Mittelmeerwüste hineinflogen. Einige Reedereien ließen ihre Schiffe mit 15 Knoten fahren, *slow shipping,* langsames Schiffen, auf diese Weise wollte man verschleiern, dass die Schiffe nicht ausgelastet waren. Niemand gab gerne zu, Lücken in den Auftragsbüchern zu haben. Langsamkeit täuschte während einer Flaute das Gefühl der Vollbeschäftigung vor. Ein Schiff auf dem Wasser war zudem billiger als ein Schiff im Hafen. Es rechnete sich. Immer rechnete sich alles. Das konnte nicht gesund sein, dachte Kurt Tietjen und schaltete den Bildschirm aus.

Im Vorfeld waren Gelder unter dem Posten »Expertengutachten Dipl.-Ing. Liu« verbucht worden, wenn es auch keinen Dipl.-Ing. Liu gab und kein Expertengutachten. Der Vertrag über die Produktion von 300 000 Handtüchern pro Monat musste verlängert werden, und das war bisweilen ohne die Hilfe von Phantomen wie Herrn Liu nicht möglich, jedenfalls nicht zu den Konditionen, die Kurt Tietjen aushandeln musste, um konkurrenzfähig zu bleiben. Für etwas Neues ließen sich Menschen leicht begeistern, alles Alte hingegen machte sie skeptisch.

Wie und wohin die Gelder geflossen waren, so genau hatte es Kurt Tietjen nicht wissen wollen. Irgendetwas, ja, möglicherweise, wusste er, und ja, unter Umständen hatte man an jemanden in der Firmenleitung von Jíjĭn Textiles Geld überwiesen, um eine positive Entscheidung zu beschleunigen. Das mochte alles sein. Aber weder hatte sich Kurt Tietjen Herrn Liu erdacht noch persönlich eine Überweisung für ein Expertengutachten in Auftrag gegeben. Es war ein Vorgang wie jeder andere, ein Mitarbeiter hatte ihn in Gang gesetzt, ein anderer hatte ihn fortgeführt, und zwischendrin mochte Kurt Tietjen zustimmend genickt haben. Es war keine feine Taktik, aber immerhin eine Taktik.

Kurt versuchte, nicht darüber nachzudenken, er war damit befasst, die Geschäfte am Laufen zu halten, das verlangte ihm genug ab. Es war ihm geglückt, die alten Verträge zu verlängern, wer konnte schon sagen, wie groß Lius Unterstützung dabei tatsächlich gewesen war, wie hoch die überwiesene Summe, es war schwer genug gewesen, fünf Tage hatte es Kurt gekostet und die Nächte auch, er hatte kaum geschlafen. In den Schanghaier Büros von Jíjĭn Textiles hatte er im Stundentakt neuen Verhandlungspartnern die Hand geschüttelt, war mit ihnen von einem Besprechungsraum in den anderen gezogen, hatte sich zu einer Stadtrundfahrt überreden lassen, zur Besichtigung des Pearl Towers, zum Mittagessen in einer Pizzeria, zum Abendessen in einem kantonesischen Restaurant, zu einer Tour durch die Amüsiermeile Schanghais. Sogar Karaoke hatte er singen müssen. Wenn er mitten in der Nacht ins Hotel zurückgekehrt war, hatte ihn die Unbewohntheit des Zimmers erdrückt, groß, luxuriös und desinfiziert, wie es war. Er hatte den Fernseher eingeschaltet, sich chinesische Kochsendungen oder amerikanische Seifenopern angesehen, beides gleichermaßen wirr und fern.

Die Baustelle vor seinem Fenster war auch nachts beleuchtet, siebzehn Stockwerke unter sich balancierten kleine Figuren mit Helmen auf dem Kopf über die schmalen Streben des Gerüsts. Der junge Mann im Flugzeug hatte ihm erzählt, dass auf den meisten Baustellen die Helme weggelassen wurden, da es teurer war, einen Arbeiter mit einem Helm auszustatten, als seinen Tod zu versichern. Kurt hatte genickt und aus dem Fenster gesehen. Aber er konnte sich nicht darüber freuen, dass die Arbeiter hier Helme trugen und er zumindest deswegen kein schlechtes Gewissen haben musste. Es war ihm gleichgültig. Zwischen drei und vier Uhr schlief er ein, betäubt von Schlaftabletten und dem Gin aus der Minibar. In Deutschland war es früher Abend.

Kurt konnte nicht sagen, ob er geschlafen oder nur in einem Delirium gelegen hatte, als das Telefon klingelte. Obwohl er im ersten Augenblick nicht einmal wusste, wo er war, griff er automatisch an die richtige Stelle, um den Hörer abzuheben. Hotelzimmer, die für Kurt Tietjen gebucht wurden, sahen alle gleich aus. Er las die grün leuchtenden Ziffern auf dem Wecker und wusste, dass der Schlaf, den er mit so viel Mühe herbeigelockt hatte, nun endgültig vertrieben worden war.

Am Telefon hörte er eine Frauenstimme. Nach einem kurzen Missverständnis erkannte er die Stimme seiner Tochter. Nie hatte er mit ihr auf Dienstreisen telefoniert, genau genommen hatte er überhaupt noch nie mit ihr telefoniert. Sie schien ebenfalls irritiert, dennoch blieb ihr Ton kühl und beherrscht. Sie sagte nur den einen Satz: Sein Leumund ginge vor die Hunde.

Luise hatte wohl lediglich etwas aufgeschnappt und verstand nicht einmal ansatzweise, worum es bei der Angelegenheit ging, mit der sie ihn aus der Nacht riss. Herrn Liu gab es nicht, das wusste Kurt, und dennoch, so erfuhr er nun von seiner Tochter, hatte Herr Liu sich bemerkbar gemacht. Etwas in dem festgeschnürten Plan war losgerissen, Herr Liu tanzte vor den Augen aller im Freien herum, es war nur eine Frage der Zeit, bis jemandem auffiele, wie es um Herrn Lius Wirklichkeitszustand bestellt war. Alles drohte aufzufliegen.

Kurt, der so genau um die Überweisung und Gelder und Herrn Liu nicht hatte wissen wollen, wusste allerdings, dass es vor allen anderen ihm, Kurt Tietjen, an den Kragen gehen würde. Er wusste, dass eigentlich sein Schwager ihn vom drohenden Skandal hätte unterrichten müssen und dass Werner wohl Gründe hatte, es ihm zu verschweigen. Vielleicht wollte er sich hinter Kurt verstecken, um nicht selbst ins Visier der Presse zu geraten. Kurt wollte ebenso wenig seinen Kopf für etwas hinhalten, für das er sich nicht verantwortlich fühlte. Er wollte genau genommen überhaupt nicht seinen Kopf hinhalten.

Das beste Mittel, einer Situation zu entkommen, die außer Kontrolle geriet, war ein Ablenkungsmanöver. Kurt suchte die Visitenkarte von Gustav aus seiner Brieftasche heraus und wählte zwei Stunden später, kurz vor acht, die Nummer. Nach einer halben Minute kam er im deutschen Mobilnetz an. Gustav wohnte zwei Straßen weiter südlich in einem Hotelzimmer, dessen Wände aus Pappe sein mussten. Kurt hörte den Lärm auf der Straße lauter als die Sätze seines Gesprächspartners. Ihm sei ihre Unterhaltung im

Flugzeug nicht mehr aus dem Kopf gegangen, erklärte Kurt. Ob es möglich sei, Gustav zu begleiten. Ein, zwei Tage. Er wolle mit eigenen Augen sehen, wie es in hiesigen Fabriken zugehe.

Eine Pause trat ein. Kurt hörte Autos anfahren, ein elektrisches Brummen wurde stärker. Selbstverständlich, antwortete Gustav schließlich.

Von Schanghai aus reisten sie ins Landesinnere, um eine Fabrik für Spielkonsolen zu besichtigen. Es war die erste Station auf der Liste des jungen Mannes, zwanzig weitere Firmennamen standen darunter, Namen aus der Elektro- und Textilindustrie. Gustav hatte drei Monate Zeit, um alle einundzwanzig Fabriken zu besichtigen und einen Bericht über sie zu verfassen. Kurt Tietjen hatte zwei Tage, und ihm genügte diese eine Fabrik. Ihn interessierte nicht, was genau in den Fabriken vor sich ging, er wollte nur, dass die deutschen Zeitungen einen Bericht über ihn schrieben, ehe sie sich Herrn Liu zuwendeten. Dazu genügte eine Fabrik.

Er hätte sie nicht sehen dürfen. Es ist eben anders, dachte er. Es ist eben ungewohnt. Aber er wusste, dass das nicht das Problem war.

Noch nach seiner Rückkehr würde er daran denken, durch die Zeitverschiebung entrückt, während er sein Arbeitszimmer kaum verließ, vor den weiß verschalten Heizkörpern saß, die er aufgedreht hatte, als wollte er das subtropische Klima wiederherstellen, vor dem er davongelaufen war. Jeder in seinem Bekanntenkreis fuhr hin und wieder nach Fernost oder hatte einen Bruder oder Neffen oder Schwager, der von Zeit zu Zeit dorthin fuhr, und alle verhielten sich, als wären sie lediglich nach München oder Rotterdam gereist, allein Kurt brauchte Tage, um zurückzufinden, ihm reichte es nicht, dass ihn die Lufthansa nach Düsseldorf geflogen hatte, er wähnte sich noch in einer Seitenstraße Schanghais, in einer Shoppingmall mit Teeräumen und blinkendem batteriebetriebenem Plastik, er sah immer noch die Fabrik vor sich und die entleerten Gesichter der Arbeiter, und er brabbelte vor sich hin, wie jemand, der die Welt verändern will und glaubt, einfach so lange weiterreden zu müssen, bis der Albtraum um ihn her aufhört.

In die Fabrik für Spielkonsolen wäre er niemals hineingelassen worden. Selbst mit viel Überredungskunst wäre ihm höchstens eine Besichtigung erlaubt worden, die nichts von der Wirklichkeit zeigte. Er war mit Gustav gereist, der viele kannte, die wiederum viele kannten und am Ende, hatte Gustav ihm versprochen, kämen sie an ihr Ziel.

Kurt wurde morgens um kurz nach sechs von Gustav aus seinem Hotelzimmer geholt. Es war bereits hell, der Himmel weiß vom Smog. Aus dem Ruhrgebiet kannte er nur die graue Luft der sechziger Jahre, die Richtung Duisburg dunkler wurde. Hier hing ein Weiß, das alles zu verschlucken drohte und auf der Höhe des zwanzigsten Stockwerks die Dichte von Wolken annahm. Aus der Klimaanlage tropfte Wasser, aus den Abgasrohren der Autos tropfte Wasser, und auch von den Dächern tropfte es, es war ein Wasser, das Kurt nicht verstand, da es aus Geräten drang, von denen er bislang nicht einmal gewusst hatte, dass sie Wasser enthielten.

Obwohl sich sein Begleiter sicher durch die mit wirr

durcheinandergestreuten Linien beschrifteten Straßen bewegte, drehten sich die Menschen nach ihnen um, als trottete eine Herde blauer Elefanten an ihnen vorbei. Sie waren zu groß, zu klobig, zu europäisch, und Kurt schien es wenig wahrscheinlich, dass sie die Fabrik unauffällig besichtigen könnten. Vor dem Werkstor trafen sie einen jungen Mann im Anzug, der, wie sich herausstellte, zur Firmenleitung gehörte. Kaum hatte er sich vorgestellt, wusste Kurt nicht mehr, wie der Mann hieß.

Sie wurden in die Fabrik eingeschleust, der zierliche Herr schien alles im Griff zu haben, vor allem die beiden Europäer, die ihm wie Gänseküken hinterherliefen. Er erklärte ihnen in akzentfreiem Englisch die Abläufe in den einzelnen Räumen. Jeder Abteilung widmete er exakt vier Minuten, dann wurden sie weitergeschleust. Geschleust, geschleust, geschleust, dachte Kurt.

Die Menschen trugen keine Nummern, aber sie waren zweifellos durchnummeriert, eine Menschennummernfabrik war es, die sie durchquerten. Die Konturen grell hervorgerissen, der Raum von gleißendem Licht ausgeleuchtet. Er sah Arbeiter, in einer Hunderterriege aufgestellt, auf Linie getrimmt, fleißig, unermüdlich, selbstvergessen. Jegliche Empfindung schien unter einem frisch fabrizierten Plastikplättchen begraben, sie kannten nur noch Klebekanten, Haarrisse, Oberflächenstrukturen. Kurt war beeindruckt. Er hatte nie so viel Gleichheit in einem einzigen Raum gesehen. Etwas Teilnahmsloses ging von all diesen Menschen aus. Etwas Unerschütterliches, dachte er. Kurt selbst hatte kein Gespür dafür, ihm war nie erlaubt gewesen, in der Menge abzutauchen. Der Wunsch überkam ihn, ein solches

Display zu besitzen, das über die Tische der Arbeiter gereicht wurde, doch der zierliche Herr schleuste sie weiter, die vier Minuten waren um. Kurt tappte unwillig hinter seinem Begleiter her, sah sich noch einmal zu der grellen Szene um, suchte ein einzelnes Gesicht, doch er konnte keines aus der Masse herauslösen.

Als sie eine gewaltige Stahltür zum zweiten Mal passierten und diese erneut für sie geschlossen blieb, fragte Kurt den Reiseleiter, was sich dahinter verbarg. Kurt bezweifelte, dass sie Zutritt bekommen würden, aber er wollte wenigstens eine Ausrede hören. Natürlich, antwortete der junge Mann höflich, könnten sie auch diesen Teil besichtigen.

Durch die Tür gelangten sie ins Freie. Unter einem Busch sammelte eine alte Frau Nüsse auf. Von fern sahen sie die Wohnbaracken, deren Fenster mit Gittern versperrt waren, ob gegen das Eindringen von außen oder das Ausbrechen von innen, konnte Kurt nicht sagen. Die Gitter wurden als Wäschespinnen benutzt, Laken, Hemden, auch Unterhosen hingen an den Metallstreben und nahmen den Räumen das Licht. Eine junge Arbeiterin mit Sonnenschirm verließ eine der Baracken, rein und hell wie eine Gutsbesitzerin; es war, als trete sie geradewegs aus einer Zauberkugel heraus.

Sie sprachen mit den Arbeitern, die Arbeiter sagten nichts, aber wie sie das taten, beeindruckte Kurt. Wie anmutige Automaten, dachte er. Alles funktionierte. Alles funktionierte reibungslos. Der junge Mann präsentierte ihnen Zahlen, die zehnmal größer waren als jene, die Kurt von seiner deutschen Konkurrenz kannte. Zum Abschied bekamen sie beide ein in der Fabrik produziertes, bierdeckelgroßes Display geschenkt, das leer vor sich hin strahlte, wenn man es einschaltete. Der junge Mann wirkte stolz, als er es ihnen überreichte.

Nachdem sie die Fabrik besichtigt hatten, kehrte Kurt in sein Hotelzimmer zurück. Er spielte mit dem geschenkten Display herum, schaltete es zum wiederholten Mal aus und wieder ein, das Gerät flackerte kurz auf und blieb dann für immer dunkel.

Er begriff nichts von diesem Land, jedenfalls war es das, was er selbst glaubte, als er von seiner Exkursion nach Schanghai zurückkam. Er begreife nichts, erklärte Kurt seinen Bekannten am Stammtisch, doch diese lachten nur. Während jeder Reise nach Schanghai stieß er zu der Gruppe europäischer Geschäftsleute, die sich in einem Lokal in einer Seitenstraße der Nanjing Lu trafen, an diesem Abend fühlte er sich zwischen ihnen falsch.

Begreifen sei hier fehl am Platz, antwortete sein Sitznachbar, er solle bloß nicht versuchen, die Chinesen zu begreifen!

Hüte dich davor, sie begreifen zu wollen, rief jemand laut von hinten, der Kellner kam an ihren Tisch geeilt, aber man wollte nichts von ihm, man wollte nur ein bisschen Spaß haben. Ob das denn nicht erlaubt sei in diesem grotesk plagiierten Land?, fragte am anderen Tischende ein Grauhaariger, der, wie Kurts Nachbar ihm erklärte, am nächsten Tag nach Bangladesch weiterreiste.

Und wie recht er damit habe. Der Markt der Zukunft läge vielleicht in China, aber die Produktionsstätten sicher nicht, bemerkte Kurts Nachbar laut. Die werden zu teuer, die Chinesen, das haben ihnen doch die Japaner eingetrichtert, dass sie nicht nur Reis, sondern auch einen Nintendo brauchen.

Alle lachten. Dann bestellten sie die nächste Runde Weißbier.

Die Bangladeschi brauchen nur Reis, sagte er. Wenn die irgendwann drauf kommen, dass sie auch einen Nintendo haben wollen, dann haben wir ein Problem.

Dann geht die Welt zugrunde, sagte ein anderer.

Das wollten die Japaner schon mit Supermario erreichen, sagte einer.

Die brauchen die Welt ja auch nicht mehr, sagte der Bangladeschreisende. Die sind längst in eine Spielkonsole abgewandert.

Alle lachten, hoben ihre Gläser und lachten weiter, ein dumpfes Anlachen gegen die Spielkonsolen und den kleinen Rest Welt.

Einer der Männer wischte mit der Hand über den Tisch. So muss man Japan wegwischen, weißt du, dieses Inselvolk, sagte er. Wegwischen. Und die Chinesen gleich mit.

Nein, die brauchen wir, sagte sein Gegenüber.

Der Markt hier ist zu groß, fügte ein anderer hinzu, und irgendwann sagten sie alle etwas, sogar Kurt Tietjen, wenn er sich auch später nicht mehr erinnern konnte, was es gewesen war.

Der Bangladeschreisende löste sich aus dem Stimmgewirr und setzte sich mit einem frischen Bier neben Kurt, prostete ihm zu mit einer unverwechselbar farblosen Stimme. Erst jetzt erkannte er W. W. in ihm, die ungewohnte Umgebung hatte ihn vollkommen fremd wirken lassen. Bis vor zehn Jahren war W. W. Mitarbeiter der Firma Tietjen gewesen, der beste Mitarbeiter, Kurts Vertrauter, nun beschränkte sich ihr Kontakt auf zufällige Begegnungen, dann und wann ein Abendessen in offiziellem Kreis.

In Bangladesch musst du investieren, erklärte W. W. fröhlich.

Kurt winkte ab. Er habe seine Verträge. Er mache Gewinne, und das genüge ihm.

Von Gewinnen kannst du nie genug haben. Dhaka. Unter uns. Du musst in die Zukunft schauen, Tietjen.

Die Gegenwart sei entsetzlich genug, entgegnete Kurt und drehte sein Glas vor sich auf dem Tisch. Als Einziger trank er Tsintao und kein Weißbier, obwohl er Tsintao ebenso wenig leiden konnte. W. W. müsse entschuldigen, sagte Kurt, erst heute sei er aus Jiangsu zurückgekehrt und fühle sich ein wenig erschöpft.

Du musst ja nicht hinreisen. Du musst nur investieren. Was willst du in Jiangsu? Im vorigen Jahrhundert zu leben, das können sich vielleicht Politiker erlauben, aber wir nicht. Wir müssen Verantwortung tragen.

Er persönlich trage nur Verantwortung für ein paar Frotteelappen, erklärte Kurt. Zu diesem Zeitpunkt spürte er bereits den Alkoholrausch, der plötzlich und schmerzhaft eingesetzt hatte, migräneartig. Danach war alles verloren. Sie bestellten eine weitere Runde Bier.

Es sei ja alles eine große Lüge.

Was?, wollte W. W. wissen.

Alles. Das da draußen. Das wir hier sitzen. Alles eben.

Na und?, fragte W. W. Was ändert das? Du musst dich ja trotzdem dazu verhalten. Eine Lüge stellt keine neuen Spielregeln auf. Neue Spielregeln werden in einer Ethikkommission beschlossen. Und für die interessiert sich wirklich niemand.

Spielregeln, wiederholte Kurt trocken.

W. W. begann zu kichern. Etwas Amüsantes musste vorgefallen sein, das Kurt entgangen war, wie ihm immer das Entscheidende entging, während W. W. es schon lange im Voraus sah. Manchmal schien es, als träfen die Ereignisse nur ein, weil W. W. sie vorhergesehen hatte.

Im Ernst, fuhr W. W. fort. Können wir heute noch sagen, was gute Spielregeln sind? Ich glaube nicht. Wenn du dich übrigens für Bangladesch nicht begeistern kannst, dann habe ich noch andere Ideen. Wir sollten uns zusammensetzen, wenn wir beide wieder in Deutschland sind. Oder du kommst morgen mit. Ja, du solltest mitkommen. Das ist deine Chance, Kurt. Deine Chance, dass eure Handtücher endlich in der Gegenwart ankommen.

Nein, sagte Kurt erschrocken. Ihn erfasste das Gefühl, sein Leben werde ihm von W. W. aus der Hand genommen. Kurt aber ließ es nicht los, hielt fest, fester als sonst, etwas war anders heute, vielleicht war es die Erschöpfung, die ihn kurzzeitig gegen alle Eingriffe schützte.

Zwischen dem zwanzigsten Jahrhundert und heute liegen nicht bloß, wie du denkst, zehn Jahre, sagte W. W. Wer der Zeit nicht voraus ist, hat schon verloren. Das zwanzigste Jahrhundert war spätestens neunzehnachtzig vorbei. Und danach ging alles sehr schnell, weil immer alles schnell geht. Das ist nun mal der Lauf der Dinge. Es sind Jahrzehnte, die zwischen dem zwanzigsten Jahrhundert und heute liegen. Du lebst in der Vorzeit. Du solltest nach Dhaka, entschied W. W. und klopfte ihm auf die Schulter, es war ein grauenhaftes Gefühl, als würde er von etwas Weichem zerhackt.

Kurt wollte sich verabschieden, doch zuerst übersah ihn der Kellner, dann hielt ein Kollege aus Mannheim ihn auf, und als er endlich im Taxi saß, wurde er nicht in sein Hotel gebracht. Ihr Konvoi bestand aus drei Wagen, W. W. saß im ersten, Kurt im zweiten, zusammen mit einem hageren Holländer und einem Österreicher, der wiederholt darum bat, anzuhalten, er müsse sich übergeben. Der Fahrer verstand kaum ein Wort Englisch und lenkte stoisch ihrem Ziel entgegen. Nach einer Viertelstunde tauchte das Taxi in eine Tiefgarageneinfahrt ab und kurz darauf hielt es auf einem Parkplatz. Der Club musste unter oder neben einer Shoppingmall liegen, zumindest schien es Kurt, als seien sie, nachdem sie ausgestiegen waren, ein Stück durch die bleichen, um diese Uhrzeit leblosen Gänge gelaufen, die die Geschäfte miteinander verbanden. Aber vielleicht täuschte er sich auch, brachte Erinnerungen zusammen, die nicht zusammengehörten. Sie waren einige Schritte gegangen, und bald war eine Tür aus Mahagoniholz lautlos zur Seite geglitten. Dahinter hörte die Betäubung aus grellem Neonlicht auf, und eine Dame in Reizwäsche hieß sie willkommen.

Die Wände waren mit asiatischen Holzschnitzereien verziert, Bäume, Vögel, etwas Rundes, das wahrscheinlich einen Himmelskörper darstellen sollte, Sonne oder Mond oder ein Drittes. Die Empfangsdame führte sie durch die Räume, alles wirkte zerbrechlich, die Möbel, die Wände, selbst die Musik. Etwa zehn Asiatinnen und zwei europäische Mädchen standen an der Bar. Er solle sich eine aussuchen, flüsterte ihm W. W. zu. Kurt zeigte auf ein asiatisches Mädchen und hatte, kaum dass er die Hand sinken ließ, schon wieder vergessen, welche es gewesen war. Die Empfangsdame griff Kurt unsanft an der Hand und dirigierte ihn in einen Seitenraum, klein wie eine Kabine. Man hätte hier sicherlich auch Karaoke singen können, hätte nicht das Bett in der Raummitte gestanden. Alles war weich, die Ecken, Lampen, Möbel, sogar die Bustiers, die dekorativ an der Wand hingen, waren mit Plüsch überzogen.

An diesen Club solltest du dein Zeug verkaufen, sagte W. W. Hierher kommen sie alle. Die Chefs von Siemens-Bosch und der Premierminister von Südkorea. Er lachte und ließ die Tür hinter sich zufallen. Kurt war allein im Raum. Er war etwas ratlos, wusste nicht, was er mit sich anfangen sollte. Das änderte sich auch nicht, als sich die tapezierte Wand aufschob und seine Begleitung zu ihm in die Kabine trat.

Klein und hell stand sie vor ihm. Sehr klein. Sehr hell. Kurt Tietjen wich zurück. Er musste vom Bier aufstoßen. Sie bat ihn aufs Bett, drückte ihn nicht, stieß ihn nicht, es war nur eine Geste: Er wurde plaziert. Sie legte sich halb neben, halb auf ihn. Ihre fast körperlos leichten Finger begannen ihn zu massieren und dabei die Kleidung von ihm abzublättern. Der Alkohol schäumte in seinem Kopf. Er entglitt sich. Der Raum entglitt ihm. Das Gesicht des Mädchens hing über ihm, rund und hell, keine Sonne, kein Mond, ein Drittes.

Spät kehrte Kurt ins Hotel zurück, todmüde und zugleich hellwach. Er schaltete den Fernseher ein und legte sich aufs Bett. Gern hätte er geraucht, vielleicht sogar Drogen genommen, Opium, irgendetwas, aber er rauchte nicht und nahm auch kein Opium, und er würde nicht in einem chinesischen Swissotel damit beginnen. Also blieb Gin, aber den Gin aus der Minibar hatte er bereits getrunken, den von gestern und den von heute und den von morgen vermutlich auch. Immer ging alles zu schnell, das war, wie W. W. gesagt hatte, der Lauf der Dinge.

Er schreckte hoch, mitten in der Nacht, oder war es schon Tag? Schwere Gardinen dunkelten das Zimmer fast vollständig ab. Die Angst, sich nicht mehr in seiner Umgebung zurechtzufinden. Die Angst, nicht mehr fortzukommen. Mit einem Mal kam ihm sein Aufenthalt in China verheerend lang vor. Zu lang. Länger als geplant. Er tastete auf dem Nachttisch nach dem Flugticket, betrachtete es im Licht des Funkweckers: Tatsächlich, es war für den vergangenen Tag ausgestellt. Die Reise mit Gustav hatte sein Zeitempfinden vollkommen durcheinandergebracht. Kurt ließ sich in die Kissen sinken, Rauschen in seinem Kopf, der ätzende Nachgeschmack des Tsintao-Biers im Mund, leichter Schwindel. Er schloss die Augen. Ein Mädchen tanzte vor ihm, er griff nach ihr, aber er griff daneben. Er sackte zurück in einen dumpfen Schlaf.

VI Bereits beim Betreten des Gebäudes habe er gewusst, dass Kurt aus China zurückgekehrt sei, hörte Luise ihren Onkel am Telefon sagen. Es war ein Oktobervormittag, eine Woche nach Kurts geplanter Rückkehr aus Schanghai und Luise stand vor dem Seminarraum, aus dem Werners Anruf sie herausgeklingelt hatte.

Noch ehe der Lift ihn hinauf in den vierten Stock gebracht habe, sei er sicher gewesen, dass Kurts asiatisches Abtauchen ein Ende habe, sagte Werner. Er habe es gewittert. Das sei der Rest jenes Gespürs, das höher entwickelte Tiere irgendwann ablegten. Bei ihm habe sich ein Teil dieses archaischen Vermögens erhalten, er wolle nicht sagen, dass ihm das einen Vorteil verschaffe, sondern eben nur, dass Kurt zurückgekehrt sei. Im Übrigen, Luise, es wäre nett, wenn du umgehend vorbeikämst, seine Sekretärin wimmelt mich seit einer Stunde ab.

Widerstrebend fuhr Luise in die Firma, ihr Vater sah es für gewöhnlich nicht gern, wenn sie sich dort herumtrieb, was selten genug vorkam. An diesem Tag aber schien es ihm gleichgültig, beim Betreten seines Büros hatte sie sogar gemeint, den Anflug eines Lächelns in seinem Gesicht zu bemerken. Kurts Gesicht glänzte von neugewonnenem Fett, das sich unter der Haut angesammelt hatte, er verlor wenige Worte über die Tage, die er zwischen der Longhua-Pagode und einer Shoppingmall im Lujiazui-Distrikt verbracht hatte. Er war gegen halb sechs in Düsseldorf gelandet, hatte sich vom Flughafen direkt ins Büro bringen lassen und war, den kleinen Reisekoffer in der Hand, umgehend in seinem Büro verschwunden.

Und China?, fragte Luise.

Ein ausgezeichnetes Land, sagte Kurt emotionslos. Sein Rücken gerade, sein Gesicht zum Fenster gewandt. Mit einem Stift kritzelte er auf einem Blatt Papier herum, notierte vielleicht etwas, ohne allerdings mit dem Blick den Linien unter seiner Hand zu folgen.

Bitte, Luise, wenn du mich jetzt allein lassen könntest. Und halt deinen Onkel von mir fern, er soll mir wenigstens heute ein bisschen Ruhe gönnen. Ich habe acht Stunden hinter einem schreienden Säugling gesessen, ich bin erschöpft, und es gibt einiges zu erledigen.

Nachdem Kurt um kurz nach elf seine Tochter aus dem Büro geworfen hatte, wurden gegen Mittag die Mitarbeiter des Betriebs über die Rückkehr des Chefs informiert. Die genauen Erfolge Kurts in China blieben unausgesprochen, spiegelten sich aber in den Gesichtern der Mitarbeiter wider: Einige waren sich einer Expansion sicher, sahen Gehaltserhöhungen und Fortbildungen voraus, andere fürchteten, durch hocheffiziente Hongkong-Chinesen ersetzt zu werden.

Auf dem Flur wurde Luise wiederholt angehalten, zwei Mitarbeiter bedrängten sie mit Fragen, sie sollte Neuigkeiten bejahen oder wenigstens abstreiten, die sie selbst noch gar nicht in Erfahrung gebracht hatte. Sie sah das süßliche Gesicht einer Büroangestellten, ihren rosigen Ausschnitt, auf dem die Glieder einer vergoldeten Kette klebten. Selbst die grauen Stare, die seit Jahren blind durch den Betrieb flogen, und jene Murmeltiere, die in heimlich gebauten Höhlen in der Personalabteilung schliefen und sich nur, wenn es um ihre eigene Entlassung ging, aufbäumten, waren unruhig geworden. Ob es denn stimme, ob Herr Tietjen zurück sei. Mit Herrn Kettler, ganz unter uns, ist es doch immer ein wenig schwierig – Ihr Vater, Fräulein Tietjen, ist von anderer Statur, Ihr Vater, Fräulein Tietjen, ist ja für das Frotteegeschäft geboren. Ob er denn tatsächlich in Schanghai – ob man plane, gänzlich dorthin – ob Herr Tietjen den Konzern verkaufen – ob es noch eine Tietjen'sche Zukunft in Essen gebe?

Luise sah den wachen Blick eines zur obersten Managementebene aufstrebenden jungen Mannes. Konstantin Krays blieb vor ihr stehen, sie nickte ihm zu, wollte an ihm vorbeigehen, doch er hielt sie am Arm fest. Es war Luise unangenehm, mit ihm in der Firma gesehen zu werden.

Mit der Rückkehr ihres Vaters nehme ja nun alles wieder seinen geordneten Gang, bemerkte er.

Gewiss, Herr Krays, antwortete Luise, zu mehr ließ sie sich nicht herab. Sie versuchte, ihn nicht anzublicken, sah dann doch auf seine Hände, seine Arme, schaute an ihm hinauf. Krays Gesicht wirkte ernst, ohne verbissen zu sein, er strahlte eine optimistische Ruhe aus, die den älteren Mitarbeitern der Firma längst abhandengekommen war.

Überhaupt wird das Unternehmen wieder an Fahrt gewinnen, versicherte er ihr und trat noch einen Schritt näher an Luise heran. Natürlich schmeichelte er sich ein, natürlich war er aufgesetzt freundlich, natürlich stand er übertrieben aufrecht da, doch Luise konnte nichts dagegen tun, es gefiel ihr, dass jemand sich so um sie bemühte.

Schön, dich zu sehen, sagte Krays, und Luise hätte gern seine Hand berührt, seinen Arm, sein Gesicht. Sie machen sich gut in der Firma, Frau Tietjen, erklärte er betont nüchtern und ließ seine Hand ihren Rücken hinabgleiten. Luise blickte erschrocken den Gang hinunter, ob jemand sie beobachtete, er beugte sich zur ihr hinab, küsste sie flüchtig auf den Hals. Eine der Türen wurde geöffnet, Lotte Bender trat mit einem Stapel Papiere auf den Flur, ach Konstantin, gut, dass ich dich sehe, kommst du nachher noch mal bei mir im Büro vorbei. Luise hätte es ihm am liebsten verboten, sie beherrschte sich, verabschiedete ihn mit einem Kopfnicken. Schönen Tag noch, Herr Krays.

Das Büro ihres Vaters war ein Saal, in dem sich zwar eine ganze Kapelle, nicht aber ein einzelner Mensch aufhalten konnte: Man betrat den Raum und fühlte sich nichtig. Es gehörte einiges dazu, dieses Gefühl zu ignorieren. Luises Großvater hatte die nötige Härte besessen, ihr Vater besaß sie nicht, er hasste den Raum und hatte sich jahrelang geweigert, ihn zu beziehen. An diesem Tag schien er die Größe des Seniors erreicht zu haben, er war Stunde um Stunde nicht aus dem Chefsaal herausgekommen, vielleicht konnte er ihn an diesem Tag ausfüllen, oder er vergrub sich in der Nichtigkeit.

Erst am Abend, als nur noch die Putzfrauen mit ihren Feudeln durch die leeren Gänge zogen, wagte Kurt Tietjen sich heraus. Luise, die auf ihn gewartet hatte, folgte ihm, gemeinsam fuhren sie mit dem Fahrstuhl nach unten. Sein Blick war müde und flackerte. Kaum waren sie in der Eingangshalle angelangt, kehrte Kurt wieder um, er hatte seinen Koffer neben dem Schreibtisch vergessen. Während die Fahrstuhltür sich langsam vor ihm öffnete, hielt er jedoch inne und fragte Luise ein wenig hilflos, ob er den Koffer heute Abend brauche. Kurt Tietjen, der bisher mit dem Gewicht einer fast zweihundertfünfzig Mitarbeiter schweren Firma auf den Schultern durch den Alltag geschritten war, ließ sich nun so leicht verunsichern, dass Luise ihn eine ganze Weile lang weder zur Rückkehr in sein Büro noch zum Verlassen des Gebäudes bewegen konnte. Der Taxifahrer klopfte an die Glastür, und endlich wachte Kurt aus seiner Erstarrung auf.

Weshalb er so lange fortgeblieben sei, fragte Luise ihn beim Hinausgehen.

Was heißt schon lang, erwiderte Kurt abwehrend. Er faltete seine Beine im engen Rückraum des Wagens übereinander, zog sein Jackett glatt, während der Wagen auf die Straße zurollte und die Firma hinter ihnen kleiner wurde. Luise sah ihm ins Gesicht und war überrascht, dass er ihrem Blick standhielt.

Ich habe mich ein wenig in den Gassen verlaufen. Kurt starrte eine Weile vor sich hin, dann fügte er hinzu: In diesen Straßen vergisst du, an der richtigen Stelle haltzumachen, du läufst immer weiter, noch eine Biegung und noch eine, bis du nicht mehr kannst und trotzdem weiterläufst. Du merkst es nicht mehr, weil du überhaupt nichts mehr merkst. Bis deine Schuhe durchgetreten sind, deine Füße schmerzen, und wenn du aufhörst zu laufen, bricht die Ruhe über dir zusammen. Dann weißt du, dass du genau vor diesem Moment weglaufen wolltest. Er strich sich fahrig mit der Hand durchs Haar, es waren trotz all der Kilometer, die er vielleicht tatsächlich gelaufen war, noch immer seine Gesten, leicht und ein wenig nachlässig, um die teure Kleidung, die exklusive Uhr, die Steifheit seiner Herkunft zu unterwandern. Ich habe überlegt, einfach dort zu bleiben, einfach alles fallenzulassen, sagte Kurt. Das ist natürlich Unsinn, es war nur ein kurzer Gedanke, fügte er hinzu. Er saß so dicht neben Luise, dass sie die Wärme seines Unterarmes spürte.

Wo genau sie in Bredeney abgesetzt werden wollten, fragte der Taxifahrer. Luise nannte ein italienisches Restaurant, nur um ihn loszuwerden, um wieder mit Kurt allein zu sein, ungestört, so, wie es zu sein hatte, er der Vater, sie die Tochter.

Es ist ja auch unwichtig, sagte Kurt, jetzt bin ich wieder hier.

Draußen zog die Philharmonie vorbei, das Folkwang, Luises ehemaliges Gymnasium, in dessen Räumen sie zur Klassenbesten gekürt worden war inmitten des Miefs aus Ranzenleder, H-Milch und Matrizen. Während Luises Schule hinter ihnen verschwand, drehte sich Kurt zu ihr und fragte, was sie um diese Uhrzeit beim Italiener wollten.

Dass er Hunger haben müsse, erklärte sie. Er sah sie verwundert an. Sie fuhren weiter die Alfredstraße hinunter, über die Brücke, unter der das gleichmäßige Rauschen der Autobahn durch die Dunkelheit zog. Als sie die Verkehrskreuzung erreichten, lehnte Luise sich vor und tippte dem Fahrer auf die Schulter. Sie wollten doch nicht zum Italiener, er könne in die Frankenstraße einbiegen. Der Taxifahrer zuckte die Achseln, murmelte: Macht ja auch keinen Unterschied, und wechselte in die andere Spur.

Auf den letzten hundert Metern vor ihrem Elternhaus kurbelte Luise das Fenster hinunter, draußen war es herbstlich vernieselt. In den vergangenen Wochen, während Kurt in China gewesen war, hatte sie ihre Abschlussarbeit zu Horkheimer begonnen. Kurt erkundigte sich weder über ihre Arbeit, noch hatte er sie je gefragt, was sie nach ihrem Studium vorhabe; er fragte nicht, ob sie für die Firma arbeiten wolle, und wenn ja, in welchem Bereich. Er riet ihr nicht, ins Ausland zu gehen, um Referenzen zu sammeln, so wie er ihr auch damals nicht geraten hatte, Jura oder Wirtschaft zu studieren, sondern davon ausgegangen war, sie würde Philosophie wählen, weil es seine erste Wahl gewesen wäre, hätte er eine Wahl gehabt. Luise war sich sicher, ihr Vater dachte an jenem Abend, als er neben ihr im Fond des Taxis saß, nicht daran, dass sie vierundzwanzig, dass sie Magistrandin war, vielleicht dachte er nicht einmal daran, dass sie seine Tochter war.

Die Fenster des Hauses waren bereits dunkel, die Diode neben der Toreinfahrt blinkte, die Alarmanlage war scharf gestellt. Niemand, weder Luise noch Werner, noch einer der Mitarbeiter, hatte ihre Mutter über Kurts Rückkehr informiert. Luise musste die Haushälterin mit einem Anruf wecken, um den neuen Code in Erfahrung zu bringen, der die Alarmanlage deaktivierte und ihren Vater durch das Gartentor einließ. Luise war ausgestiegen, blickte ihrem Vater nach, wie er sein Grundstück betrat, ein Einbrecher im eigenen Haus. Er stahl sich durch die Haustür hinein, sie fiel zu, einen Moment lang war Luise überzeugt, er sei nun endgültig verschwunden. Doch dann ging im Esszimmer das Licht an, und kurz darauf leuchtete auch das Schlafzimmerfenster im ersten Stock auf. Luise stand neben dem Taxi und betrachtete das Haus, in dem fast ihr gesamtes Leben abgelaufen war und das nun fremd und falsch vor ihr lag. Hier, wo sich die Anwesen großzügig über die Fläche verstreuten, war die Dunkelheit dicht, die Geräusche waren genau voneinander zu unterscheiden. Farnblätter rissen aneinander. Fledermäuse sezierten die Gegend mit ihrem Schall. Luise konnte sich nicht entschließen, ins Taxi zu steigen, und starrte auf das leicht abgetönte Fenster, hinter dem ihre Mutter wohl gerade auf ihren Vater traf. Erst jetzt kam ihr in den Sinn, dass Carola, die sich in der vergangenen Woche an die Vorstellung gewöhnt hatte, dass mit ihrem Mann fürs Erste nicht mehr zu rechnen war, nicht unbedingt erfreut sein mochte, ihn um diese Uhrzeit im Erdgeschoss wiederzutreffen. Luise zahlte den Fahrer und ging schnell auf das Haus zu.

Ihre Mutter saß allein im Esszimmer, versunken in den Anblick eines Frotteestreifens, den sie wie ein zerbrechliches Lebewesen in der Hand hielt. Auf dem Tisch war eine Zeitung aufgeschlagen, flach und fahl blickte das Gesicht von Kurt Tietjen in den Raum. Carola hatte der Tür den Rücken zugekehrt, aber sie musste ihre Tochter gehört haben, denn sie sagte: Dein Vater wird damit nicht zurechtkommen.

Wo ist er jetzt?, fragte Luise leise.

Carola stieß hörbar Luft aus und umschloss den Stoff mit ihrer Hand. Ihr hättet mir sagen sollen, dass er zurückgekommen ist, sagte sie. Ich dachte, du seist es, und dann stand er hier, am Tisch, über die Zeitung gebeugt. Nicht einmal hingesetzt hat er sich, er hat nur auf den Artikel gestarrt. Gesagt hat er nichts dazu. Er hat überhaupt nichts gesagt. Als er mich bemerkt hat, ist er wortlos aus dem Zimmer gegangen.

Luise setzte sich zu ihrer Mutter, wollte die Zeitung zuschlagen, doch sie brachte es auch nicht über sich, das Blatt anzurühren. Ihrem Vater war es immer gelungen, zumindest sein Bild aus der Presse herauszuhalten, und wenn es ihm nun nicht mehr gelang, war das ein Zeichen, dass er grundsätzlich die Kontrolle verlor.

Er hätte es nicht sehen dürfen, sagte ihre Mutter. Nicht heute Abend. Du weißt, wie empfindlich er nach seinen Reisen ist. Warum habt ihr mir nicht gesagt, dass er heimkommt? Luises Mutter sah noch immer nicht auf. Ihr Gesicht war farblos, sie hatte ihr Make-up bereits auf einem Reinigungstuch im Badezimmer zurückgelassen. Herr Liu hingegen saß fest und zufrieden in den Zeitungsspalten, nachdem er so lange als heimlicher Betrug in der Firma umhergegeistert war. Bis zuletzt hatten sowohl Krays als auch Luises Onkel versucht, Liu aus den Zeitungen herauszuhalten. Sie hatten zu beschwichtigen versucht, wer von der Sache Wind bekommen hatte: eine ehemalige Tietjenmitarbeiterin, ein junger Manager der Konkurrenzfirma Schermerhorn, einige Journalisten, denen Gerüchte zu Ohren gekommen waren. Erst war Werner, dann auch Krays mit ihnen essen gegangen. Solche Leute seien meistens teuer und selten gefährlich, hatte Krays Luise erklärt, doch wenige Tage nach Kurts Abflug in die Volksrepublik waren sie entweder zu teuer geworden, oder sie hatten sich einfach nicht an die Spielregeln gehalten.

Alle haben doch Dreck am Stecken, warum mussten sie ausgerechnet deinem Vater hinterherschnüffeln?, fragte Carola und streichelte den Stoff, als wolle sie dieses Wesen in ihrer Hand beruhigen. Warum bei ihm?, flüsterte sie. Das ist einfach nicht gerecht. Sie atmete tief ein und wieder aus, zog ihre Hand zurück und blickte ihre Tochter endlich an. Dein Vater wird es nicht unter Kontrolle kriegen.

Die zweimalige Erwähnung von *dein Vater* rückte Luise zu Kurt und ihre Mutter selbst von ihnen ab. Carola konnte jederzeit aufstehen, die Koffer packen und das Haus, das Anwesen, die Firma Tietjen verlassen, es war nicht sie, sondern Kurt, der als blasses Zeitungsbild auf der Tischdecke vor ihnen lag. Dein Vater, als müsste auch Luise sich verantwortlich fühlen für das, was um sie herum geschah.

Dass sie über Nacht bleiben könne, hatte Luise angeboten. Vielleicht könne man am nächsten Morgen alles zu dritt besprechen. Ihre Mutter hatte den Kopf geschüttelt und ein Taxi für ihre Tochter bestellt.

Luise ließ den Fahrer einen Umweg zu ihrem Apartment nehmen, Straße um Straße zog an ihr vorbei, die Peripherie einer Stadt, die einmal für ihre Industrie berühmt gewesen war und die nun von der EU dafür ausgezeichnet wurde, dass es kaum noch welche gab. Ihr Vater war wieder vorhanden, das rückte Luises Zukunft an ihren Platz zurück, in die vage Möglichkeitsform. Noch hatte sie das Dröhnen von Werners Stimme im Ohr, sah die Gesichter der Angestellten, hörte die Sätze, die sie mit einem Mitglied des Betriebsrats gewechselt hatte: Gut wäre es, wenn sie häufiger in die Firma kommen könnte, der Kampfhahn

Werner Kettler sei für die Mitarbeiter nur schwer zu ertragen.

Als der Fahrer hielt, blickte sie erschöpft auf das Wohnhaus, in dem ihr Apartment, ihre Puppenstube, lag. Ihre Mutter hatte es für sie ausgewählt und eingerichtet, elegant, sauber, mit viel Glas, ein Stil, der niemals persönlich wurde. Das kleine Gemälde des englischen Künstlers Pettibon, das im Wohnzimmer hing, hatte an diesem Ort jegliche Rebellion verloren. Luise war hier ein Ausstellungsstück in einer Vitrine, ihre Mutter wollte sie in ihrer Nähe halten, im Dunstkreis der Familie und des Betriebs.

Ach bitte, ich habe es mir anders überlegt, würden Sie mich noch ein Stück bringen?, fragte sie den Fahrer und sah erleichtert zu, wie die Puppenstube aus ihrem Sichtfeld verschwand.

Sie rief Krays nicht an, am Telefon hätte er sie abgewimmelt. Luise, ich bin müde, Luise, morgen ist ein Arbeitstag, Luise, du weißt, wenn ich nicht fit bin, du kennst doch deinen Onkel. Werner würde Krays nicht gefährlich werden, im Gegenteil, er hielt schützend seine Hand über ihn. Luises Eltern waren es, die Krays nicht ausstehen konnten. Sie erwarteten mehr von ihrer Tochter als diesen höfisch aufwartenden Angestellten. Dabei hatten sie selbst vor einigen Monaten Luise und Krays miteinander bekannt gemacht, da sie die beiden bei einem Abendessen nebeneinander plaziert hatten, ein Fehler, den ihre Eltern seither nicht müde wurden zu bereuen. Er sei glatt bis zum Verschwinden, hatte ihr Vater über ihn gesagt, und ihre Mutter fand, er verdiene zu wenig.

Vor Krays war Luise mit einem Mann zusammen gewesen, der beinahe so alt wie ihr Vater war. Georg, ein in Scheidung lebender Anwalt, wohnte vorwiegend in seiner Kanzlei, um seiner Familie aus dem Weg zu gehen. Als er eines Sonntags kurz in sein Haus in Bredeney zurückkehrte, erfuhr er, dass seine Tochter erkrankt war. Alles nur deine Schuld, sagte seine Frau, und wenig später sagte es auch seine Tochter zu ihm. Luise und er trafen sich zwei Tage darauf in einem Büro der Firma Tietjen, weil Georg fürchtete, seine Frau würde die Kanzlei beschatten lassen. Er bot Luise an, das Sexuelle, wie er sich ausdrückte, weiterlaufen zu lassen, nur eben unter anderen Rahmenbedingungen, als Affäre, das hätte doch auch seinen Reiz. Luise lachte ihn aus. Er nestelte an seiner Krawatte. Sie lachte weiter, es war unangenehm, und Luise wollte, dass auch er merkte, wie unangenehm es war. Sie sah ihn nicht wieder, sie dachte nicht mehr an ihn, mit Gefühlen war Luise stets klargekommen, in ihrer Familie machte man keinen Aufstand darum.

Danach beschloss Luise, sich auf die Anhäufung von Wissen zu beschränken, also saß sie mittwochs in der Vorlesung von Professor Breitenschneider, der über Lohndruckinflation sprach und über das Ende von Bretton Woods, womit doch schon alles gesagt sei über Amerika und den Dollar, damals, 1973, meine Damen und Herren, Sie waren noch gar nicht auf der Welt, da haben die Amerikaner schon geprasst und ihre Wirtschaft gehetzt, dass ein ganzes Währungssystem unterging. Professor Breitenschneider bevorzugte sparsame Volkswirtschaften, Kanada zum Beispiel gefiel ihm, er hätte allerdings nie dort Urlaub gemacht, weil er selbst nicht nur sparsam, sondern penibel geizig war. Er nahm in der Mensa stets das billigste Gericht, ganz gleich, ob es ihm schmeckte, und die Filzschreiber, mit denen er an die Metalltafel schrieb, benutzte er so lange, bis seine Schrift durchsichtig war. Professor Breitenschneider lud Luise in seine Sprechstunde ein, weil sie ein hervorragendes Referat gehalten hatte, er bestellte sie erneut zu sich, weil sie eine scharfsinnige Analyse in der Vorlesung gegeben hatte, sie ging alle zwei Wochen in seine Sprechstunde, und dann kam das Abendessen im Haus ihrer Eltern, sie saß neben Krays, der ihr mehr Komplimente machte, als es Professor Breitenschneider in seiner Knauserigkeit je möglich war, und sie tauschte die Sprechstundenbesuche gegen nächtliche Treffen mit Krays aus.

Luise klingelte, nichts regte sich, nur das Taxi hörte sie davonfahren, ansonsten blieb alles still. Sie klingelte ein zweites und ein drittes Mal, endlich öffnete Krays ihr verschlafen die Tür.

Ob sie nicht bei ihrem Vater habe bleiben wollen?, fragte er.

Er ist nicht auszuhalten, sagte Luise und drängte sich an Krays vorbei in seine Wohnung. Er hält sich im Moment nicht mal selbst aus.

Sie ging durch den Flur, betrat das Wohnzimmer. Der ihr bekannte Geruch, die ihr bekannten Möbel, ein Glastisch, eine schwarze Ledercouch. Ein Kunstdruck von Jackson Pollock hing an der Wand. Krays' Wohnung war ihr mittlerweile vertrauter als ihre eigene, vermutlich, weil sie nicht für ihn eingerichtet war, sondern von ihm, nicht bloß mit Dekor, sondern mit den Gegenständen gefüllt, die er benutzte, wenn er nicht in der Firma war. Ein paar Hanteln, eine verchromte Espressomaschine, ein Fernseher, auf dem er, wenn überhaupt, Nachrichten sah, Bücher: Hayek, Schumpeter, Dworkin, o ja, belesen war er auch, ihr Krays, Abschluss mit Auszeichnung, Wirtschaftswissenschaften, im Nebenfach Philosophie. Luise ließ sich aufs Sofa sinken und schloss die Augen.

Das ist nicht mein Vater, der heute zurückgekommen ist, sagte sie. Mein Vater läuft wahrscheinlich noch immer durch Schanghai.

Krays fasste ihren Arm, beruhig dich, Luise, du bist ganz durch den Wind, zog sie an sich, strich ihr übers Haar, wiegte sie leicht, Luise, Luise, seine Stimme dunkel und weich, mach dir keine Gedanken, Kleine, du zitterst ja. Sie roch sein Haar, seinen Hals, die Firma rückte in ihren Gedanken ab, wurde kleiner und kleiner, gleich würde sie verschwunden sein. Luise, Luise, flüsterte Krays, das kann dir doch alles nichts anhaben, nicht hier. Er wiegte sie, sie spürte die Feuchtigkeit unter seinem Hemd, so nah an seinem Hals bekam sie kaum Luft, sie drückte ihn von sich, ach Krays, was redest du, natürlich kann es das, wer bist du denn, dass du was dagegen ausrichten könntest?

Krays lehnte sich nach vorn, seine Besprechungspose, so hatte er es im Managementseminar gelernt. Er hörte ihr zu, während sie von den Zeitungsberichten erzählte, die über Kurt hereinbrachen, der Firma einen Bestechungsskandal anhängten. Krays zog sie wieder an sich heran, mit der Hand fuhr sie sein Bein entlang, und sie musste dabei an ihre Eltern denken, die Besseres für sie wollten als Krays, sie wollten so viel Gutes für Luise, dass sie seit jeher nicht zum richtigen Leben gekommen war. In diesem einen

Punkt, was die Wahl ihres Freundes, möglicherweise zukünftigen Ehemannes, anbelangte, stimmte ihr Vater, wenn auch aus anderen Gründen, mit ihrer Mutter überein. Das Wort Freund war so harmlos, dass es nie in ihre Familie hineingepasst hatte. In der Familie Tietjen hatte man Partner. In der Familie Tietjen ging man Verbindungen ein. Allenfalls eine Affäre mit einem Politiker (CDU) oder Manager (Daimler, Airbus) würde vorübergehend akzeptiert, wenn sie denn der Firma dienlich wäre, unter keinen Umständen aber eine Liaison mit jemandem, der zwar nichts war, aber sehr wohl etwas sein wollte. Und vielleicht hatten ihre Eltern sogar recht. Diese leere Figur neben ihr nickte und tat nichts weiter, als mit den Lippen über ihre Wange zu fahren, als könne er damit etwas ändern.

Was bitte schön bedeutet denn Bestechung?, fragte Luise. Welches Unternehmen hilft denn nicht nach, um einen Auftrag zu bekommen?

Es werde alles gut, prophezeite Krays, der an diesem Abend keine Ahnung von der Welt außerhalb seiner Reichweite hatte oder aber die Welt von Luise fernhalten wollte.

Bis vor ein paar Jahren konnte man solche Gelder noch von der Steuer absetzen, sagte Luise trotzig. Man muss sich den Gegebenheiten anpassen, oder nicht?

Krays strich ihr über die Schulter, streifte die Träger ihres Kleides herunter. Er legte seine Stirn an ihren Hals, sein Mund berührte ihre Schulter, mit der Hand drückte er ihre Hüfte an sich.

Im Übrigen, sagte er, glaube ich nicht, dass es diese Geschichte ist, die deinen Vater umtreibt. In zwei Wochen redet niemand mehr davon. Kein normaler Mensch interessiert sich dafür, was am anderen Ende der Welt mit ein paar Handtüchern passiert.

Sein Optimismus erschöpfte sie. Er zog sie auf seinen Schoß, ihr Kleid hatte er bis zum Bauch hinaufgestreift, seine Zunge tastete über ihr Schlüsselbein. Erschöpft war sie von seiner Zuversicht, aber noch erschöpfter war sie von den Jungen, mit denen sie aufgewachsen war, die, seit sie klein waren, alles besaßen und gelernt hatten, dass das, was sie zerstörten, neuer und schöner ersetzt wurde: Sie zertrümmerten ihre Autorennbahn, sie fuhren ihr Mountainbike am Hügel zu Schrott, sie rissen die Kabel aus dem Fernseher, sie zertraten den Display ihres PCs, und mit ihren Kindermädchen und Nachhilfelehrern und Freundinnen sprangen sie ebenso um. Krays drückte Luise auf das Sofa, schob sich auf sie, und was sie an ihm mochte, der, wie ihre Mutter sagte, nur auf seinen Vorteil bedacht war, was sie trotz allem an ihm schätzte, war, dass er noch erschrak, wenn etwas zu Bruch ging, dass er ehrlich und über Sekunden betroffen blieb.

Sie fühlte seine Finger auf ihren Brüsten, an ihrer Hüfte, er küsste ihre Schulter, ihren Hals, ihr Gesicht. Seine Lippen nah an ihren, er atmete schwer. Luise schob ihn ein Stück von sich weg, blickte ihn an.

Was willst du mir eigentlich sagen, Krays?

Er schüttelte den Kopf, irritiert, aber er lächelte dabei.

Dein Vater will alles besser machen, und er merkt nicht, dass dadurch alles schlimmer wird. Ich glaube, sagte Krays, dass er vor seinen eigenen Gespenstern wegläuft. Oder hinter ihnen her.

Das, was Luise über jenen Krays wusste, den es außerhalb der Firma gab, hatte er ihr bei ihren nächtlichen Treffen erzählt. Sie hatte Rotwein dabei getrunken, er Wasser, und irgendwann brach seine Erzählung ab, weil Luise seine Hand an sich zog und zwischen ihre Beine legte oder mit ihrer Hand an der Innenseite seiner Oberschenkel hinauffuhr. Manchmal forderte er sie auf, von sich zu erzählen, sie aber wehrte ab. Du kennst meine Familie. Mehr gibt es nicht zu sagen. Also erzählte wieder er.

Mit fünfzehn hatte Krays für eine marxistische Splittergruppe Mitglieder angeworben und seine Stunden in einem Büro abgesessen, das so vergilbt war wie eine alte Zeitung. Zwei Jahre war er Schatzmeister eines gemeinnützigen Vereins gewesen, der in einem kleinen Ladengeschäft Bananen aus Panama und Bücher über Castro verkaufte, so wenige aber und meist nur an die ehrenamtlichen Mitarbeiter selbst, dass allein die Miete Monat um Monat die roten Zahlen des Vereins in die Höhe trieb. Auf einer Sitzung im Dezember 97 hatte man eine Stunde lang die Farbe der Servietten für die Weihnachtsfeier ausgehandelt, ein politisches Fiasko, rot war missverständlich, grün heikel, blau und gelb ausgeschlossen, schwarz nicht nur in politischer Hinsicht hässlich, weiß wirkte rassistisch, und wenn du jetzt braun vorschlägst, rief Krays' Nachbar, dann nenne ich dich Adolf. Man könne ja ganz auf die Servietten verzichten, erwiderte Krays, und im Übrigen wolle er von seinem Amt als Schatzmeister zurücktreten. Er erhob sich, verließ die Versammlung, um nie wieder in die Nähe des Ladens zurückzukehren.

Er begann, all jene Bücher zu studieren, die er bislang

verabscheut hatte, Texte von Eucken, Smith und Hayek, und Konstantin Krays verwandelte sich binnen weniger Monate zu dem, was er ein halbes Jahr zuvor noch als sein Feindbild bezeichnet hätte.

Dass er alles verrate, an was er je geglaubt habe, warf ihm seine damalige Freundin vor.

Ob es nicht ein größerer Verrat sei, an etwas festzuhalten, obwohl man sähe, dass es nicht funktioniere, entgegnete er ihr.

Ihn selbst irritierte seine Veränderung kaum. Wenn er in den Spiegel sah, gefiel er sich im gebügelten Oberhemd und noch besser im Anzug. Er begeisterte sich für Schnelligkeit, für Entschiedenheit und für die Möglichkeit, dass etwas wachsen konnte, anstatt sich in Schulden aufzulösen.

Zielstrebig begann Konstantin Krays seine Karriere. Er schloss sein Studium noch vor der Regelstudienzeit ab, fing sofort in einem großen Konzern an, ließ sich nach anderthalb Jahren von einem kleineren Unternehmen abwerben, das ihm mehr Gestaltungsspielraum versprach. Seine Freundin und er trennten sich ohne große Worte, er genoss die Stille, wenn er abends allein in seinem Bett lag, eine Stille, die manchmal in ein tosendes Gefühl von Verlassenheit kippte, dann setzte er sich an seinen Schreibtisch und arbeitete die ganze Nacht durch, bis er vor Erschöpfung nichts mehr sah. Mit achtundzwanzig wechselte er zu Tietjen und Söhne, wurde die rechte Hand des Firmenvizes, und dann, mit neunundzwanzig, stagnierte alles. Er saß auf dem Posten unter Werner Kettler und kam nicht voran, und zurück kam er auch nicht mehr.

Luise hätte es nicht für möglich gehalten, weder in den beiden Wochen von Kurts Abwesenheit noch in all den Jahren davor, in denen Kurt zwar nicht verschwunden, aber ebenso wenig anwesend zu sein schien, und eigentlich konnte sie es sich nicht einmal in jenen Tagen vorstellen, da er zurückgekehrt war und seltsam nahbar, zugleich verstört, durch die Etagen der Firma trieb. Sie hätte es sich nicht vorstellen können, dass Kurt ihre Nähe suchen würde.

Die Tage, an denen er sie, ohne dass es einen ersichtlichen Grund gab, zu sich ins Büro rufen ließ, erinnerten Luise im Nachhinein an eine Blase, eine von der Außenwelt isolierte Zeit. Sie hatte noch Kurts Stimme im Ohr: Ich höre, du hast dich prächtig mit unserem Krays verstanden. Luise überging diese Bemerkung, sagte etwas über China, über ihre früheren Familienurlaube in New York, die in Wahrheit nur zeitgleiche Aufenthalte gewesen waren.

Ich dachte immer, sagte Kurt, dass du promovieren willst. Dass du dich an der Universität siehst. Und jetzt bandelst du mit unserem jüngsten Abteilungsleiter an? Verbringst du wegen ihm neuerdings so viel Zeit in der Firma? Lass die Finger davon, das ist nichts für dich. Er blickte zum Fenster, vor dem grau und sauber die Ruhrstadt lag.

Du meinst, Krays interessiert sich für dich?, fragte er. Lass dich nicht auf den Arm nehmen, Luise! Der interessiert sich nur dafür, wie man Karriere macht.

Kurts Hand fuhr über die Kante seines Schreibtischs, als wolle er den Satz unterstreichen, sie fing kurz seinen Blick, ehe er ihr wieder entwich, nein, sie würde sich nicht auf den Arm nehmen lassen, nicht von Krays, nicht einmal von Werner, dachte sie.

Die Zeitungen haben also wieder zugeschlagen, sagte ihr Vater. Eigentlich hätte Werner es mir in Schanghai mitteilen müssen. Aber ich bin dir dankbar, dass wenigstens du mich informiert hast. Wer hat es dir gesagt? Dein Onkel?

Krays. Aber kommt es denn darauf –

Sei's drum, unterbrach ihr Vater sie. Ich werde mich wohl dazu äußern müssen.

Luise schüttelte den Kopf. Krays meint, es ist vorbei. Sie haben genug geschrieben, sie interessieren sich nicht mehr dafür.

Krays?, fragte ihr Vater spöttisch. Hast du auch eine eigene Meinung, oder hast du das Denken vollständig an ihn delegiert? Wenn es nach mir ginge, würden wir so jemanden gar nicht erst in der Firma behalten.

Du weißt, dass er gut ist. Dass du ihn nicht feuern kannst.

Er ist nicht gut. Er ist nur der Beste, den wir derzeit haben. Das sagt mehr über die Firma aus als über ihn. Kurt lachte, es klang beinahe herzlich, Luise kannte von ihm nur das trockene Lächeln, das wie alter Lack auf seinem Gesicht lag. Sie haben recht, die Zeitungen, sagte er. Wir stehen am Abgrund. Er wandte sich dem Fenster zu, die Zechen in der Ferne, davor die Kirchen, das RWE-Hochhaus und die Weststadttürme. Eine Universität aus Asbest, schmierigen Toiletten und minderem Ruf, wo einst leuchtende Hochöfen gestanden hatten und Asche vom Himmel geregnet war. Dem Pompeji der Nachkriegszeit, in dem Kurt aufgewachsen war, hatte man noch vor Luises Geburt einen Katalysator vorgespannt aus absterbender Industrie und verödendem Bergbau.

Die Leute wollen negative Schlagzeilen zum Frühstück, sagte Kurt. Ohne die werden sie nicht wach, und ich soll jetzt dafür herhalten. Aber ich habe keine Lust, den Sündenbock zu spielen. Warum nehmen sie nicht Schermerhorn, warum nicht die Bielefelder Frottee AG? Ich sehe es nicht ein, meinen Kopf für die Firma hinzuhalten, die man mir sowieso wegnehmen wird, sobald mein Kopf gerollt ist. Dein verehrter Onkel wartet doch nur darauf, dass ich das Feld räume. Kollege Serner genauso. Und Bentsch. Und Rehlein. Wahrscheinlich wartest sogar du.

Ehe sie sich durchgerungen hatte, zu fragen, was er damit sagen wolle, wurde die Tür geöffnet und Kurts Sekretärin brachte ihnen Kaffee. Ihre staubgrauen Locken wippten, als sie das Tablett abstellte. Kurt blickte auf einen Punkt in der Ferne.

Jetzt wartet ihr darauf, dass ich auseinanderfalle wie ein Bündel Unterlagen, sagte Kurt, als sie wieder unter sich waren. Wenn ich Glück habe, stopft ein aufmerksamer Angestellter mich in den Schredder. Ich fühle mich seit langem zu müde, um irgendetwas zu sagen. Jeden Morgen, wenn ich zur Arbeit fahre, sehe ich die Firma auf mich zuwachsen, das gleiche Gebäude seit dreißig Jahren, ich rieche seit dreißig Jahren den Geruch von Kopierfarbe, die Dämpfe aus der Kantine, schon der Dunst von Soße und Salzkartoffeln nimmt mir den Atem, ach, was sage ich, jegliche Lebensfreude wird mir darin erstickt. Und drehe ich mich um, steht da ein aufgeregter Angestellter und will mit mir reden. Der aufmerksame, der verständige Firmenleiter. Immer nett zu den Angestellten. Verständnisvoll. Als würde mich ihr Schicksal interessieren. Als könnten mich die Leben von zweihundertachtundvierzig Menschen etwas angehen. Ich kann mir nicht mal ihre Namen merken.

Kurt lehnte sich in dem gewaltigen Chefsessel zurück, dessen gierige Lederlippen ihn verschlucken wollten, eine fleischfressende Pflanze, die eine Fliege wittert. Luise wiederholte innerlich, während sie ihn ansah: Mein Vater, mein Vater, mein Vater, als gehörten sie zusammen, doch das taten sie nicht, hatten es nie getan.

Wenn ich rausgehe, sagte Kurt, umtanzen mich all diese Witzfiguren, die sich so wichtig nehmen, Politiker, Gewerkschaftshampel, Mitglieder des Managerkreises. Ich kann in kein Restaurant der Stadt gehen, ohne dass irgendein Gast mich erkennt und gestelzt wie ein Flamingo auf mich zukommt.

Er sah Luise an, und diesmal war sie es, die ihren Blick abwandte, über die Fotos gleiten ließ, die Kurts Büro dekorierten: Helmut Schmidt, JFK, Gustav Heinemann, Männer, die alles im Griff hatten, außer Kuba und die RAF.

So sind sie, sagte Kurt. So wie dein Onkel. So wie dieser Krays, den Werner meint, protegieren zu müssen. Glücksbringer, oh ja, das wollen sie sein. Sie wollen die Welt von Krankheit, Armut und Arbeitslosigkeit befreien, und wenn nicht die Welt, dann zumindest ihr Bild von der Welt. Am Ende setzen sie trotzdem jede Spende kleinlich von der Steuer ab. Wir verstecken unsere eigennützigen Motive; wenn sie ein für alle Mal beseitigt wären, bliebe vom Menschen wenig übrig. Es ist doch nicht die Güte, die uns antreibt. Was zählt es denn, fragte Kurt und seine Augen suchten erneut die Fensteraussicht ab, moralisch gut zu sein? Raffinesse, das ist es, worauf es ankommt. Wir können das bedauern, aber wir können uns nicht dagegenstemmen. Wer unsauber arbeitet und erwischt wird, fliegt. Wir müssen realistisch bleiben: Ein Mensch ist erst dann kriminell, wenn er einer kriminellen Handlung öffentlich überführt wird. Nicht, wenn er sie begeht. Wir leben ja nicht im Märchenland. Das, was uns unterstellt wird, ist Gier, und die Frage ist doch, sagte Kurt, ob wir nur deshalb so gierig sind, weil wir ständig gezwungen werden, mildtätig zu erscheinen.

Klar und eindeutig war das Bild, das sie für den Journalisten zurechtgerückt hatten, der kurz darauf zu einem Gespräch mit Luises Vater eintraf. Der blau beschichtete Konferenztisch breitete sich unter Kurts ruhenden Händen aus wie ein mildes Meer, nur ein Glas stilles Wasser stand darauf. Im Hause Tietjen war und würde nichts geschehen. Und wenn im Hause Tietjen doch etwas geschehen war, so musste Kurt, der dort so nüchtern und rechtschaffen saß, davon ausgenommen sein. Er stellte an diesem Tag Einsicht und Vernunft dar. Die Ethik eines Unternehmens besteht ja nicht allein darin, den Profit zu steigern, sondern auch, das Profil zu schärfen, hatte Kurt Luise auf dem Weg zum Konferenzraum erklärt.

Luise setzte sich nicht mit an den Tisch, sondern schräg hinter Kurt, vor die Fensterfront, durch die an diesem Vormittag grelles Sommerlicht fiel. Kurt hatte sie gebeten, ihn zu begleiten, er könne diese Presseleute nicht mehr allein ertragen.

Während des Gespräches blickte Kurt sich mehrmals zu ihr um, als fürchte er, in all seiner Rechtschaffenheit alleingelassen zu werden. Das Interview erschien zwei Tage später unter dem Titel *Ein weltweites Verantwortungsgefühl* in der Wochenendausgabe der Rheinischen Post, daneben ein Foto Kurt Tietjens, der konzentriert auf das Glas Wasser vor sich sah. Es war nicht Kurts Wortlaut, den man zum Druck freigab, es war Kurts Wortlaut in den Ohren des Journalisten unter der Federführung von Luises Onkel, der alles gegengelesen hatte.

Ein weltweites Verantwortungsgefühl.

Kurt Tietjen, Geschäftsführer der Firma Tietjen und Söhne GmbH, im Gespräch mit Klemens Maibach über Korruptionsvorwürfe, China und die Rolle deutscher Unternehmen in einer globalisierten Welt.

Rheinische Post: Herr Tietjen, gehören Schmiergelder zur Geschäftspraktik Ihres Hauses?

Tietjen: Natürlich nicht. Wir bedauern diesen Vorfall außerordentlich und haben bereits personelle Konsequenzen gezogen.

RP: Personelle Konsequenzen? Wären da nicht an erster Stelle auch Sie gefragt? Sie als Geschäftsführer müssen von der Vorgehensweise Kenntnis gehabt haben.

Tietjen: Nein, ich bedauere. Ich habe davon nichts gewusst.

RP: Hätten Sie nicht davon wissen müssen?

Tietjen: Mehr zu wissen, als man weiß, ist ein frommer Wunsch. Doch ich kann Ihnen versichern, dass ich sehr bestürzt war, als ich von den Geschehnissen erfuhr, und dass ich sofort reagiert habe.

RP: Ihr Unternehmen hat nicht die Größe eines Siemens- oder Telekom-Konzerns. Umso schwerer ist es vorstellbar, dass keinerlei Information über Ihren Schreibtisch gewandert ist.

Tietjen: Auch wenn unser Unternehmen kein milliardenschwerer Weltkonzern ist, so haben wir doch unterschiedliche Abteilungen für die Aufgaben in unserem Haus. Es gibt die Werbeabteilung, die Personalabteilung und die kaufmännische Abteilung, um nur einige zu nennen. Ich bin nicht Gott, ich kann nicht überall gleichzeitig sein.

RP: Ihre Firma hatte in den letzten Jahren sehr zu kämpfen, vor allem die Konkurrenz der Discountlabels bedrohte sie. Sind die Deutschen noch bereit, Geld für ein Handtuch auszugeben? Wie steht die Firma Tietjen heute da?

Tietjen: Unserer Firma geht es gut. Wir haben uns aus einer temporären Krise mit neuen, innovativen Geschäftsideen herausarbeiten können. Ideen, die gerade die Forderungen einer globalisierten Welt mitdenken, in der Ressourcenknappheit und menschenunwürdige Arbeitsbedingungen in Teilen der Welt auch auf dem Textilmarkt zu Bedrohungen für eine faire Marktwirtschaft werden. Einen verantwortungsvollen Umgang mit diesen Problemen wünsche ich mir gerade von Unternehmen aus Industrieländern wie Deutschland. Das bedeutet, die genannten Probleme nicht am Rand mitzubedenken, sondern sie ins Zentrum einer modernen Unternehmenspolitik zu setzen – so, wie es die Firma Tietjen bereits vormacht.

RP: Sie waren kürzlich selbst in China, um dort die Arbeitsbedingungen in den dortigen Fabriken mit eigenen Augen zu begutachten. Was haben Sie gesehen?

Tietjen: Wissen Sie, es ist schwer zu beschreiben – also für einen an den deutschen Wohlstand und die hiesige Demokratie gewöhnten Leser zu übersetzen. Ich könnte Ihnen jetzt von kahlen Wänden und engen Räumen erzählen, die sich sechs, acht, manchmal zehn Arbeiter teilen müssen. Ich könnte Ihnen von der monotonen Arbeit am Fließband erzählen, für die es keine Tarifverträge und keine Sechsunddreißig-Stunden-Woche gibt. Doch all das trifft es nicht, trifft nicht den Kern. Ich möchte an dieser Stelle gern auf das Buch meines Begleiters Gustav Bomont verweisen, das in Kürze unter dem Titel *Demokratie in China?* erscheinen wird.

RP: Gibt es eine Szene, die Ihnen besonders deutlich in Erinnerung geblieben ist?

Tietjen: Wir sprachen mit einem jungen Arbeiter, der nicht wusste, wie weit sein Heimatdorf entfernt lag, weil er diese Strecke erst einmal, nämlich vor fünf Jahren, zurückgelegt hatte und mir sagte, dass er mit seinem Stundenlohn und den straffen Arbeitszeiten frühestens in fünf, wahrscheinlich aber erst in sieben oder acht Jahren dorthin zurückfahren könne. Sein Vater war mittlerweile verstorben, seiner Mutter ging es nicht besonders gut. Umso mehr musste er sich anstrengen, um sie finanziell zu unterstützen. Gesundheit ist ausgesprochen teuer, überall auf der Welt. Sehen Sie, ich bin nicht bloß Beobachter solcher Situationen. Ich bin Unternehmer, ich kann meine Konsequenzen daraus ziehen.

RP: Wie werden diese Konsequenzen aussehen?

Tietjen: Schon jetzt hat die Firma Tietjen einen Großteil ihrer Produktionsverträge in China aufgekündigt. Die restlichen Verpflichtungen werden Ende dieses Jahres auslaufen und nicht erneuert. Dies ist die praktische Seite dessen, was ich tun kann und tun muss. Zudem möchte ich für ein geschärftes Verantwortungsgefühl werben. Ein Verantwortungsgefühl, dessen Grenzen nicht die der Bundesrepublik und auch nicht die der EU sein können, sondern das weltweit greift. Und wenn es sein muss auch eingreift. Diese Botschaft möchte ich gerne weitertragen, zunächst natürlich an meine Mitarbeiter, aber darüber hinaus an andere Unternehmen. Schon Roosevelt sagte, dass rücksichtsloses Eigeninteresse nicht nur moralisch schlecht ist, sondern auch wirtschaftlich schadet. Jetzt gilt es zu zeigen, wie Rücksicht unsere Wirtschaft voranbringt.

RP: Herr Tietjen, ich danke Ihnen für das Gespräch.

VII Die Hochstraße schnitt Redhook von der restlichen Halbinsel Long Islands ab. Der Gowanus Expressway war in den sechziger Jahren vom Stadtplaner Robert Moses entworfen worden, und die Menschen hielten sich an diese Linie, zogen die Grenze auch in ihren Köpfen. Die Brückenpfeiler standen wie unverrückbare Gegebenheiten, titanenhaft, übermenschlich, nicht ganz von dieser Welt. Sie waren zu hoch, zu breit und sicherlich zu schwer, um jemals bewegt zu werden. Die Lastwagen, Personenkarossen, Limousinen, die über den Highway fuhren, ratterten zu jeder Tages- und Nachtzeit über das Metall- und Betongestütz.

In den Staaten sei alles ein wenig grobschlächtig gebaut, hatte Kiesbert einmal gesagt. Damals, als Kurt nur gelegentlich nach New York flog, hatten sie sich im Club getroffen, auf Festen des deutschen Vereins und bei Veranstaltungen für die Führungselite der Textilfirma Bergson Softstyle. Kiesbert, bis zur Jahrtausendwende Manager bei Bergson, hängte sich an Kurt Tietjen mit einer Penetranz, die fast schon unhöflich war. Kiesbert hatte sich die grenzenlose Fröhlichkeit seiner amerikanischen Umgebung angeeignet und Kurt mehrmals genötigt, Gast in seinem Apartment zu sein, wo er ihm Vorträge über die deutsche Mentalität und den amerikanischen Traum hielt. In Deutschland, hatte er Kurt erklärt, will jeder seine Ruhe haben. Und dann gehen die Menschen in ihrer Ruhe ein.

Tatsächlich aber ging die Firma Bergson Softstyle ein, und man hörte eine ganze Weile nichts mehr von Kiesbert. Man verschwieg ihn wie ein schlechtes Omen, und in diesem Schweigen war er geisterhaft bei ihnen, früher, als Kurt noch manchmal im Club gesessen hatte, früher also, bevor er sein Leben geteilt hatte in einen Teil vor und in einen Teil hinter dem Gowanus Expressway.

Für das Treffen mit dem Makler kaufte Kurt sich einen Anzug in einem Discountladen, eine knittrige Kombination aus stinkenden Fasern. In seiner eigenen Kleidung wäre er sofort aufgefallen, dachte er, doch er fiel auch jetzt auf.

Hierhin verschlägt es niemanden, der nicht muss, erklärte der Makler und musterte Kurts Anzug.

Auf der klebrigen Resopalplatte des Küchentresens füllte Kurt einen Bewerbungsbogen aus und reichte ihn zusammen mit einem Geldschein dem Makler zurück.

Wissen Sie, ich muss eben, antwortete er.

Der Mann betrachtete den Geldschein. Sein Blick war müde, nicht, weil ihn die Wohnungen neben dem tosenden Expressway erschöpften, sondern weil er immer schon erschöpft gewesen war.

Wenn Sie müssen, dann müssen Sie wohl. Er zog die Unterlagen aus Kurts Hand, den Geldschein rührte er nicht an.

Die Wohnung wurde möbliert vermietet. Die Lampe war das Standardmodell eines bekannten Einrichtungshauses, der Schirm war abgebrochen und hing auf halber Höhe zwischen Glühbirne und Boden. Dem Wandschrank fehlte eine Tür, und die Matratze war so weich, dass Kurt beinah darin versank. Das Mobiliar umfasste ferner einen schmalen Schreibtisch, einen Couchtisch, jedoch keine Couch, einen Fernseher und einen Badezimmerschrank aus Plastik, in dem noch die Zahnbürste seines Vorgängers lag.

Dass es keinen Teppich gab, war in einer Wohnung wie dieser ein Glücksfall, für Keime und Ungeziefer blieb dennoch genügend Nährboden. Unter der Spüle fand Kurt eine von Bierresten verklebte Kronkorkensammlung. Altes Fett hatte nicht nur die Kacheln hinter dem Herd bräunlich beschlagen, sondern auch die Dunstabzugshaube und die Unterseite der Schränke, den Kühlschrank, den Boden, fast die gesamte Küche war in einen feinen Schmutzfilm gehüllt, der trostlos war wie alles, was man von Anfang an zu übersehen versucht. In der Nachbarwohnung lief der Fernseher, irgendwo bellte ein Hund, und ein Telefon klingelte.

Auf einem Zettel, der später verlorenging und noch später in einer Schreibtischschublade wiederauftauchte, notierte Kurt Tietjen über seine ersten Tage in Redhook:

Living alone, with a TV set.

Er begegnete ihr im Treppenhaus – sie erkannte ihn nicht wieder, ging eilig an ihm vorbei, ein kurzes Drehen des Kopfes, das grelle Licht, das Ticken des Zählers, klackklackklack, dann war die Treppenhausbeleuchtung erloschen. Kurt grüßte sie, sie grüßte vage zurück, eilte weiter. Er wagte kein weiteres Wort, als könne durch eine falsche Bewegung die Nähe zwischen ihnen zerbrechen, eine Nähe, die in Wahrheit nicht bestehen konnte zwischen einem, der nichts sagte, und einer, die keine Zeit hatte, sich noch einmal umzudrehen.

Fanny war wieder vollständig in New York angekommen

und vom Alltag verschluckt. Ihr Gesicht war leer, eingerastet in die Konstanten, die sie gewohnt war, sie war nicht aufmerksam genug, um ihn zu erkennen. Oder war es seine Schuld? Er hatte sich verändert, zunächst nur die Kleidung, aber mit der Kleidung auch die Frisur. Er hatte sich seit Tagen nicht rasiert. Seine Gesten gerieten aus der Form und mit den Gesten sein Gang. Binnen weniger Tage hatte sich seine Erscheinung vollkommen gewandelt, er fügte sich perfekt in die Gegend ein, die er nun bewohnte.

Sie hatte damals einen gepflegten Mann kennengelernt, der ihre Tasche getragen hatte. Kurt beneidete diesen Mann, der er einmal gewesen war, um das Treffen mit einer Frau, die aus wenig mehr als gebleichten Haaren und abgenutzter Kleidung bestand und sich weder um Etikette noch um den perfekten Auftritt scherte. Gerade deshalb beneidete er ihn um sie. Gerade deshalb war sie die Person, mit der er gegen seinen Vater ankam, gegen die Firma, gegen seine alte kümmerliche Existenz.

Er hörte, wenn Fanny im Bad Wasser laufen ließ, hörte, wenn sie sich in das knarrende Bett legte, er konnte einen ungefähren Plan ihrer Wege erstellen. Sie war sein letzter Bezugspunkt, ein verschwommener Tintenfleck in der Agenda, er richtete seinen Tagesablauf nach ihr aus. Fünf Wochen lang beobachtete er sie und notierte ihre Gewohnheiten. Er sah sie jeden Morgen das Haus verlassen, kurz vor neun, außer sonntags. Er wusste nicht, wohin sie ging, er wusste nicht, warum sie zu unterschiedlichen Zeiten zurückkehrte, mal um halb sechs, mal erst um neun. Nie brachte sie jemanden mit. Nur einmal hörte er ihre Klingel, und es war, wie er an dem Gespräch im Treppenhaus heraushörte, nur der Briefträger. Wenn er sie morgens durch sein Fenster das Haus verlassen sah, trug sie schlichte Kleidung, Jeans, Pullover, und war in Eile.

Er wagte nicht, bei ihr zu klingeln, und bemühte sich, seine Gedanken von ihr abzulenken, aber es gelang ihm nicht. Fanny Weidmann. Wie früher die Firma, war es nun Fanny, die sein Leben diktierte. Er hatte geahnt, dass es so kommen würde. Im Bus auf dem Weg in die Stadt hatte er sie nur kurz aus den Augen gelassen, hatte sich umgesehen und gedacht, es sei nicht diese eine bestimmte Frau, die ihn in ihren Bann zog. Da saß eine Rothaarige, die in einer Modezeitschrift blätterte, eine blonde Studentin im Polojäckchen, das sie secondhand gekauft haben musste, da es älter aussah als das Mädchen selbst. Es hätte auch eine von den beiden sein können. Sie übten einen Reiz auf ihn aus, weil sie losgelöst waren von allem, was er kannte. Ihre Namen waren nichts. Sie existierten nur für sich selbst, für ihr kleines Umfeld, für einen Mann, ein paar Freunde, einen Hund daheim.

Kurt Tietjen wollte sich bewegen, so wie diese Frauen sich bewegen konnten, die nicht einmal um ihre Freiheit wussten. Er hatte sich wieder von ihnen abgewandt und zu Fanny gesehen. Nein, es hätte doch keine andere sein können, gestand er sich ein.

Fanny brauchte er, wie er glaubte, um der Firma zu entkommen. Es kam ihm nicht in den Sinn, dass er vielleicht nur die junge Frau aus dem Hotelzimmer vermisste, die fröhlich zu überspielen versuchte, dass sie trotz all seiner Bemühungen nicht miteinander geschlafen hatten. Er dachte nicht darüber nach, ob es diese Nachsichtigkeit war, die er sich wünschte. Es musste etwas mit der Firma zu tun haben, daran bestand kein Zweifel für Kurt Tietjen.

Früher hatte er angenommen, es würde ihm gefallen, wenn um ihn herum Leben wäre. Er hatte geglaubt, es würde ihm guttun, zu heiraten, sich ins Arbeitszimmer zurückziehen zu können, während die Wohnung belebt blieb von den Schritten seiner Frau, ihrer Stimme, ihren Gesprächen, die so anders waren als seine eigenen und nicht ständig um die Firma kreisten. Er brauchte einen Mittelpunkt, hatte Kurt gedacht. Wenigstens um davor wegzulaufen.

Bevor er mit Carola zusammengekommen war, hatte Kurt Tietjen Affären gehabt. Weil es sich so gehörte. Weil er keine Witze von Freunden über seine Enthaltsamkeit hören wollte. Er vermied es, den Frauen tags zu begegnen, und wenn er an sie dachte, kamen sie ihm stumpf und nutzlos vor. Sie begehrten ihn nicht. Sie wollten ihn haben. Und natürlich begehrte auch er sie nicht, denn um begehren zu können, hätte er bedürftig sein müssen, und das erlaubte sich ein Tietjen nicht. Kurt hatte zu der Zeit seinen Körper weniger bewohnt als provisorisch belebt gehalten, er hielt ihn wach, weil er präsent sein musste. Das zumindest wird man von dir verlangen dürfen, hatte sein Vater gesagt.

Carola Levmann war in der schrägen Hanglage des Hamburger Treppenviertels aufgewachsen, unten Fluss, Strand, Hunde, oben Ballettunterricht, Barbour-Jacken, Café Sand und noch mehr Hunde. Die Touristen kamen sonntags. Carolas Vater arbeitete in einer Privatbank, ihre Mutter beherrschte die Namen der hanseatischen Gesellschaft fließend. Mit zehn machte Carola wie alle ihre Klassenkameraden den Segelschein, seit sie zwölf war, spielte sie Verlobung, und seitdem sie Verlobung spielte, blieb ihre kindliche Figur konstant. Sie war ein feenhaftes Wesen, das allein an ein paar zynischen Gedanken hängenblieb.

Kurt und Carola waren einander vorgestellt worden, als gelte es, ein Geschäft abzuschließen. Gemeinsame Bekannte hatten vorab die Vorzüge des jeweils anderen hervorgehoben, dann waren sie an einem Abend, an dem schon mehrere Flaschen Chablis getrunken worden waren, zueinander gestellt worden, sie waren beieinander stehen geblieben, den ganzen Abend lang, so einfach war es gewesen. Beide hatten gewusst, dass ihr Gegenüber eine gute, dass es die richtige Partie war. Sie mussten nicht nachdenken, sie mussten sich nicht einmal verlieben (vielleicht aber taten sie es dennoch). Es war offensichtlich, dass dies das Gegebene war.

Kurt hatte nicht geglaubt, dass ein Mensch ihm verständlich werden konnte. Carola verstand er an jenem Abend nach zwei Flaschen Wein, und was noch erstaunlicher war: als er nüchtern wurde, verstand er sie immer noch. Sie war wie ein ausgelagerter Teil von ihm, eine Dependance. Es kam ihm paradox vor. Er konnte mit ihr zusammen sein, ohne dass er sich bedrängt fühlte.

Im Januar 1982 hatten sie geheiratet, zwei Jahre später war Luise auf die Welt gekommen. Im Herbst 1990 unternahmen Carola und Kurt ihre erste gemeinsame New-York-Reise, wenige Monate später war Kurts Vater gestorben, für Kurt hingen die beiden Ereignisse seither zusammen. Es war sein Jahresurlaub gewesen, es hätte genau genommen sein Jahresurlaub werden sollen, in dem er sich von der

Firma erholen wollte, aber in letzter Minute entschied sich der Senior mitzureisen. Das Wetter war mild, aber regnerisch, die Stadt klebte an ihnen wie eine nasse Zeitung, und von Ecke zu Ecke wechselte das Jahrzehnt. Autos aus den Fünfzigern parkten am Straßenrand, Geschäftsreisende aus den Neunzigern tasteten die Stadt nach Investitionsmöglichkeiten ab, die Werbung der Zukunft lief am Times Square, im Hotelfoyer zeigte ein Fernseher den Präsidenten, der wie ein Western-Held aus dem 19. Jahrhundert aussah.

Der Senior war mitgekommen, weil er eine dringende Angelegenheit in New York klären musste. Von Essen aus waren erste Gespräche mit dem Kaufhaus Macy's geführt worden und äußerst vielversprechend verlaufen, alles deutete darauf hin, dass der Tietjenfrottee bald in den Regalen des New Yorker Geschäfts liegen würde. Kurt hatte angeboten, sich darum zu kümmern. Du weißt nicht, wie unsere Geschäfte in New York stehen, hatte der Senior geantwortet. Niemand wisse, wie die Geschäfte in New York stünden, hatte der Junge trotzig erwidert, womit er recht gehabt hatte, doch das gab der Senior nicht zu. Seit dem Prozess folgte er Kurt wie ein lästiger Köter. Der Senior misstraute seinem Sohn, dennoch handelte der Alte nicht so, wie es die meisten, allen voran Werner, erwartet hatten.

Was zählen meine Animositäten verglichen mit einer Familientradition?, fragte der Senior. Sie zählen nichts, und ich werde Kurt nicht aus der Geschäftsführung entlassen. Im Übrigen, wenn er meint, uns verklagen zu müssen, soll sein Kopf auch in der Schlinge hängen.

Das war sein letztes Wort. Er behielt seinen Sohn in der Geschäftsführung, überwachte allerdings jeden seiner

Schritte. Und Kurt blieb, weil er schon den Prozess nicht durchgestanden hatte und sich seither weniger denn je zutraute, irgendetwas außerhalb dieser Familie zu sein.

Dass sie nach Miami hätten reisen können, befand Carola, nach Rio oder warum nicht an die Côte d'Azur, für Hochhauswüsten hätte sie noch nie etwas übriggehabt. Kaum dass sie in New York angekommen waren, ließ Carola ihrer Abneigung freien Lauf. Ihr missfiel das Essen, das ihr zu fettig war, ihr missfiel der Lärm, von dem sie nachts wach lag, ihr missfiel das gummiweiche Englisch. In den kommenden Jahren sollte sie ihre Meinung über New York ändern, aber im Herbst 1990 pflegte Carola ihre Abneigung noch mit Bedacht. Sie wollte nicht auf die Straße, sie wollte nicht in den Regen, und der junge Tietjen glaubte insgeheim, dass sie nicht die Reise, sondern die gesamte Ehe rückgängig zu machen wünschte.

Lediglich im Hotel hatte Carola keine Angst, ausgeraubt, betrogen, bedroht zu werden. Die Stoffe hingen fest und verlässlich von den Handtuchhaltern, Betthimmeln, Gardinenstangen herunter, und schob Carola die Vorhänge beiseite, konnte sie auf den Hudson blicken, der in sicherer Entfernung floss. Die Angestellten waren zuvorkommend und dubios wie Diener aus alten Monarchien.

Sie telefonierten mit W. W., der die Firma in Essen gegen Schermerhorns Unternehmen aufrüstete, Tietjens größten Konkurrenten. Dass W. W. fünf Jahre später selbst zu Schermerhorn überwechseln sollte, war damals schon absehbar gewesen, W. W. war zu klug, um Rücksicht zu nehmen. Die Bielefelder Firma war ihnen seit langem in der Preispolitik überlegen, so kostengünstig, wie Schermerhorn seine Produkte auf dem Markt anbot, konnte man in Essen nicht produzieren. Allein die bessere Qualität der Tietjenprodukte bewahrte die Firma vor einer vollständigen Niederlage, und während der Senior in den Staaten nach Innovationen im Bereich des Luxusfrottees suchte, lotete W. W. daheim die Möglichkeiten aus, das Tietjen'sche Spielfeld zu erweitern.

Konkurrenz ist eine launische Sache, sagte der Senior zu seinem Sohn, während sich seine Schwiegertochter im Nebenzimmer inmitten ihrer vielen Kleider verlor. Man muss wissen, gegen wen man gewinnen kann. Deine Frau weiß es sicher nicht, aber das ist nicht so tragisch. Es ist leider so, dass wir es immer wissen müssen. Das ist die Verantwortung, die wir tragen.

Dass es hier doch weniger um Verantwortung als vielmehr ums Überleben gehe, erwiderte sein Sohn.

Ums Überleben! Wir weiten unseren Radius aus. Da gilt es, entschieden zu handeln. Manchmal muss man eben jemanden wegdrängen, so ist das halt.

Wegdrängen, nachdem ihr alle Chancen habt verstreichen lassen.

Ihr? Du nimmst dich aus?

Ich nehme mich nicht aus. Aber ich würde es gern.

So liegen deine Pläne, Sohn. Vortrefflich. Wären wir nicht alle gern harmlose Menschen? Nur dass die harmlosen Menschen über kurz oder lang pleitegehen und damit mehr Schaden anrichten als alle anderen. Schaden für sich, für die Angestellten, für die Investoren. Aber du willst lieber gut sein, was aus den anderen wird, ist dir egal. Was zählt es denn, fragte der Senior, moralisch zu sein? Raffinesse, das ist es, worauf es ankommt. Wir können das bedauern, aber wir können es nicht ändern. Er hob die Arme, wie jemand, der sich ergab, und ließ sie wieder sinken.

Wir haben nie etwas besitzen wollen, wir wollten immer nur investieren. Nie sind wir von etwas abhängig gewesen. Wir wollten nie besser sein, als wir eben sind. Er erhob sich und klopfte seinem Sohn auf die Schulter. Du wirst es schon hinbekommen, sagte er und trat ans Fenster. Seine schlanke, im Gegenlicht schwarze Gestalt senkte sich in den krausen Fluss hinter der Scheibe, und eine düstere Stille breitete sich im Zimmer aus, unterbrochen lediglich von dem hellen Klirren metallener Kleiderbügel im Nebenraum. Und dann, vielleicht, weil selbst dem Senior die Stille nicht ganz geheuer war, fügte er hinzu: Ich hoffe jedenfalls, dass du es hinbekommst.

Es klang wie ein leiser Zweifel, aber Kurt wusste, dass es mehr als das war. Es war die Sorge, unter der schon sein Vater gelitten hatte, die Sorge, es könne nicht genug Tietjen an ihn vererbt worden sein. Den baldigen Tod des Seniors, der sieben Wochen später eintrat, hervorgerufen durch eine Mischung aus wild wuchernden Krebszellen, Herzversagen und einer haltlosen Müdigkeit, hatte Kurt seinem Vater bis zu jener Reise nicht angemerkt. Auch in New York hatte der Senior auf ihn zunächst rüstig gewirkt, während Carola und Kurt in den überklimatisierten Gebäuden froren und verschreckt durch die Straßen liefen. Den Senior schien die Unruhe der Stadt nicht zu erreichen, er saß frisch und ausgeruht auf der Terrasse des Hotels, trank Kaffee und blickte auf den Hudson.

Erst als das Wetter umschlug, der Regen von einem Tag auf den anderen aufhörte, die Sonne stechend hervorkam und warme Luft vom Atlantik ein unnatürlich mildes Frühlingsklima in die herbstliche Stadt wehte, erst als Vater und Sohn sich mit dem Einkäufer von Macy's trafen, um die geplante Kooperation perfekt zu machen, sackten die stets aufrechten Schultern des Seniors ein.

Sie waren, von einer Sekretärin geleitet, durch endlose Flure gelaufen, durch ein Großraumbüro, in dem die Mitarbeiter, durch Sichtschirme voneinander getrennt, in Headphones sprachen, die unzähligen Telefonstimmen vermengten sich zu einem einzigen, schillernden Ton. Auch dem jungen Tietjen wurde einen Moment schwindelig und er fasste sich erst wieder, als sie das Büro hinter sich ließen und in eine kleinere Kabine traten.

KOCH stand mit weißer Farbe an die Glasscheibe geschrieben, die diesen Raum, kaum größer als eine Abstellkammer, vom Lärm der Telefonisten trennte. Ein Ventilator schlappte seine Propellerblätter im Kreis, eine Kaffeemaschine brummte auf der Fensterbank, und der Schreibtisch war bedeckt von einer Schicht aus Ordnern und lose herumliegenden Unterlagen. Zwischen alldem thronte Helmer Koch in einem hell karierten Hemd und mit der hoheitsvollen Plumpheit eines Kolonialbeamten.

Der Senior war sichtlich irritiert von der Enge des Büros, in dem das für ihn bedeutsame Geschäft abgeschlossen werden sollte. Vielleicht hatte er an die Erhabenheit jener kaiserlichen Hallen gedacht, in denen einst Justus den Vertrag seines Lebens unterzeichnet hatte. Hier war nichts erhaben, hier war alles kläglich, und der schwitzende Herr Koch machte nicht den Eindruck, als habe er irgendetwas im Macy's-Konzern zu sagen.

Herr Tietjen, Sie schickt der Himmel!, erklärte er schnaufend, während er sich vorbeugte, um seinen Gästen die Hand zu reichen.

Herr Koch, damit wir uns richtig verstehen: Ich bin den ganzen Weg von Deutschland nach New York geflogen, um an einem so kümmerlichen Ort empfangen zu werden? Hätte es nicht einen anderen Rahmen für unseren Geschäftsabschluss geben können?

Gut, dass Sie darauf zu sprechen kommen. Unser Geschäft ist nämlich ein wenig zu viel gesagt.

Zu viel? In welchem Sinn?

Wir haben uns vorgestern noch einmal zusammengesetzt und über die geplante Kooperation beraten. Wir sind, nun, wie soll ich mich ausdrücken – Koch brach ab und fuhr sich mit einem Taschentuch über den feuchten Nacken. Sie müssen verstehen, es liegen uns zahlreiche andere Angebote vor, bessere, um genau zu sein. Wir wollten es Ihnen noch vor Ihrer Reise mitteilen, versicherte er seinen Gästen. Aber wir haben Sie nicht mehr erreicht. Sie sind schon ein paar Tage in der Stadt?

Ein Tietjen wird nicht übergangen, sagte der Senior stur.

Es gibt Leute, die das anders sehen. Herr Tietjen, es tut mir sehr leid, aber –

So etwas passiert mir nicht.

Irgendwem passiert es immer.

Wir sind aber nicht irgendwer, entgegnete der Senior. Wir verlieren nicht. Wir verlieren nicht ohne unser Wissen.

In New York werden Geschäfte schnell gemacht, erklärte

Koch und schnalzte mit der Zunge. Und schnell wieder fallengelassen. Für die Zukunft rate ich Ihnen, sich auf die Geschäftspraktiken vor Ort einzustellen.

New York!, rief der alte Tietjen, das ist doch nichts als ein verkommener Moloch, regiert von einer korrupten Beamtenbande. New York existiert für uns nicht mehr.

Kochs speckiges Gesicht glänzte in der Sonne, die kurz und kräftig durchs Fenster schien und dann hinter Wolken verschwand. Die muffige Atmosphäre des Büros schlug über ihnen zusammen. Kurt blickte seinen Vater von der Seite an, betrachtete das faltige Profil, in dem zwar noch Strenge, vor allem aber tiefe Müdigkeit lag. Sie sollten sich lieber zurückziehen, flüsterte er dem Senior zu. Hier sei nichts mehr zu holen, sie verlören nur ihre Zeit. Sein Vater nickte stumm. Beim Hinausgehen blieb der Senior noch einmal stehen. Er blickte sich suchend in dem Großraumbüro um, doch seine weltmännische Statur, das marineblaue Jackett, die Goldmanschetten kamen nicht an gegen das Getöse, das aus den zahlreichen Kabinen aufstieg.

Die Tietjens müssen immer die Nummer eins sein, verkündete der Senior wenige Tage vor seinem Tod, er sagte es sehr laut am Abendbrottisch zu seinem Sohn und zu seinem Schwiegersohn Werner Kettler, der in den vergangenen Monaten immer häufiger ins Haus gekommen war. Er verkündete es über das an den Rand des Porzellans gedrängte Gold, über das Entenconfit, das ihm zu fettig war, über den Kopf seiner Tochter und seiner Schwiegertochter hinweg.

Um ganz oben zu stehen, darf man nicht ständig Kompromisse eingehen, erklärte der Senior. Deshalb können

Frauen ja niemals einen Konzern führen. Sie wollen es allen recht machen. Sieh dir doch an, wie lange sie brauchen, bis sie sich für eine Abendgarderobe entschieden haben. Und dann hadern sie den ganzen Abend, weil sie befürchten, das falsche Kleid gewählt zu haben. Sie trauen sich nichts. Es ist Unfug, rief er und stach mit der Gabel in das Entenfleisch, zerteilte es mit skeptischer Miene. Unfug, murmelte er und schob sich ein Stück Fleisch in den Mund.

Die beiden Frauen tauschten Blicke aus, und die Schwiegertochter triumphierte leise über das blasse Geschöpf ihr gegenüber. Fiona Tietjen hatte abgedankt, noch ehe sie für die Firma relevant geworden war. Carola hingegen hatte die richtige Entscheidung getroffen, sie war nicht über die Geburt, sondern über die Heirat an das Vermögen gekommen.

Kurt meinte später, sie hätten seinen Vater nicht nach New York mitnehmen dürfen, sie hätten ihn auf jener Reise um das gebracht, was ihn noch bei Verstand und also am Leben gehalten hatte, um den Glauben, dass es zwar jeden, nicht aber die Tietjens treffen konnte, dass diese Familie vom Lauf der Welt ausgenommen war. Carola jedoch widersprach ihm. Es sei offensichtlich gewesen, dass sein Vater bereits vor der Reise angeschlagen gewesen war. Sie denke nicht, dass er ohne New York auch nur einen Tag länger gelebt hätte, nein, vielmehr sei sie sich sicher, dass er bereits Monate vorher im Stillen abgedankt und nur so lange durchgehalten habe, bis sein Sohn mit der Firma zurechtkam. Dass der Senior auch noch hatte erkennen müssen, dass er selbst schon lange nicht mehr mit der Firma zurechtgekommen war, habe ihm höchstens noch den Rest gegeben. Dein Vater wäre gestorben, so oder so. Er hatte genug, das konnte jeder sehen, spätestens seit dem Tag, als sein eigener Sohn ihn vor Gericht gezerrt hat. Und du, warf sie ihrem Mann vor, suchst nur eine Erklärung für den Tod deines Vaters. Es sei letzten Endes die gleiche Angst, die auch seinen Vater ergriffen hätte, die Angst der Tietjens, denselben Regeln zu unterliegen wie andere Menschen auch.

Wie andere Menschen, dachte Kurt nun, Jahre später, am Rand von Brooklyn, wo er den Möwen zusah. Hoch über ihm taumelten sie durch einen schwülen Nachmittag. Das New York der Achtziger war eine Weltreise von hier entfernt und Essen war es ebenfalls. Die richtige Entscheidung, dachte Kurt, gab es die überhaupt? Es hatte sich anders ergeben, als Carola es vorgesehen hatte. Es hatte sich bereits damals anders ergeben. In New York hatte ihr Weltreich zu bröckeln begonnen, oder vielmehr waren die Risse eines längst bröckelnden Reiches sichtbar geworden. Etwas hatte seit Jahren an den Rändern der Tietjen'schen Macht geknabbert, und es fraß sich weiter voran, dachte Kurt am Ufer des East River. Er blickte auf die Brachfläche vor sich, Kinder spielten zwischen Treibholz und zerschmetterten Metallzäunen, auf der anderen Uferseite reckten sich kalt und klar die Hochhäuser Manhattans, ein von zu vielen Zähnen überwucherter Kiefer. Weiterfressen, dachte Kurt. Fressen, bis sein Vater endgültig, auch in seiner Erinnerung, tot war und vom Unternehmen nicht mehr blieb als jenes räudige Geröll am Rand von New York.

VIII

Nie war es Luise Tietjen möglich zu zögern, frei über ihre Zeit oder auch nur ihre Gedanken zu verfügen, natürlich war ihr dergleichen nicht erlaubt, sie wuchs mit einer Disziplin auf, so scharf, dass andere sich daran geschnitten hätten, und sie erwartete nicht das Unmögliche, sie erwartete nur, dass sie verwundert sein durfte, als ihr Vater in New York verschwand – aber auch das durfte sie nicht. Menschen wie sie taten gut daran, ihren Vater genauso schnell zu vergessen wie einen Geschäftstermin.

Sie hatte es von Werner und wenig später auch von Krays gehört: Ihr Vater würde nicht nur in New York bleiben, er hatte ihnen zudem über seinen Anwalt Wessner mit einer Unterlassungsklage gedroht, sollte Werner irgendetwas unternehmen, ohne mit ihm Rücksprache zu halten. Einen Hinweis, wie man Kurt erreichen konnte, hatten sie von Wessner jedoch nicht erhalten.

Luise, dein Vater ist übergeschnappt, hatte ihr Krays in einer Textnachricht geschrieben, und auch ihre Mutter war am Ende ihres Glaubens angelangt, falls es überhaupt jemals Glauben und nicht vielmehr Fatalismus gewesen war, der sie an Kurt Tietjen band.

Dein Vater hat den Verstand verloren, sagte Carola, als Luise am Abend das Haus betrat. Die Wohnzimmertür stand offen, Carola saß auf der Couch und trug diese Feststellung mit solcher Grazie vor, als sei ihre Familiengeschichte ein

Zeremoniell. Carola hatte die perfekte Haltung einer Ballerina, und ihr Blick war stechend scharf.

Kurt Tietjen denke nicht daran, den ihm unterbreiteten Vorschlägen zuzustimmen, so Theo Wessner von der Anwaltskanzlei Wessner und Willberg in einem förmlichen Brief. Sein Klient stimme weder dem Stellenabbau in Essen zu noch der Verlagerung der restlichen Produktion von China nach Bangladesch. Wessner verwies zudem auf das Vetorecht, von dem Kurt Tietjen jederzeit Gebrauch machen könne.

Es war absurd, dass jener Mann, der einfach so untergetaucht war, jetzt auf seine Rechte als Geschäftsführer beharrte. Es war absurd, dass er ausgerechnet Wessner auf sie hetzte, einen früheren Freund der Familie.

Dein Vater will uns an den Hals, erklärte Carola trocken.

Luise sah ihre Mutter an, suchte nach Spuren von Ironie in ihrem Gesicht. Carola aber war kein Mensch, der sich auf Ironie verstand. Wessner ist nicht dumm, sagte Carola. Er hat Kurt in den Achtzigern vertreten, er hat nicht vergessen, wie blamabel es war, als Kurt die Klage gegen die Firma zurückgezogen hat. Er weiß, dass er sich mit Kurt wieder auf dünnes Eis begibt, und er wird nicht noch einmal verlieren wollen. Dünnes Eis, was sage ich, rief sie. Wasser ist es, nichts als Wasser.

Die Gardinen im Wohnzimmer waren zugezogen, niemand sollte Einblick in ihre Misere bekommen. In der Firma war längst durchgesickert, dass man auch in der Chefetage nicht wusste, was von Kurt Tietjen noch zu erwarten war, und seit Tagen hielt sich niemand mehr an die Arbeitspläne. Jeder war auf der Lauer.

Werner hatte Luise am Vortag erklärt, ein Streik sei nicht auszuschließen. Nicht auszuschließen hieß aus Werners Mund so viel wie: höchst wahrscheinlich. Und zu dem Zeitpunkt war der Brief von Kurts Anwalt noch nicht einmal eingetroffen, der alles noch schlimmer machen sollte. Luise sah bereits ganze Horden von Arbeitern ihr Elternhaus belagern, mit grauen Brillengestellen und Igelhaarschnitten, mit Schnurrbärten und geringelten Pullovern, mit dem Geruch von altem Nikotin, der an ihrer Haut haftete, und selbst der Gärtner, der sich bei den Pfingstrosen herumtrieb, würde sich ihnen anschließen.

Der Verstand deines Vaters hat vor Jahren ausgesetzt. Aber das, was er uns jetzt zumutet, hätte ich ihm nicht zugetraut, sagte Carola und blickte ihre Tochter vorwurfsvoll an, als sei Luise dafür verantwortlich. Luise selbst fühlte sich durchaus noch bei Verstand, wenn auch nicht ganz bei Trost, aber es war nun einmal nicht sonderlich tröstlich, im Halbdunkel zu sitzen, von der Welt abgeschottet, nur weil der eigene Vater sein Leben ändern wollte.

Man macht Fehler, natürlich, aber dein Vater ist dabei überaus konsequent, auf einen Fehler lässt er einen noch größeren folgen, sagte ihre Mutter, erhob sich, schritt durch das Zimmer. Luise saß ein wenig zusammengesunken auf dem Sofa, was ihre Mutter mit einem despektierlichen Blick quittierte. Eine Frau, die etwas auf sich hielt, verlor nicht die Fasson, auch nicht, wenn sie am Ende war. Dann erst recht nicht. Carola Tietjen war das, was man eine hauptberufliche Ehefrau nennen konnte, sie hatte ihre ganze Kraft in ihre gerade Haltung, ihren perfekten Auftritt neben Luises Vater gesteckt, in das Herumkommandieren der Angestellten, sie besaß die richtigen Freundinnen, die richtigen Ohrringe, die richtige Figur, und einen Fehltritt erlaubte sie sich niemals. Wie eine Politikerin wusste sie, welche Sätze sie auf einer Veranstaltung an wen richtete, und sie musste es geschickter als jede Politikerin tun, denn es durfte niemals den Anschein haben, als sei es Politik. Und nun drohte Carola Tietjen den Beruf zu verlieren, den sie jahrelang so perfekt ausgeübt hatte.

Sie ermahnte ihre Tochter, gerade zu sitzen, und fügte hinzu, sie hätte nicht vor, ihre Gewohnheiten aufzugeben. Werner käme zum Abendessen, um alles ins Lot zu bringen. Entenconfit, sagte Carola und stieß die Schiebetür auf, die das Wohnzimmer vom Essbereich trennte.

Luise roch den feinen Dunst garen Fleisches, sah noch wie die Haushälterin das Besteck zurechtrückte und davonhuschte. Sie setzten sich an den Tisch, das Eis knisterte in den Wassergläsern. Ihre Mutter, die Ballerina. Luise, das ungelenke Kind. Sie beäugten sich, zwei Rivalinnen, durch ein unsichtbares Gitter voneinander getrennt. Ein Knall ließ ihre Mutter zusammenschrecken, die Haustür wurde zugeschlagen, dann hörten sie die eifrigen kleinen Schritte der Haushälterin im Flur, und kurz darauf betrat Werner den Raum, groß und bedeutsam.

Wisst ihr was, sagte er und schlug die Hände ineinander, ich würde jetzt gern ein paar Tage Urlaub machen.

Carola zog gereizt ihre dünnen Brauen in die Höhe, ihr war nicht nach Scherzen zumute, wenn dies auch wohl kein Scherz, sondern einfach nur die Wahrheit war. Aber die Wahrheit war Luises Mutter an diesem Abend möglicherweise ebenfalls zu viel, Ente reichte ihr vollkommen.

Werner rückte geräuschvoll seinen Stuhl zurecht. Was bleibt uns denn anderes übrig, rief er und legte die Stoffserviette auf seinen Schoß, da müssen wir jetzt durch. Wenn ich bei jeder kleinen Krise den Kopf verlieren würde, bräuchte ich mehr Köpfe, als das Jahr Tage hat. Es geht alles den Bach runter, daran können wir nichts ändern. Es kommt nur darauf an, als Letzter unten anzukommen. Er lachte und begutachtete die Schüsseln, die auf dem Tisch dampften.

Das, was Kurt uns liefert, wird eine hübsche Schlammschlacht werden, erklärte Werner.

Gibt es Neuigkeiten von ihm?, fragte Luise.

Nur die Nachricht von Wessner, die heute angekommen ist.

Weiter nichts?

Weiter nichts.

Dann verschone uns mit deinem Orakeln, sagte Carola und verteilte das Fleisch.

Wortlos aßen sie. Luises Mutter erlaubte sich nur wenig Ente, drei Salatblätter waren über ihren Teller drapiert, die sie akribisch klein schnitt. Man musste sich an Gewohnheiten festhalten, wenn alles zusammenbrach, und Luises Mutter, die ihr Leben lang Diät gehalten hatte, würde gerade an diesem Tag nicht davon abweichen. Werner kaute genüsslich und trank in schnellen Zügen den Wein, während Luise alles stumm und appetitlos zu sich nahm, die Ente, die ebenso gut eine Gans oder ein Huhn hätte sein können, das Wasser, den Wein.

So also kommst du der Sache bei, sagte Werner zu ihrer Mutter, mit einer Ente, das ist ausgezeichnet, meine Liebe.

Carola hielt kurz beim Schneiden inne und warf Werner einen feindlichen Blick zu.

Dass Ente wirklich ein ausgezeichneter erster Schachzug sei, dass man überhaupt immer mit Ente gegen Katastrophen angehen sollte. Bedauerlich nur, sagte Werner, dass es weltweit nicht genug Ente gibt, um gegen alle Katastrophen anzugehen, aber immerhin, sagte er, hätten wenigstens sie genügend Ente. Ob sie vielleicht Wessner zum Entenessen einladen sollten.

Der Brief, den wir von Kurt bekommen haben, ist zwar ein ausgesprochen schlechter Witz, gleichwohl durchaus schlagkräftig. Derweil schreibt die Firma Verluste, erklärte Werner. Wir hätten schon vor Monaten entlassen müssen, aber Kurt hat sich ja geweigert, er war, wenn du mich fragst, einfach zu feige. Und jetzt sind mir die Hände gebunden, ich darf alleine nichts entscheiden. Dabei brauchen wir eine Entscheidung, wir brauchen sie dringend. Leider, sagte er zu Carola gewandt, sitzt dein Mann in den Staaten und schaut von dort wie der liebe Gott vom Himmel auf uns hinab, und wir, Werners Stimme wurde laut, wir können nichts tun, für alles brauchen wir seine Zustimmung. Ich bin nur sein Stellvertreter. Der Stellvertreter Gottes auf Erden. Eine lächerliche Figur.

Er solle doch bitte nicht so tun, als sei Kurt noch ihr Mann, entgegnete Carola. Jemand, der einfach ohne ein Wort verschwindet. Du bist ja fein raus, sagte sie, deine Ehe mit Fiona hat ja schon frühzeitig im Irrenhaus geendet.

Werners Mund verzog sich zu einem süßlichen Lächeln. Seine Frau verweste seit Jahren in einem Pflegeheim, wo sie nur noch dem Pock-Pock der Tennisbälle folgte, die von einer Seite des Bildschirms auf die andere flogen, Roger Federer gewann Wimbledon, Serena Williams die Australian Open, und Luises Tante lächelte matt. Über Fionas Krankheit schwieg man sich für gewöhnlich aus, aber im Stillen gab jeder Werner die Schuld an ihrem Zustand.

Luise sah auf diesen dicken, prallgefüllten Mann, der sich, wie ihre Mutter nicht müde wurde zu betonen, seinen Wohlstand nicht verdient hatte, der nicht aus einer guten Familie kam, sondern lediglich im richtigen Moment Kurts Schwester Fiona einen Antrag gemacht hatte, als diese noch zu jung gewesen war, um zu wissen, dass eine Heirat keine Privatangelegenheit war. So verantwortungslos wie Fiona hatte sich bis zuletzt niemand in der Familie Tietjen verhalten, doch nun übertraf Kurt seine Schwester noch, und in beiden Fällen profitierte Werner Kettler davon.

Luise, ich fürchte, mit deiner Mutter ist heute Abend nicht zu reden. Ich würde aber gern, ehe ich schlafen gehe, dieses verdammte Unternehmen retten, und dazu werden einige Telefonate nötig sein.

Werner rückte seinen Stuhl zurück und warf die steife Stoffserviette auf den Tisch. Es sei jetzt halb neun, und er gedenke nicht, vor drei Uhr schlafen zu gehen, und ob etwa Luise gedacht hätte, vor drei ins Bett zu kommen, fragte er und zündete sich eine Zigarette an, deren Rauch er gierig inhalierte, im Hintergrund trat die Haushälterin mit Dessertschälchen auf, in denen sich etwas Glutrotes befand. Luise antwortete nicht.

Dann ist es ja gut, sagte Werner, dann kommst du mit, ich kann dich gebrauchen. Von glasierten Enten lernst du nichts, davon wirst du nur fett, sagte er und blickte gelassen auf Luises Mutter, die ein halbes Salatblatt und einige Fleischfasern auf ihrem Teller zurückgelassen hatte. Die Haushälterin stellte die Dessertschälchen auf dem Tisch ab und blickte fragend zu Carola Tietjen.

Gute Frau, dröhnte Luises Onkel, was rücken Sie uns jetzt auch noch mit roter Grütze zu Leibe, sehen Sie denn nicht, dass ich bereits an Übergewicht leide, und die Dame dort hat schon vor drei Salatblättern kapituliert. Er wedelte mit der Hand, als wolle er eine Fliege vertreiben, eine Geste, die zumindest Carola wieder zum Leben erweckte. Entrüstet stand sie auf und erklärte, jemanden mit solch ordinären Manieren dulde sie nicht länger an ihrem Tisch, und wenn er zu telefonieren habe, dann solle er das gefälligst woanders tun, und ihre Tochter solle er mitnehmen, in Gottes Namen, oder hierlassen, aber er solle seinen abschätzigen Blick auf der Stelle von Isabel nehmen. Und wenn du nicht sofort das Zimmer verlässt, dann kannst du die Rote Grütze von deinem Anzug lecken, den du mit dem Geld deiner Frau gekauft hast, und nun zeig dich bitte schön erkenntlich dafür.

Werner erhob sich langsam, sieh nur, deine Mutter hat ja Temperament, stellte er amüsiert fest, ich werde doch wohl noch ein Taxi rufen dürfen, sagte er.

Nein, das wolle sie ihm nicht zumuten, Isabel werde für ihn das Taxi bestellen, und er könne vor der Tür warten.

Werner tat erstaunt, ging um den Tisch herum und blieb direkt vor Carola stehen. Ihre Miene wurde eisern. Werners gewaltiger Körper beugte sich zu ihr vor, seine Lippen spitzten sich, und er küsste Carola auf die Stirn.

Ich danke dir für alles, meine Liebe, sagte er.

Luise starrte auf den dunklen Kiesweg hinter ihnen, die vom Gärtner geordneten Tulpenbeete, die perfekt gestutzte Hecke, wandte ihren Blick zurück zur Straße. Autos fuhren vorbei. Feuchtigkeit sickerte aus dem Gras. Sie schreckte zusammen, als aus der Schwärze ein Hund auftauchte. Kein Mensch außer ihnen war zu sehen, das Tier trieb herrenlos durch die Gegend, hetzte ihnen über den schmalen Rasenstreifen am Straßenrand entgegen, streifte Luises Hand.

Was sie tun würde, fragte Werner, wenn sie morgen das Erbe anzutreten hätte.

Luise sah dem Hund nach, der unter einer Straßenlampe zum Halten gekommen war, der Lichtkegel stieß hart in sein Fell.

Ob sie ihm zuhörte, fragte Werner.

Ob sie ihm einmal nicht zugehört hätte, entgegnete sie.

Was sie also zu tun gedächte.

Sie dächte nicht daran, morgen die Firma zu erben.

Ob morgen oder wann auch immer, sagte Werner ungeduldig. Es ist notwendig, dass du dir die Frage rechtzeitig stellst. Jetzt kannst du deine Antwort noch berichtigen, später nicht mehr. So sind die Regeln, mit Regeln kennst du dich aus, sagte er, während sich in der Ferne ein Wagen mit Taxischild näherte.

Werner war in die Firma hineingewachsen wie Efeu, das in eine Steinwand wächst, zunächst fremd, doch später schwerer zu entfernen als ein Stein aus der Mauer. Werner hatte diese Firma gewählt, oder er hatte Luises Tante gewählt, was aufs Gleiche hinauslief. Er war es gewohnt, die Wahl selbst in der Hand zu haben, und seine Fragen waren keine Fragen, sondern Forderungen, es waren immer

Forderungen, die an Luise gestellt wurden, sie hatte nie eine Wahl.

Wie willst du einen Konzern führen, wenn du mir keine Antwort geben kannst? Nicht einmal hier, nicht einmal jetzt, wo dir keiner zuhört außer mir. Das ist deine Zeit, du kannst sie nutzen. Das Taxi hielt, Werner riss heftig die Wagentür auf. Sie stiegen ein, Werner seufzte einige Male, als wolle er zu einer Klage ansetzen, über Luises Sturheit, über Kurt, der alles blockierte. Werner seufzte ein weiteres Mal und brachte nichts mehr hervor.

Ich bin fünfundzwanzig, sagte Luise. Ich habe mein Studium noch nicht abgeschlossen. Ich bin nicht verheiratet, ich habe keine Familie. Ich habe noch nicht einmal gelebt.

Fünfundzwanzig, was willst du? Einundzwanzig reicht für alles, außer für das Amt des Bundespräsidenten. Du brauchst nicht Präsidentin werden, du sollst nur unsere Geschäftsführung übernehmen.

Und wer bitte hat in der Firma Respekt vor mir?

Alle, die keinen Respekt vor mir haben, sagte Werner. Das genügt. Das muss genügen, fügte er hinzu, sein kalter Blick lag auf ihr, seine Brauen hoben sich, blondes Gestrüpp, und dann trieb sein Blick von ihr fort, hinaus aus dem dunklen Fenster. Hinter sich ließen sie den Vorgarten, die endlos lange Auffahrt, das Haus, Luises Mutter. Der Taxifahrer fragte, wohin sie fahren wollten. Luise war erstaunt, dass Werner sie nicht zu sich nach Hause bringen ließ, sondern in die Firma mit ihren verödeten Gängen und den unbehausten Büros. Wollte er etwa nachsehen, ob Kurt in der Firma eingetroffen und womöglich gar zur Vernunft gekommen, ob wenigstens eine Nachricht von ihm oder von Wessner im Sekretariat eingegangen war? Natürlich würde Luises Vater nicht in der Firma sein und zur Vernunft gekommen erst recht nicht.

Es muss genügen, wiederholte Werner in die Stille hinein, als beschwöre er etwas, an das auch er noch nicht wirklich glaubte. Wenn es nicht geht, hast du dein Erbe mit fünfundzwanzig ruiniert. Das wäre früh, die meisten bekommen es erst Anfang fünfzig hin. Du bist mit der Firma aufgewachsen. Du hast Talent für die Wirtschaft, auch wenn dein Vater das nie wahrhaben wollte. Für dein Studium bleiben dir noch sechs Wochen, das muss reichen, Leben hin oder her, und so einen Abschluss bekommt heutzutage jeder Dummkopf hin.

Aber ich kann keine Entscheidungen für eine ganze Firma treffen.

Natürlich kannst du Entscheidungen treffen, du hast nur Angst davor. Du willst dir nicht die Hände schmutzig machen. Genau wie dein Vater. Ich sage dir eins, du machst dir die Hände gerade dann schmutzig, wenn du keine Entscheidungen triffst. Wenn du zusiehst, wie alle Entscheidungen von anderen getroffen werden. Du wirst dir diese Haltung nicht ewig erlauben können. Du weißt, wer du bist, wenn du erst einmal geerbt hast.

Luise nickte. Die Möglichkeit war ihr bewusst, aber Möglichkeiten spielten in einer anderen Liga als Gegebenheiten. Mit Möglichkeiten kam sie zurecht, wirkungslos, wie sie waren.

Du weißt doch, wer du bist?, fragte Werner erneut, und natürlich war die Frage falsch gestellt, wer wusste schon, wer er war, man wusste nur, und das meist zu genau, wer man zu sein hatte, und genau das hatte Werner gemeint.

Ich erwarte von dir nicht, im Voraus die richtige Entscheidung zu treffen, sagte er und lehnte sich im Sitz zurück. Darum geht es nicht, es geht darum, eine schnelle Entscheidung zu treffen. Niemand kann vorher wissen, welche Entscheidung am Ende die richtige ist. Ein Firmenchef ist ja kein Wahrsager, kein Hexenmeister, und der liebe Gott ist er ebenso wenig. Er wird auch nicht als lieber Gott bezahlt. Er griff über den Mittelsitz hinüber, drückte Luises Hand, sie spürte die schwere Wärme seines Ballens auf ihren Fingern, sie wollte ihre Hand zurückziehen, aber er ließ sie nicht los. Du wirst es schon besser machen als dein Vater. Du stehst ja nicht alleine da, du hast mich an deiner Seite.

Und Krays, dachte Luise. Sie war müde, ihr war kalt, sie wollte nicht mehr ihren Onkel sehen, dessen Mondgesicht bleich in der Dunkelheit leuchtete. Natürlich war es nutzlos, sich gegen etwas zu wehren, das längst feststand, schließlich war sie nicht in ein freies Leben hineingeboren worden, sondern in einen lebenslangen Arbeitsvertrag.

Wenn man in diesem Haus geboren wird, hatte eine ihrer Tagesmütter gesagt, kann man nur noch absteigen, ich kann wenigstens noch aufsteigen, sagte sie spöttisch, nachdem Luise sie wochenlang mit Juckpulver, Gummipfeilen, einer Wasserpistole durchs Haus gejagt hatte. Wie oft war der weiche Körper der Tagesmutter zusammengezuckt, wie oft waren ihre Gesichtszüge entglitten, während Luise lachend vor ihr auf und ab getanzt war. Als Luise ihrer schließlich überdrüssig geworden war, überließ sie es ihrem Vater, der Tagesmutter zu kündigen. Luise konnte herrschen, damals, als sie noch nicht wusste, was es bedeutete. Warum wollte sie es jetzt nicht mehr, wo hatte sie die Ignoranz gelassen, die es brauchte, um sich über die anderen zu stellen, um selbstverständlich über fremde Leben zu verfügen?

Vor ihnen das Firmengebäude. Werner reichte einen Schein nach vorne, ließ sich das Rückgeld geben, wie immer geizig beim Trinkgeld. Der Fahrer hielt Luise die Wagentür auf, zögernd stieg sie aus, das Firmengebäude sah in dieser Nacht größer aus als gewöhnlich. Sie ging hinter Werner auf den Eingang zu.

Wenn dein Vater nicht bald zurückkommt, müssen wir uns verhalten, als sei er nicht verschwunden, sondern tot. Das ist unsere einzige Chance. Ich möchte dich bitten, Luise, dass du dich in den nächsten Wochen darauf einstellst, den zweiten Platz in der Geschäftsführung zu übernehmen. Werner hatte schon die Hand gegen die Tür gestützt, bereit, sie aufzustoßen, sobald Luise ihr Ja gab.

Kurt wird es nicht zu weit treiben, sagte sie. Er kann es gar nicht.

Werners Antwort war keine Feststellung, sondern eine Frage: Wollen wir es hoffen?

Eine verlorene Gestalt wischte durch den unteren Flur des Tietjen'schen Firmengebäudes, schrak zusammen, als Werner und Luise ihr entgegentraten. Ihren blauen Kittel mit dem Namensschild zurechtrückend, antwortete sie: Nein, Herrn Tietjen habe sie nicht gesehen, das könne sie sicher sagen, denn sie habe überhaupt niemanden gesehen außer ihrer Kollegin Frau Potschinski, die aber sei vor einer drei viertel Stunde gegangen, und sie selbst sei nur so lange hier, weil sie die Etage von Frau Klein übernommen habe, die heute krank sei, erklärte die Putzfrau, und es klang entschuldigend, als habe sie etwas an sich genommen, das ihr nicht zustand.

Schämen Sie sich doch nicht! Solchen Einsatz weiß ich zu schätzen, sagte Werner. Gerade so wünsche ich es mir! Wenn mehr Menschen solchen Einsatz zeigen würden, Frau Dombrowski, dann wäre dies ein besserer Ort. Er tätschelte ihr wohlwollend den Arm. Sie schritten weiter über das feucht glänzende Linoleum, umgeben von scharfem Reinigungsgeruch, und Frau Dombrowski rückte ihr Namensschild zurecht und stieß den Feudel zurück in den Eimer.

Meine Freunde von der Gewerkschaft werden es lieben, um diese Uhrzeit vom Arbeitskampf belästigt zu werden, sagte Werner, während er die Tür seines Büros hinter ihnen schloss. Er ließ sich an seinen Schreibtisch nieder, wies Luise den Besucherstuhl zu, zog das Telefon an sich heran und drückte einige Knöpfe, um die Leitung freizuschalten.

Morgen wird alles stillstehen im Betrieb Tietjen, es wird einen Streik geben, verkündete Werner, und wie soll ich darauf reagieren, wenn ich gar nicht reagieren darf? Ich habe vorhin schon mit einigen Herren von der Gewerkschaft telefoniert, aber tagsüber haben sie den Kopf voll mit allem möglichen Zeug und verstehen nicht, dass hier alles aus den Fugen gerät.

Beim Reden verschob er die Gegenstände auf seinem Schreibtisch, Brieföffner, Kugelschreiber, Füllfederhalter. Heute Abend wirst du sehen, wie verkommen der ganze

Haufen ist, sagte er, diese Gewerkschafter, die ihre Leute nicht unter Kontrolle haben, die überhaupt nichts unter Kontrolle haben außer ihrer eigenen Gehaltsabrechnung. Er ordnete die Gegenstände auf dem Schreibtisch wieder und wieder um, doch es gelang ihm nicht, sie aus der sterilen Ordnung herauszulösen.

Dabei haben wir im Frühjahr alles mit ihnen abgesprochen, aber es bleibt doch ein Trupp bequemer Chaoten. Es nützt nichts, sich darüber aufzuregen. Man muss ihnen in den Hintern kriechen, um irgendwann zu ihrem Mund wieder herauszukommen, und wenn man Pech hat, hören sie in dem Moment nicht einmal zu.

Er legte sich den Hörer ans Ohr, seine Stimme verwandelte sich, als er ins Telefon sprach. Walter, ich bin es noch mal, Sie werden es mitbekommen haben, die Lage ist nicht besser geworden. Die Sätze flossen aus ihm heraus, sie hatten nichts mit dem Werner Kettler zu tun, den Luise kannte, sie waren leicht und bestimmt. Walter, ich denke nicht, dass wir noch warten können, Sie sind nicht hier, Sie haben kein Bild von der Lage, deshalb dränge ich darauf, dass Sie herkommen, Sie müssen Ihre Leute in den Griff kriegen. Werners Stimme drang in Luises Kopf und verdrängte jeden anderen Gedanken. Walter, das geht so nicht, es gab Absprachen, und Luise hörte nur noch Werners Stimme, während sein Körper schwer und fett im Sessel hing und daran erinnerte, dass er eben doch nur ihr Onkel war.

Er legte den Hörer auf den Apparat zurück und fuhr sich mit der Hand über die Augen. Als er sein Gesicht zu Luise drehte, sah sie, wie erschöpft er war. Eine Erschöpfung, die sie ihm nicht zugetraut, die sie immer nur an ihrem Vater vermutet hatte.

Im Übrigen, sagte er, es wäre gut, wenn du demnächst nach New York fliegen würdest, ich will wissen, was dort vor sich geht.

Kurz war Luise hinausgegangen, hatte ihren Onkel mit seinem Adressbuch allein gelassen, aus dem er eine weitere Nummer wählte, ja, Klaus, grüß dich, Werner hier. Luise fuhr mit dem Fahrstuhl durch das leere Gebäude, lief Flure entlang, die sie noch nie betreten hatte, eilte sie doch sonst, wenn sie hier war, zielstrebig in den obersten Stock. Etage eins, eng zusammengescharte Bürotüren, Etage drei, gleißendes Neonlicht, jemand (Frau Dombrowski?) hatte vergessen, es auszuschalten. Luise dachte an Krays, der auf seinem Bett lag, auf sie wartete, ihr etwas vom Abendessen in der Küche übrig gelassen hatte, daneben eine Flasche Rotwein, von dem er selbst wieder einmal nichts trank. Du kannst dir nur Anstand leisten, was, Krays?, hatte sie ihn aufgezogen, und er hatte gelacht, obwohl der Witz auf seine Kosten ging, und Luise spöttelte weiter: Weißt du was, zu Weihnachten schenk ich dir ein bisschen Auslauf. Er legte ihr zwei Finger auf den Mund, übertreib es nicht, Luise, flüsterte er, aber er nahm es ihr nicht übel, er hatte gar nicht den Mut, es ihr übelzunehmen. Manche Leute hatten Talent, andere hatten ein Vermögen, das war der Unterschied. Krays wusste nur, wie man Verantwortung übernahm, nicht, wie es sich anfühlte, sie zu besitzen. Was würdest du tun, wenn du morgen die Firma leiten müsstest, Krays? Sie roch seine süßliche Haut, der Geruch von Säuglingen. Luise fühlte sich schlapp, wie man sich an einem schwülen Sommerabend schlapp fühlt, an dem das erlösende Gewitter Stunde um Stunde ausbleibt.

Hinter einer der Bürotüren hörte sie das Tackern einer Tastatur, blieb stehen, durch das Milchglas drang warmes Licht auf die Neonfront des Flurs. Sie war Hausherrin, ihr gehörten alle Büros hier, würden ihr zumindest eines Tages gehören, sie klopfte an und öffnete dabei bereits die Tür.

Frau Tietjen, Sie machen Überstunden. Etwas Spöttisches lag in seinem Ton, Konstantin Krays, dabei wusste er, dass er sie zu hofieren hatte, sie stand zwar auf seiner Seite, doch schwankend, wie man eben für jemanden Partei ergreift, immer auf dem Sprung, sich wieder zu distanzieren.

Du solltest schlafen gehen, Luise, fügte er hinzu. Er war nahe an sie herangetreten, atmete ihre Wangen an, kalt war sein Gesicht, erfrischend, es roch nicht mehr nach Säuglingshaut, sondern metallisch, vielleicht hatte der Computer auf ihn abgestrahlt. Sie blickte über seine Schulter, spürte seinen Arm, den er um ihre Hüfte legte, sie hätte gern gewusst, mit was er sich um diese Uhrzeit beschäftigte, doch die Deckel der Aktenmappen waren zugeklappt und über den Bildschirm flatterte lediglich der Schriftzug *Tietjen und Söhne Frottee GmbH*.

Auf dem Tisch blinkte lautlos sein Handy, ein Anruf oder eine Nachricht ging ein. Luise wollte ihn fragen, was er hier machte, ob Werner davon wisse, ob Krays ihm vielleicht sogar zuarbeite. Krays' kantiger Körper drängte sich an sie, er war nicht ungeschickt dabei, er war nur geschickter im Erstellen von Kalkulationen. Manche Menschen suchten die Nähe von Macht wie Ratten den Müll, und sie traute

Krays zu, einer dieser Menschen zu sein, deswegen hatte er sich in ihre Nähe begeben, er die Ratte und sie der Müll. Das Telefon verdunkelte sich wieder, er strich ihr über die Schulter: Mach dir nicht so viele Gedanken, ich regle hier alles, ruh dich aus.

Was weißt du schon, was zu regeln ist?

Sei ehrlich, was weißt du davon? Sein Blick übernächtigt und klar, eine sanfte Kälte ging von ihm aus, die sie beruhigte und vergessen ließ, dass sein letzter Satz eine Beleidigung war.

Was würdest du tun, wenn du morgen diesen Betrieb übernehmen müsstest?, fragte sie.

Heute übernehme ich keinen Betrieb mehr, es ist schon nach zehn.

Du würdest jederzeit einen Betrieb übernehmen, entgegnete Luise. Wenn du nur könntest.

Luise, was soll das Ganze? Du bist fünfundzwanzig, du solltest um diese Uhrzeit nicht in der Firma rumgeistern. Du musst mal leben. Wie andere Menschen auch.

Welche anderen? Von wem sprichst du. Von dir?

Von normalen Menschen mit normalen Gewohnheiten, sagte Krays und wandte sich von ihr ab.

Sein Hinterkopf, die frisch geschnittene Frisur, Luise streckte die Hand aus, um über seinen Nacken zu streichen, zögerte, ließ die Hand wieder sinken. Was bitte schön war denn normal? Krays suchte mit der Maus den Bildschirm ab, öffnete Dateifenster, die er bei ihrem Eintreten hatte verschwinden lassen. Hatte er vergessen, dass sie neben ihm stand? Normale Menschen mit normalen Gewohnheiten stellte sie sich vor, Menschen ohne Unternehmen, und dachte dabei nur: Das Unternehmen. Es ging seit Jahrzehnten in den Wellen der Stadtgeschichte auf und unter, der Ministerpräsident tauchte in ihrem Salon auf, es gab Entenconfit, es gab immer Entenconfit, wenn der Herr Ministerpräsident da war, und er war ja, glaubte man Werner, stets bei ihnen. Dass er in Wahrheit nur zweimal auftauchte, einmal unter dem Namen Kühn, der kurz darauf nach Pittsburgh flog, um zu sehen, wie die USA mit Opel und dem Dreck aus den Hochöfen fertig wurden, einmal und zwar dreißig Jahre später unter dem Namen Clement, das erwähnte Werner nie.

An Krays' Schreibtisch gelehnt, dachte Luise daran, dass auch Werner einmal hübsch gewesen war, ein aufstrebender junger Mann aus der Mittelschicht, der Anfang der siebziger Jahre bei wöchentlichen Tennispartien ihre Tante umworben hatte, und kaum war der Trauschein unterzeichnet, ließ er sich nur noch selten auf dem Tenniscourt blicken und begann, sich mit Reh und Rind zu mästen. Ihre Tante lief währenddessen wie ein weidwundes Tier in ihrem Zimmer herum, weil sie es nicht schaffte, schwanger zu werden, ließ Abendveranstaltungen ausfallen, Firmenfeiern, sogar das Treffen mit dem Ministerpräsidenten. Sie blieb an der Seite ihres Mannes, dessen Leib immer mächtiger wurde und beim Tod des Seniors bereits einhundert Kilo wog, sie blieb bei Werner, weil er ihr einmal ein wenig Normalität versprochen hatte, wenn er dieses Versprechen auch laut und krachend brach.

Seitdem, seit jeher also, hätte Luise skeptisch sein müssen, wenn sich jemand unter dem Deckmantel der Normalität an ihre Familie heranpirschte. Sie verabscheute Krays'

Turnschuhe, die vor ihrem Bett standen und über die sie in der Dunkelheit stolperte, misstraute dem harmlos auf ihrem Bett liegenden Körper, der noch schmal und elastisch war, wie es einst Werners Körper gewesen sein musste. Sie hätte, dachte Luise plötzlich, Krays wenigstens einmal fragen sollen, ob er Tennis spielte, Golf oder Hockey. Im Mogengrauen joggte er allein durch den Stadtwald. Gegen sechs Uhr, wenn alle anderen noch schliefen oder frühstückten, Graubrot, Marmelade, Kaffee aus dem Sonderangebot, wusste Luise Krays mit seinen Laufschuhen im Stadtwald, früher als die anderen drehte er seine Runden, denn Krays, dachte Luise, wollte nicht normal sein.

Sieh dir diese Zahlen an, sagte er, und dann frag mich noch einmal, was ich an deiner Stelle tun würde.

Luise beugte sich vor, ihre Brüste streiften seinen Oberarm, Krays aber blieb bei seinen Zahlen, griff nicht nach ihrem Bein, drückte sie nicht gegen die Stuhllehne. Wieder blinkte sein Handy, diesmal vibrierte es dazu leicht, er drehte sich um, entschuldige, Luise, und verschwand mit der fremden Stimme am Ohr im Nebenraum. Luise hatte sie kurz gehört, eine Frauenstimme, grell und hastig, und aus dem Vorzimmer, in dem für gewöhnlich eine Sekretärin saß, hörte sie nun das Klackern einer Tastatur, die Krays während des Gesprächs bediente. Die Zahlen flimmerten vor ihren Augen, sie öffnete einige Dokumente, suchte die Dateiinformationen ab, fand jedoch keinen Hinweis darauf, woher die Daten kamen, was sie von ihnen halten sollte, ob Werner sie kannte oder Kurt.

Im Nebenzimmer Krays' gedämpfte Stimme: Ja, natürlich, habe ich dir das nicht zugesagt? Also, warum fragst du?

Krays kam zurück, setzte sich hinter sie, sie spürte die Wärme seiner Schultern, gern hätte sie sich nach hinten fallen lassen, was sie natürlich nicht tat, man fängt auch nicht auf offener Straße an zu weinen. Ihr Blick folgte seinem Finger, der eine Zahlenreihe entlangfuhr, dann auf einige Ziffern deutete, die grün unterlegt waren.

Verstehst du, was hier steht?

Sie verstand nicht, ihr kamen in diesem Moment auch bessere Dinge in den Sinn, als zu verstehen. Den Großteil des Tages brachte sie mit Verstehen zu, und nun wäre eine Gelegenheit, endlich mit dem Verstehen aufzuhören, Krays, findest du nicht? Doch wenn sie es auch gern anders glaubte, in Wahrheit hatte nicht sie zu entscheiden, wann etwas zwischen ihnen lief, sondern er.

Das Unternehmen gibt es nicht mehr, Luise. Wäre Kurt mit diesen Zahlen an die Öffentlichkeit gegangen, hätte er die Firma genauso ruiniert, wie er es jetzt mit seiner Abwesenheit tut. Aber dein Vater hat gekniffen. Dein Vater hat die Zahlen vertuscht.

Und warum hätte er das tun sollen?

Ich nehme an, dass niemand gern eine Niederlage zugibt. Nicht einmal jemand wie dein Vater. Vor allem nicht jemand wie er. Ich will nicht sagen, dass er allein schuld daran ist. Aber ein umsichtiger Geschäftsführer hätte es nie so weit kommen lassen.

Was willst du mir sagen, Krays?

Lies doch die Zahlen, Luise. Er fuhr erneut mit der Maus die Spalten entlang, und natürlich konnte sie addieren, was dort stand und vielmehr, was dort nicht mehr stand. Sie waren hochgradig überschuldet.

Die Firma ist längst ein Wrack, sagte Krays. Ausgestorben. Wir arbeiten auf einem Geisterschiff. Und dein Vater ist der tote Kapitän. Wir haben ihn mit Tauen an das Steuerrad gebunden. Das ist kein schöner Posten. Den hält niemand lange aus.

Sie wandte ihr Gesicht zu ihm, betrachtete sein Profil, die leicht gebräunte Haut, jeden Morgen Joggen im Park. Krays wollte nach oben kommen, dachte Luise, er war vernünftig, weshalb also sollte er in einem Unternehmen bleiben, das am Ende war? Vorsichtig fuhr sie mit der Hand über seine Schläfen. Und was, dachte sie, würde er noch von ihr wollen, wenn er nicht mehr für Tietjen und Söhne arbeitete?

Die Zahlen kommen raus, über kurz oder lang, sagte Krays. Und selbst wenn nicht, auf diesem Niveau kann sich kein Unternehmen dauerhaft halten.

Was würdest du tun, wenn du die Firma übernehmen müsstest?, fragte Luise noch einmal.

Laufen, sagte Krays.

IX

Sie stand im Dampf eines Laundryshops, mit einem Kaffee in der Hand, der Hund flitzte vor und zurück, um die Ecke, hin und her, ein schnüffelndes Chaos. Immerhin war es dieses Tier, das Kurt Tietjen wieder in ihr Blickfeld brachte, in Fanny Weidmanns Blick.

Er grüßte sie, sie schaute böse zurück. Ihr magerer, kaum vorhandener Körper lehnte am gusseisernen Zaun, sie war störrisch, sie wollte nicht wissen, was er hier trieb. Ganz hatte er sich noch nicht an seine neue Rolle gewöhnt. Es gab keinen Grund, Kurt Tietjen zu erkennen, er existierte hier nicht mehr.

Die Firma pochte weit entfernt in seiner Erinnerung, doch was sie hervorbrachte, war nur Luft. Schlaufen, die sich auflösten, wenn man an ihnen zog, Schlingen, die auseinanderfielen, sobald man sich in ihnen aufhängen wollte. Er dachte an seinen Schwager Werner Kettler, der dick und gefällig die Geschicke der Firma leitete, soweit er dazu berechtigt war. Bei den entscheidenden Fragen musste er Kurts Zustimmung einholen, Kurt aber stimmte nicht zu. Er hatte sich zusammen mit den Schlingen aufgelöst. Hier lief ein Mensch, der bald nichts mehr wissen würde von Frottee, Halbschlingenverfahren, texanischer Baumwolle, von Marktvorteilen, Schmiergeldern und von Dipl.-Ing. Liu.

Dass sie sich im Treppenhaus begegnet seien. Dass er

eine Wohnung in ihrem Haus gefunden habe, erklärte er Fanny, deren Gesicht sich nicht aufhellte, und Kurt überlegte schon, sich zurückzuziehen, eine Verwechslung vorzutäuschen, in den Waschsalon zu fliehen.

Ach?, sagte sie müde. Ihre Miene war glanzlos, sie zeigte sich desinteressiert. Was Besseres hast du nicht gefunden?, fragte sie endlich, vielleicht nur, weil sie nicht loskam, weil der Hund nicht von Kurt abließ. Ihm gefiel das Tier, ihm gefiel, dass er seine Besitzerin dirigierte. Du bist allein eingezogen?

Allein, ja, ich wohne allein, erwiderte er hastig und war ein wenig bestürzt, dass sie in einem solch kleinen, stickigen Apartment mehr als eine Person vermuten konnte, er selbst wäre nie auf die Idee gekommen. Aber nicht nur das war es, was ihn so irritierte. Ihn verunsicherte, dass die Regeln, auf die er sich immer verlassen hatte, ihn im Stich ließen. Zum ersten Mal hatte er keinen Namen, keine Macht, er trug sein Vermögen nicht vor sich her und konnte sich nicht vorstellen, was eine Frau an ihm begehrenswert finden mochte. Da war nichts. Er musste sich eingestehen: Da war nichts. Fanny sah durch ihn hindurch wie durch jeden anderen, und die Typen, die sie abends in der Bar ansprachen, waren wenigstens jung. Aus ihnen konnte noch etwas werden. Aus Kurt hingegen war schon alles geworden, und er hatte alles abgeschüttelt. Erst jetzt fiel ihm auf, wie unangenehm es war, übersehen zu werden.

Ob auch sie allein wohne, erkundigte er sich. Allein. Das Wort dehnte sich in seinem Mund aus, beinah hätte er es nicht herausbekommen.

Sie wies auf den Hund. Lachte. Nippte am Pappbecher.

Ob sie sich eigentlich an den Abend im Hotel erinnere.

Ja, aber bitte, da war doch nichts, sagte sie und berührte sein Handgelenk. Es war die erste vertraute Geste von ihr, eine Geste gleichwohl, die ihm den Boden unter den Füßen wegzog. Für sie war er nichts. Den Abend im Hotel hatte sie mit einem Fremden verbracht. Er spürte, wie er stärker denn je eifersüchtig wurde auf diesen Anderen, mit dem sie beinah geschlafen hätte und der einmal Kurt Tiejen gewesen war. Er fragte sich, ob er die Deckung aufgeben und ihr sagen sollte, wer er war, was er ihr alles bieten konnte. Es schien ihm einen Moment lang möglich, zurückzukehren in sein altes Leben.

Nein, natürlich, das sei ja nichts gewesen, sagte er schnell und versuchte ebenfalls zu lachen. Es klang wie ein kratziger Husten.

Er sah sie bereits gehen, suchte nach Worten, mit denen er sie zurückhalten konnte. Es stand außer Frage, dass er diese Frau nicht zu einem Essen in die von ihm bevorzugten Restaurants einladen konnte. Nicht so, wie er jetzt war. Nicht eine Frau wie sie. In die Restaurants, die er kannte, konnte er weder mit ihr noch ohne sie gehen, er würde sofort abgeführt, heimgeschickt in die vierte Etage des Tietjen'schen Firmengebäudes. Und sie, sie würde zurückbleiben wie ein deplazierter Clown, ein Mädchen, das nicht wusste, wie man sich in einem Sterne-Restaurant verhielt. Was aber war angemessen? Eine Diner-Raststätte, in der man auf den sterilen Ledersitzen vollständig den Halt verlor? Eine Bar, in der sein Alter allzu deutlich herausstechen würde? Ein Café, aus dem man nach fünf Minuten vom Personal verscheucht wurde, um Platz für neue Kunden zu schaffen?

Komm mich mal besuchen, sagte er. Wir könnten einen Kaffee zusammen trinken. Das heißt, wenn du willst.

Ihr unerbittlich gleichgültiger Blick.

Kurt sah der jungen Frau nach. Sie hatte noch die Schultern gezuckt, ehe sie gegangen war. Langsam setzte auch er sich in Bewegung, lief die Nassau Avenue hinunter, er wäre gern auf der Stelle nach Hause gefahren, aber es fuhr kein Taxi vorbei, nur die dunklen Mäuler der U-Bahn-Schächte öffneten sich vor ihm. Ein Obdachloser kauerte halb neben, halb über dem Geländer des Schachts, ihre Blicke trafen sich, einen Moment lang glaubte Kurt, die Augen wiederzuerkennen, dann fiel ihm auf, dass es nur seine eigene Spiegelung in diesen Augen war, die ihm vertraut vorkam. Der Blick des Mannes wirkte auf ihn nicht verzweifelt, der Rest der Person durchaus, aber der Blick nicht. Kurt stieg hinab. Der Lärm eines einfahrenden Zuges machte ihn benommen. Er hätte gern sein Bewusstsein verloren.

Nach ihrer Begegnung vor der Wäscherei hörte Kurt nichts mehr von Fanny. Ihre Schritte im Treppenhaus waren verstummt, ebenso das Kläffen des Hundes hinter seiner Wand, es war, als sei die Wohnung neben seiner völlig verlassen. In diesen Tagen kam er wiederholt in Versuchung abzuhauen. Er schlief nicht oder nur so wenig, dass er es kaum wahrnahm. Um ihn her war es zu laut, zu kalt, die Kanalisation stank. Er kam in Versuchung, einfach unter der Brücke hindurchzugehen und in seiner alten Welt wiederaufzutauchen, in der es Restaurants gab, Hotels, Taxis, mit denen er zu seinen alten Bekannten fahren konnte, die in der First Avenue oder am Central Park wohnten.

Er fühlte sie noch, die Finger der Damen, die nach ihm griffen. Immer gab es eine Abendgesellschaft oder ein sonntägliches Beieinandersein mit Apfelkuchen (echt deutsch). Sie stolzierten vor seinen Augen herum, mit Kuchentellern und Buffetbesteck, mit ondulierten Haaren, die von zu häufigem Färben längst zerfressen waren. Diese teuer gekleideten Mumien drückten zwischen ihren Skelettfingern seine Hand und beteuerten ihm, wie froh sie seien, dass er sie besuchen gekommen war. Auch ihre Sprache war zerfressen, ihr Englisch wirkte auswendig gelernt, und der deutsche Akzent lag noch in jedem ihrer Wörter. Wie leicht wäre es gewesen, sich zurücksinken zu lassen in ihre Arme, die kalt und sehnig waren und niemals mit etwas jenseits des Gowanus Expressway in Berührung kamen.

Dieses Geräusch hatte er noch nie gehört, kurz und schrill, als würde jemand eine Nadel in die Wand stechen. Erst als es ein zweites Mal zustach, begriff er, dass es die Klingel war.

Fanny Weidmann stand in einem gelben, ausgewaschenen Pullover vor ihm, die Haare frisch blondiert. Den Hund hatte sie nicht bei sich, dafür einen Brief. Per Einschreiben, sie habe ihn entgegengenommen.

Es war eine Nachricht von Theo Wessner, seinem Anwalt. Kurt trat einen Schritt zur Seite, bat sie herein, wies auf einen Platz am Küchentresen, während er auf dem Schreibtisch nach einem Brieföffner suchte, aber auf dem Schreibtisch war nichts außer einem zerschrammten Bleistift, zwei Werbekugelschreibern und seinem Montblanc-Füller, der dazwischengeraten war. Mit dem Bleistift riss er den Umschlag auf und zog den Brief heraus.

Als er sich umwandte, wartete Fanny noch immer auf der Türschwelle. Hatte er etwas falsch gemacht? Kurt Tietjen verstand die Gepflogenheiten in diesem Haus nicht, die möglicherweise daraus bestanden, dass es keine Gepflogenheiten gab. Auch das musste man erst lernen.

Sie solle doch bitte eintreten, sagte er. Da war er wieder, Kurt Tietjen, der Chef. Er schüttelte den Kopf, als wolle er die Erinnerung an etwas abschütteln, und blickte auf das Blatt in seinen Händen.

Lieber Kurt,

nach eingehender Prüfung der Unterlagen kann ich Dir mitteilen, dass Du, wie mir scheint, fürs Erste auf der sicheren Seite stehst. Dennoch: Es wäre wichtig, dass wir sprechen. Werner war diese Woche zwei Mal bei mir. Es geht um die Firma. Ruf mich an. Wenn möglich, bald.

Aus Essen grüßt Dich

Dein T.

Kurt verkrampfte sich innerlich. Er wehrte sich, wie ein Pferd sich gegen das Anlegen des Zaumzeugs wehrt, aber es half nichts, Essen lag wieder vor ihm, was konnte schon helfen, wenn sechstausend Kilometer nicht halfen, eine andere Sprache, ein anderer Kontinent. Wann immer Kurt an Essen dachte, kam die Stadt ihm diesig vor, manchmal lag sogar Schnee, kalt jedenfalls und feucht war es, und wenn er in seiner Vorstellung vom Hügel aus auf die Stadt hinuntersah, die nur noch an ihrem Rand einige Zechen aufwies, dann fragte er sich, wie man sich so etwas wie Essen überhaupt hatte ausdenken können. Oder Manchester. Oder

Pittsburgh. Er musste an Essen denken, aber nicht oft und nie lange.

Fanny Weidmann hatte den Raum betreten und sich unschlüssig dem Küchentresen genähert, doch Kurt übersah sie. Er war in Essen. Er war in Wessners verchromtem Büro, die Sekretärin hatte gerade eine Flasche Tafelwasser gebracht (Apollinaris 0,2 l) und ein Glas. Wessner kam aus dem Nebenraum herein, in den er sich, das Telefon am Ohr, zurückgezogen hatte.

Ich weiß nicht, mit was Werner zu seinem Anwalt gegangen ist. Ich weiß nicht, was sich wirklich bei euch in der Firma abspielt. Kurt, versteh mich nicht falsch, aber hier geht es nicht um Eitelkeiten. Wenn er Grund hat – ich meine, Kurt, Betrug ist in deinem Fall – lass es mich so formulieren: Hat Werner etwas in der Hand gegen dich?

Ich weiß doch auch nicht, was er seinem Anwalt erzählt hat, erklärte Kurt trotzig. Wessner hatte auf seiner Seite zu stehen. Sie kannten sich seit der Studienzeit, Wessner hatte des Öfteren in Kurts Haus gewohnt, hatte von Kurts Namen profitiert, ja, auch von Kurts Geld, sie waren in gewisser Hinsicht befreundet.

Ist eine Insolvenz wahrscheinlich?, fragte Wessner und steckte endlich das Telefon in die Brusttasche seines Jacketts.

Kurt Tietjen antwortete nicht.

Kurt, wenn ich dir bei dieser Angelegenheit helfen soll, muss ich eines wissen: Ist eine Insolvenz noch abzuwenden?

Wir gehen nicht in die Insolvenz, antwortete Kurt.

Weil ihr nicht müsst? Oder weil du nicht willst?

Was soll diese Frage, entgegnete Kurt und sah seinen Studienfreund an, das zum Kinn hin spitz zulaufende Gesicht, ein Pferdegesicht. Wessner hatte Karriere gemacht, obwohl andere besser, weit besser gewesen waren als er, und er schämte sich nicht dafür, nahm es als selbstverständlich hin, und Kurt beneidete ihn um diese Arroganz, die es brauchte, um über den Dingen zu stehen.

Kurts Großvater Justus hatte sie besessen, er war ein stures, unbesiegbares Fossil gewesen. Über dem Schreibtisch hatte er ein in Öl gefasstes Bild von sich hängen, ein Porträt des Firmengründers aus dem Jahr 1914, das kurz nach Abschluss des Exklusivvertrags mit dem kaiserlichen Heer angefertigt worden war und ihn in nüchterner Herrscherpose zeigte, halb Monarch, halb Beamter. An der anderen Wand hing ein Familienbild, seine beiden Söhne, blass und zaghaft mit dem Pinsel ins Öl gesetzt, seine stets hochdekorierte Ehefrau in einem cremefarbenen Kleid, ein Panzer aus Tüll und Blüten, er selbst, gelassen und erhobenen Hauptes in der Mitte der Szenerie. An der anderen Wand zwei Porträts seiner Söhne, Karl auf dem Rücken eines kastanienbraunen Pferdes und Kurt, der einen Schimmel an den Zügeln führte. Die Motive hatte Justus Tietjen bei den Hügelianern abgeschaut. Tietjen war Krupp mit menschlichem Antlitz, so jedenfalls sah es Justus. Er war der weiche Krupp. Von seinem Thron im Chefbüro aus regierte er die Firma wie ein Weltreich.

Das Bewusstsein von Einzigartigkeit hatte er an seinen Sohn weitergegeben. Für Kurt senior war keiner gut genug. Vor ihm konnte niemand bestehen. Doch das Gefühl der

Größe, das sein Vater Justus ihm beigebracht hatte, war mit den Jahren für Kurt senior zu einem stetig wachsenden Vakuum geworden. Er verglich die Realitäten des Frotteekonzerns mit denen des Familienmythos. Der Name Tietjen war, wie er feststellen musste, deutlich weniger wert, als man es ihm eingeredet hatte. Früher schien die Firma genügend Gravitation zu besitzen, um das gesamte Universum an sich zu ziehen. Jetzt blickte er über das, was tatsächlich da war, ein Frotteeunternehmen in Essen, das ungefähr zweihundert Mitarbeiter beschäftigte. Kurt senior war nicht wahnsinnig genug, den Konzern zu der Größe ausbauen zu wollen, die er in der Vorstellung seines Vaters besessen hatte. Der Senior war weder wahnsinnig noch phantasiebegabt, er setzte auf Genauigkeit, alles um ihn herum war berechnet, er war das, was man einen calvinistischen Kaufmann nannte, ein wortkarger, sparsamer Mann, der nicht träumte, weil Träume keinen Profit abwarfen.

Seinen Sohn behandelte er mit einer Mischung aus Geiz und Perfektion. Dass Kurt nicht gut genug war, hatte der Senior schon früh bemerkt, aber das war nicht sein eigentlicher Vorwurf. Was den Senior verbitterte, war, dass seinem Sohn der zweite Platz genügte. Dass er nicht die Verpflichtung ernst nahm, die ihm seine Stellung und der Wohlstand, in dem er aufwachsen durfte, abverlangten. Kurt junior tat sich in nichts hervor. Es war hoffnungslos. Der Wunsch, alles um sich herum kurz und klein zu schlagen, stieg in dem beherrschten Senior auf, wenn er seinen Sohn vor sich sah, diesen Tropf Wasser, geduckt und unentschlossen, als sei er zufällig auf der Welt. Ein Tietjen aber war nicht zufällig, ein Tietjen hatte zwingend zu sein.

Fanny Weidmann war ein Zufall. Es war ein Zufall, dass sie war und wie sie war und dass sie hier war. Ein Zufall war es, woher sie kam, 54 Humboldt Street, Centralia, Pennsylvania, ein Zufall, dass sie in Kurt Tietjens Leben getreten war, ein Zufall, dass sie beide am gleichen Abend verloren und betrunken gewesen waren, so wie Fannys Eltern und Großeltern stets im entscheidenden Moment verloren und betrunken gewesen waren. Was das Entscheidende war, hatte stets der Zufall bestimmt, bei einer Familie wie den Weidmanns, dachte Kurt, einer Familie, wie es sie in Massen gab. Es war ein Zufall, dass sie sich wieder getroffen hatten, so viele Tage nach der gemeinsamen Hotelübernachtung, ein Zufall – nein, kein Zufall mehr, hier hatte bereits Kurt in die Handlung eingegegriffen, die Fäden in die Hand genommen, hier trat das Prinzip Tietjen auf den Plan, in dem nichts Zufall war, sondern alles Kalkül.

Sie rekelte sich neben ihm auf einer Decke (Saunatuch Modell Schweden), die Kurt über den kahlen Boden des Apartments gebreitet hatte. Der Brief lag auf dem Schreibtisch. Wieder hatten sie eine Flasche Wein getrunken, einen Merlot, den Kurt in seinem Küchenschrank aufbewahrt hatte, für diese Gelegenheit, an die er nicht mehr geglaubt hatte, vernünftig, wie er war.

Die verschmierten Konturen ihrer Lider, das billige Makeup, ihre dünnen Lippen. Sie war so schmal, als wagte sie nicht, Raum einzunehmen. Alles war leicht mit ihr gegangen, sie versuchte nicht einmal, einen eigenen Willen zu haben. Er hatte sie hereingebeten, sie war gefolgt. Er hatte sie plaziert, so wie er sich vorgestellt hatte, dass sie sitzen würde. Er spielte jenen Abend aus dem Hotelzimmer mit ihr nach, sie befolgte seine Anweisungen, nahm das Weinglas entgegen, rekelte sich auf der Decke, wich seiner Nähe nicht aus. Sie wirkte wie ein schutzloses Tier, das er aufpäppeln musste. Er zog sie an sich, schob sie fort, ließ sie von dem Wein trinken. Ihre Zuneigung mochte gespielt sein, das konnte er ertragen.

Er forderte sie auf zu erzählen, von den Häkeldecken, zwischen denen sie aufgewachsen war. Fanny redete, wie sie im Hotel geredet hatte, ausufernd, rücksichtslos, unvorsichtig, und sie tat all dies auf seinen Wunsch hin. Ihre Mutter hatte eine Zigarette nach der anderen in eine Coladose hineingeascht, und über dem Sofa hatte das mit billigem Öl stümperhaft gemalte Porträt des Ahnherrn, ihres Großonkels Wilhelm, gehangen, der herübergekommen war, um die bessere Welt kennenzulernen.

Nach und nach waren sie vor ihm geflohen, zuerst Willys Söhne, dann seine Frau, zuletzt seine Nichte, Fannys Mutter, mit dem Kind und dem Gemälde unterm Arm. Willy hatte das nicht erschüttert, er glaubte tief an einen flatterhaften Gott, der mal puritanisch, mal baptistisch war, und er ging jeden Sonntag zur Kirche. Unter der Woche verkaufte er Schmuck in einem Warenhaus in Downtown Manhattan, seine breiten Finger ruhten auf dem Glas, unter dem die Steine und Ringe lagen, und während die Damen mit ihren langen Händen die Schmuckstücke griffen, starb Willy jeden Tag ein wenig mehr, ertrug den Geruch der Klimaanlangen nicht, vergaß in die Kirche zu gehen. Nur nach Hause wollte er, aber dort fand er sich nicht mehr zurecht. Er zog sich Stück für Stück aus seiner Wohnung zurück, mied das Wohnzimmer, bald auch die Küche, richtete sich ein Zimmer ein, das er mit Decken (90 Prozent Acryl) und Konservendosen füllte, und eines Montags verriegelte er die Tür und ließ den Schlüssel durch den Schlitz in den Lichtschacht fallen. In der ersten Woche klingelte noch das Telefon, in der zweiten saß bereits ein anderer auf seinem Arbeitsplatz.

Fanny lag flach auf dem Saunatuch, blickte an die Decke; Kurt wagte nicht, sie zu berühren.

Woher ihr Großonkel gekommen sei, fragte er.

Europa, sagte sie bestimmt, als sei das eine überaus präzise Ortsangabe. Und er? Ob er aus Deutschland käme, erkundigte sie sich.

Weshalb Deutschland?, fragte Kurt.

Der Brief sei von dort geschickt worden, erklärte Fanny.

Deutschland, murmelte er, ich glaube, ich war noch nie da.

Das stechende Klingelgeräusch hörte er wieder. Und wieder. Und wieder. An jedem der folgenden Wochenenden trafen sie sich, wenn Kurt auch nie wusste, wann Fanny bei ihm vor der Tür stehen würde. Manchmal sahen sie sich auch unter der Woche. Sie klingelte bei ihm, er kaufte den Wein und das Essen. Wenn er zurückkam, saß sie in eine Decke gewickelt auf seiner Couch, und während sie mit den Stäbchen winzige Mengen Pekingente aus der Pappschachtel pickte, erzählte sie ihm von ihrem Leben.

Mit Fanny Weidmann war die Unvorhersehbarkeit in sein Leben gekommen, und das Zufällige widersprach allem, was er gewohnt war. Etwas musste notwendig sein, schon lange bestanden haben, dachte Kurt. Vielleicht fürchtete er nur, sie könne ebenso schnell und grundlos wieder verschwinden, wie sie in sein Leben gekommen war. Einen Moment lang hielt sie inne, betrachtete ihn ruhig.

Das war Fanny Weidmann: Sie hatte einige Jahre in einem Finanzunternehmen in der Pine Street gearbeitet, in einem Glasbüro, in dem jede Ermüdung von den Kollegen notiert und gemeldet wurde. Ihr Vorgesetzter stolzierte auf stämmigen Cowboybeinen durch die Gänge und entließ im Wochenturnus die Angestellten, die nicht den gläsernen Wänden und der Geschwindigkeit des Unternehmens standhielten, die nicht um drei Uhr morgens das Telefon beantworteten und nicht am Sonntag den Familienausflug abbrachen, um ins Büro zu kommen, er entließ, bis er selbst entlassen wurde, und dann kam ein weiterer überspannter Yale-Absolvent, der in jeder freien Minute zum Wasserspender lief, als fürchte er, in seinem Eifer zu vertrocknen. Er entließ ebenso unerbittlich, einige Monate später wurde auch er entlassen und sein Vorgesetzter ebenfalls, nur Fanny blieb, sie wusste selbst nicht, weshalb.

Sie hatte aufgehört zu schlafen, sie bettete das Telefon neben sich auf das Kopfkissen, wenn sie sich spätabends hinlegte, um in einen leichten Dämmer zu fallen. Und dann, eines Nachts, schlief sie ein, sie schlief und schlief, schlief immer fester und weiter, und selbst als sie nach zwanzig Stunden wieder zu sich kam, konnte sie sich nicht erheben. Sie lag da, und alles, was sich in ihrer Reichweite befand, war das Telefon, auf dem drei neue Nachrichten aus der Firma blinkten. In der ersten wurde sie von einer freundlichen Sekretärin um den Ordner *Prop. Co – Fe* gebeten, in der zweiten forderte eine gereizte Kollegin sie auf, das Dokument *Coh* aus dem Ordner *Prop. Co – Fe* umgehend per Kurier zu schicken, wenn sie schon nicht selbst vorbeikommen könne. In der dritten Nachricht teilte ihr neuer Vorgesetzter ihr in getragenem Tonfall mit, dass dies ein schwerer Tag für die Firma sei. Fanny solle zu ihm ins Büro kommen, aber es habe keine Eile, nein, sagte die getragene Stimme ihres Vorgesetzten, jetzt habe nichts mehr Eile. Die dritte Nachricht beantwortete sie und bat in einhundertsechzig Zeichen um ihre sofortige Entlassung.

Nach drei Jahren, die sie in einem gut bezahlten Wachkoma verbracht hatte, trat sie an jenem Nachmittag zum ersten Mal wieder ausgeruht auf die Straße. Die Umgebung platzte unerwartet grell vor ihr auf. Sie wusste nicht mehr, wie man mit dieser Stadt zurechtkam, New York kam ihr zu groß, zu schnell, zu sprunghaft vor.

Sie fand einen Job in einem Café in der Grand Street, Ecke Havemeyer (Kurt Tietjen wusste nicht, wer Havemeyer war). Durch das Fenster blickte sie auf ein Geschäft, das Reliquien der Stadt verkaufte, abgefallene Straßenschilder, alte Lampen, Bilder, Nummernschilder, Apparaturen aus Metall, von denen niemand mehr sagen konnte, zu was sie einmal zu gebrauchen gewesen waren. Die Mülleimer waren angekettet, neben der Ampel stand ein Plastikcontainer mit Gratiszeitungen und schräg gegenüber eine Backsteinkirche, die wie eine schmale, muffige Turnhalle aussah. An der Wand des Cafés hing eine Weltkarte, und Fanny betrachtete all die Länder, in denen sie noch nie gewesen war. Abgesehen von New Jersey und einem Teil von Pennsylvania, durch den sie an einem verregneten Tag gefahren war, erinnerte sie sich an keinerlei Welterkundungen.

Die zweite Flasche stand geöffnet zwischen ihnen, zwei Weinflecken dunkelten auf dem Stoff, nichts hatte ordentlich zu sein, vielleicht konnte es das auch gar nicht neben ihr. Fanny Weidmann war wie der Zufall etwas, das niemand beherrschen konnte, war wie der Zufall etwas, wovon sich die Tietjens seit je fernzuhalten versuchten.

In diesem Jahr sei sie zum ersten Mal nach Europa geflogen, erzählte Fanny. Sie habe vorgehabt zu bleiben. Sie hatte genug gehabt von den Staaten, von einer Stadt wie New York, in der man jede Minute seines Tages verkaufen musste, um die Krankenkasse zu bezahlen, dabei durfte man ohnehin nicht krank werden, sonst war man seinen Job los. Sie habe sich bei deutschen Firmen vorgestellt, doch keiner wollte sie einstellen. Sie hatte nicht die richtigen Qualifikationen und auch nicht das richtige Visum. Sie war zurückgekehrt, weil sie lieber überarbeitet sein wollte, als von unzähligen Vorschriften blockiert in einer Warteschleife zu verkommen. Zurück in ihrem Leben zwischen Redhook und Grand Street, hatte sie gespürt, wie sie in dieser Stadt langsam das Gefühl für Größenverhältnisse verlor. Sie hatte es bis dahin ausgehalten, weil sie geglaubt hatte, dass New York für sie nur eine Zwischenstation war. Aber nach ihrer Rückkehr aus Deutschland war aus dem Provisorium ein Dauerzustand geworden.

Zwei Tage lang hatte es geregnet. Die Gäste im Café waren jeden Tag die gleichen. Sie saßen auf alten Kirchenbänken und tranken Chai-Latte, die Scheiben waren von der Heizungsluft beschlagen. All das habe sie schließlich beruhigt, sagte Fanny.

X Ich rede nicht von Bestechung, sagte Werner. Wir brauchen es nicht Bestechung zu nennen. Bezirzen, Umgarnen, wir können ja nichts daran ändern, dass wir eine Wirkung auf andere Menschen haben.

Nein, sagte Luise, daran können wir nichts ändern.

Menschen sind nun mal beeinflussbar, sagte Werner, sie werden sich immer auf die eine oder andere Seite ziehen lassen, und warum also nicht auf unsere? Ich weiß genau, was Benraths vorhaben und was Schermerhorn plant, sicher keine Heldentaten, so viel ist sicher.

Es gab nur ein Restaurant, in das man gehen konnte, und auch in dieses Restaurant konnte man nur an bestimmten Tagen gehen, da sonst die falschen Leute an den Nebentischen saßen, und es musste Luises Onkel viel Mühe gekostet haben, nicht nur den Politiker zu bekommen, sondern zudem den richtigen Tag.

Ich habe solche Mühen auf mich genommen, jetzt kannst du dich nicht querstellen, Luise, warnte Werner sie, und so ging Luise in ebenjenes Lokal, um bei einem Abendessen (Pappardelle, Wildgulasch, Brunello) mit jenem Abgeordneten zu sprechen, der zu jung war, um auf Werner zu hören, der aber, wie Werner betonte, um das Tietjen'sche Halbschlingenverfahren wissen musste, das sie vor allem deshalb entwickelt hatten, um staatliche Subventionen einzustreichen. Wir brauchen das Geld, Luise, wir brauchen es dringend, sagte Werner. Ohne die Zuschüsse sieht es im nächsten Jahr düster für uns aus.

Dass es ihn freue, sie an diesem Abend zu treffen, versicherte ihr der Abgeordnete Lennart Wenzel, der bislang eine eher mittelmäßige politische Karriere hingelegt hatte. Wenzel war noch keine vierzig und gab sich betont lässig. Er taxierte Luise, nicht herablassend, aber desinteressiert, sie war lediglich ein Abendtermin von vielen. Während der Kellner das Essen brachte, erzählte Luise von der Firma, von dem neuen Verfahren, das den Tietjenfrottee zu einem der umweltfreundlichsten Produkte auf dem Markt machte, Wenzel sah immer wieder auf das Display seines Telefons. Zuerst meinte sie, es sei ein Tick, dann aber wurde ihr klar, dass es nur Gewohnheit war. Das Telefon machte ihn unnahbar. Er musste Luise demonstrieren, wie beschäftigt er war, er schielte nach dem Display, und er gefiel ihr dabei. Er gefiel ihr deswegen. Der Kellner stolzierte in arroganter Höflichkeit vorbei, schenkte Wein nach. Luise dachte nicht mehr an das Halbschlingenverfahren, sie wollte nicht von der Firma sprechen, sie wollte, dass Wenzel ihr zuhörte, ohne die Pistole auf der Brust zu spüren, sie wollte, dass er ihr zuhörte, ohne gezwungen zu sein.

Es hat auch Vorteile, unterschätzt zu werden, Herr Wenzel, erklärte sie. Die Leute sagen mir mehr, als sie eigentlich wollen. Warten Sie nur ab, das wird Ihnen auch so gehen.

Wenzel lachte, sprach bald nicht mehr vom Haushaltsausschuss, sondern erzählte Witze und kleine Anekdoten, schielte immer seltener nach dem Handydisplay, und Luise dachte einen Moment lang, sie könnte aus dem engen Radius ausbrechen, der von Krays und der Firma um sie herumgezogen worden war.

Wir hätten uns früher kennenlernen sollen, sagte sie, ihr Fuß stieß wie zufällig gegen seinen, er zog ihn zurück, sie lachte, lachte ein wenig zu laut, blickte ihm in die Augen, er hielt ihrem Blick stand, zeigte ihr, wie souverän er war.

Frau Tietjen, nicht, dass Sie mich falsch verstehen. Sie wollten mit mir über Ihre Firma sprechen.

Er machte eine Pause. Luise wartete, dass er etwas hinzufügte, aber er fügte nichts hinzu. Sie blickte zur Seite, suchte den Raum nach einem Ausweg ab, aber es gab hier nichts als eine Empfehlung vom Gault Millau und Rotwein ab 49 Euro die Flasche.

Der Kellner kam herbeigeeilt, erkundigte sich nach ihrem Wohlergehen, empfahl ihnen ein Dessert. Luise merkte, wie ihr Tischherr ihr aus den Fingern glitt. Wenzel blickte wieder auf sein Handy, Luise nippte am Rotwein, ließ den Blick durch den Raum schweifen, an den meisten Tischen waren Pärchen plaziert. Wie hatte sie die Situation nur missverstehen können, sie war hier nicht bei einem Rendezvous, sondern bei einem Geschäftstermin.

Das Halbschlingenverfahren ist für die ökologische Modernisierung der Frotteebranche, hob Luise wieder an, Wenzel unterbrach sie, einen Moment, Frau Tietjen, lehnte sich vor, sein Gesicht war ins Licht der Kerze getaucht, er tippte eine Nachricht, murmelte, Verzeihung, das ist wichtig. Am Nebentisch streichelte ein Kahlköpfiger das Handgelenk seiner jungen Begleiterin, und Luise dachte, sie hätte vielleicht ein wenig mehr wie ihre Mutter sein müssen, die so geschickt im Schatten ihres Mannes stand.

Eine Viertelstunde später sah sie Lennart Wenzel nach, obwohl es nicht viel zu sehen gab, nur ein Taxi fuhr davon.

Dass sie nicht ohne Grund mit Wenzel verabredet gewesen sei, sagte Werner und durchschritt mit seinen schweren Schritten das Büro. Luise saß wie eine Praktikantin auf dem Besucherstuhl und bekam das Ruder nicht mehr zu fassen, Werner schlug es wild hin und her und hielt es von ihr fern.

Dass ihnen die Subventionen so gut wie sicher gewesen seien, erklärte er und sprach von den Errungenschaften der Firma Tietjen, der hohen Qualität amerikanischer Baumwolle, dem Einsatz regenerativer Energien, vom Halbschlingenverfahren, das die Firma Tietjen nutzte, ein Verfahren der Zukunft!, rief Werner. Und du, du hast kein Wort davon erwähnt?

Doch, erwähnt schon, sagte Luise leise. Sie wollte ausweichen, sah zur Tür, doch die Tür war unerreichbar, hier kam sie nicht raus. Sie fühlte sich klein, so klein, wie sie es auch war, fünfundzwanzig, was erwartete er von ihr? Es hatte ihr nie jemand beigebracht, an Subventionen, Halbschlingen und das Verfahren der Zukunft zu glauben.

Natürlich wurde in den Hallen der Firma kein Verfahren der Zukunft angewandt. Der größte Teil der Produktion war längst nach Fernost ausgelagert, die Arbeiter in Essen packten lediglich die riesigen Kartons aus, die vom Logistikunternehmen Wendler angeliefert wurden. Anschließend bestickten Näherinnen die Handtücher mit Etiketten, auf denen *Tietjen Deluxe* stand. Wunder waren das nicht, aber in welchen Hallen passierten schon Wunder.

Immerhin benutzten die Tietjens texanische Baumwolle von Chuck Degger und unterstützten somit die amerikanische und nicht die zentralafrikanische Wirtschaft, in der alles Geld, wie Werner sagte, für lethargische Beamte und verrostete Kalaschnikows draufging. Die Firma Tietjen arbeitete regenerativ, das von ihnen entwickelte Halbschlingenprinzip böte, so Werner, eine schonende Herstellung und brächte, verglichen mit anderen Herstellungsverfahren, eine höhere Oberflächenstruktur bei niedrigerem Wollverbrauch. Dass in Ostasien, wo die Herstellung zu großen Teilen ablief, sicherlich noch niemand von einem Halbschlingenprinzip gehört hatte, erwähnte Werner nicht.

Wann hat zum letzten Mal jemand die Fabriken dort besucht?, fragte Luise.

Werner blieb kurz vor seinem Schreibtisch stehen, stützte seine Hände auf der Platte ab, schaute Luise direkt in die Augen. Sie roch seinen Pfefferminzatem, beißend von all den Pastillen, die er vor jeder Sitzung hysterisch in sich hineinschüttete, um kurz darauf die Ruhe selbst zu sein. Sie sah seine blassblauen Augen, die mit einem Mal zu lachen begannen. Er lachte, alles an ihm lachte, die einhundertsechs Kilo Werner Kettler lachten sie aus. Luise hätte doch überhaupt keinen Überblick, wo was und wie produziert wurde, sagte er, und überdies, man kann sich nicht alle Trümpfe aus der Hand nehmen lassen, da spielt es auch keine Rolle, wie diese Trümpfe im Einzelnen aussehen und ob es überhaupt echte Trümpfe sind.

Alles in Ordnung?

Die Stewardess beugte sich zu Luise hinab, ihr Niveagesicht sah besorgt aus. Nie war Luise auf Flügen übel geworden, sie kannte keine Angstzustände, weder beim Start noch bei der Landung, wenn die Räder auf der Bahn aufkamen, die Bremskraft die Passagiere nach vorne stieß –

Everything OK, Miss?

Es musste am Essen gelegen haben, Hühnchen in einer zähweißen Soße, mit zu viel Salz und fast ohne Geschmack.

Krays hatte sie gewarnt: Bestell dir ein Sonderessen, egal was. Koscher ist meistens passabel. Sie hatte sich kein koscheres Essen bestellt, sie war nicht religiös, es stand ihr nicht zu.

Kurt hatte sie bestellt. Er hatte sie mitten in der Nacht angerufen, in New York war es früher Abend. Krays hatte nicht neben Luise im Bett gelegen, freitags ging er meist mit Freunden aus, in einen Club nahe der Autobahn. Sie war eingeschlafen, während sie auf ihn gewartet hatte, ein Plaid um ihre Beine gewickelt, aus dem sie sich kaum befreien konnte, als sie aufstand, um das Telefon abzuheben. Am anderen Ende der Leitung sagte jemand: Wir treffen uns an der 42. Straße, Ecke Seventh Avenue, ich habe ein Zimmer für dich reserviert. Sie dachte, es sei Krays. Nun war er übergeschnappt, dachte sie. Wo bist du?, rief sie in den Hörer.

New York. Ich bin in New York, wo sonst. Ich habe ein Zimmer für dich reserviert, du kommst am Mittwoch um halb drei in Newark an.

Da begriff sie, dass es ihr Vater war, begriff, dass sie ihn zum ersten Mal angeschrien hatte.

Mittwoch halb drei, wiederholte Luise.

Sie nahm es hin, wie es war: Er bestimmte, was die Familie zu tun hatte, so war es schon immer gewesen. Sie fragte nicht, was er von ihr wollte. Sie fragte es nicht einmal sich selbst.

Krays hatte sie gewarnt: Flieg nicht nach New York, was willst du da?

Dass ihr Vater den Ort ausgesucht hatte, nicht sie.

Dann such dir einen anderen Vater aus, hatte Krays erwidert.

Er hatte sie gewarnt: Erwarte nichts von dieser Reise. Erwarte nichts von deinem Vater. Sei ehrlich, wenn es ihm um die Firma ginge, hätte er nicht dich bestellt. Sei ehrlich, um die Familie ist es ihm nie gegangen. Sei ehrlich, er weiß doch nicht einmal, wie du genau aussiehst.

Newark: Blauer Himmel bei 24 Grad. Aus dem Cockpit kam die Meldung, sie seien nur noch dreißig Minuten von ihrem Zielort entfernt. Die Stewardess stöckelte erneut auf Luise zu, reichte ihr ein heißes Tuch und ein Glas Wasser, die Übelkeit hatte inzwischen nachgelassen, war einem anderen Gefühl gewichen, einer drückenden Unruhe, einem Flackern im Kopf, als säße sie mitten unter den Leuchtreklamen auf dem Times Square.

Ausgerechnet nach New York, wo man nie gut genug sein konnte, hatte ihr Vater sich aufgemacht, wie ein störrisches Kind, das von zu Hause ausgebüxt war. Sie würde ihn abholen. Sie würde ihn mit nach Hause nehmen. Und wenn nicht ihn, dann seine Unterschrift. Luise konnte ihn nicht retten, das hatte sie auch nicht vor. Sie wollte die Firma vor seinen Übergriffen schützen. Das Flugzeug ging in den Sinkflug, sie wandte ihr Gesicht zum Fenster.

Dass das ihr Vater war –

Sie hatte ihn zunächst nicht erkannt, war mehrere Minuten unruhig und zunehmend angriffslustig auf und ab gegangen, Broadway, Ecke 42nd Street, vor den Macy's-Schaufenstern, in denen Dutzende von elektrischen Plüschaffen immer wieder die gleichen Bewegungen ausführten, Radschläge, Klatschen, Drehen im Kreis, früher hätte sie das begeistert. Im Fenster nebenan waren Badartikel ausgestellt, Seifen, Lotionen, Handtücher, Kosmetikspiegel. Ein Stillleben von Rauschenberg.

Aus dem U-Bahn-Schacht strömten Menschen mit zurechtgemachten Gesichtern, der Himmel klebte klar und blau im schmalen Schacht über ihnen. Lärm drang in Luises Kopf, aufbrausende, abflauende Automotoren, Sirenen, Rufe, Jingle-Musik. New York war größer geworden, härter.

Früher war ihr die Stadt in kleinen Portionen verabreicht worden. Nachdem sie bei Bekannten ihrer Eltern in der Upper West mit Apfelkuchen (echt deutsch) abgefüttert worden war, hatte sie träge vor Sattheit im Fond eines Taxis gelungert, sieh mal, der Hudson, war in den Galerien des westlichen Manhattans hinter ihrer Mutter hergerannt, die alles kaufen wollte, durch die Hallen des MoMA und in die Schraube des Guggenheim-Museums hinein. Alle zwei Jahre in den Herbstferien spielten sich diese Szenen ab und jedes Mal endete die Reise damit, dass Kurt Tietjen Luise und ihre Mutter kurz vor der Abreise in der Lobby mit den gepackten Koffern warten ließ, weil er noch einen geschäftlichen Termin hatte. Wenn er endlich ins Hotel zurückkehrte, war er meist von einer feinen Whiskynote umgeben, und ihre Mutter war in ein besorgtes Gespräch mit dem Fahrer vertieft, der sie zum Flughafen bringen sollte. Kurt baute sich wie ein verzweifelter Wahlkämpfer vor ihnen auf und verkündete: Sie werden hier niemals unser Produkt verstehen.

Ein Mann stand neben einem Zeitungsautomaten und las die Überschriften der Zeitungen. Er blickte zu Luise herüber, jemand, der selbst bei den Nachrichten überlegen musste, ob es sich lohnte, sie zu kaufen. Er hatte Luise betrachtet, minutenlang, ohne sich bemerkbar zu machen.

Dass das ihr Vater war –

Er trug ein einfaches, hellgraues T-Shirt, Jeans ohne Marke und Form, die er früher nicht einmal angerührt hätte. Die meisten Menschen schrumpften im Alter. Andere, das musste sie nun feststellen, verschwanden ganz. Kurt Tietjen war verschwunden, möglicherweise schon eine ganze Weile.

Luise reichte ihm die Hand, höflich, um den Abstand zu wahren: so weit und nicht näher. Ein stoppeliges Kinn, schroffe Augenbrauen, die Falten hatten sich nicht vermehrt, aber sie hatten ihre Bezugspunkte verloren. Der Mann vor ihr war nicht in einem Haus mit Wasserfall aufgewachsen, hatte nie in einem Schreibtischstuhl aus Leder gesessen, nicht über Menschen bestimmt, der hier hatte höchstens Angst vor ihnen gehabt.

Ob sie einen guten Flug gehabt habe. Ob ihr Zimmer in Ordnung sei. Es fiel ihm schwer zu reden. Möglicherweise sprach er hier kein Deutsch mehr. Möglicherweise sprach er mit überhaupt niemandem. Kein Wort von der Firma. Ihr Zimmer war in Ordnung, aller Wahrscheinlichkeit nach komfortabler als die neue Behausung ihres Vaters.

Du wirst Hunger haben, du musst etwas essen, erklärte er, es war der alte Trick: Hatte man erst etwas im Mund, galt es als höflich, sich anzuschweigen. Sie entfernten sich in langsamen Schritten von Macy's, gingen die 42nd Street Richtung Osten hinauf, stießen auf die Sixth Avenue.

Wie er lebe, was er arbeite, ob er überhaupt mit etwas beschäftigt sei. Luise fragte nicht, sondern wollte, dass er es von sich aus erzählte, freiwillig. Er hatte sich verändert, doch erklärte er ihr nicht, wer er nun war, drückte ihr keine neue Visitenkarte in die Hand. Wie es um die Firma bestellt sei, was Werners Pläne seien, wo Luise in alldem stünde – warum fragte er nichts davon? Oder interessierte diesen Mann in seinen Discountkleidern die Firma nicht mehr? Hatte er all seine alten Gewohnheiten zusammen mit den Maßanzügen abgelegt?

Ich denke selten über Essen nach, hörte sie Kurt sagen. Essen passt hier nicht hin.

Und die Firma?, fragte Luise.

Ach, die Firma, sagte Kurt nur.

Wie hatte er so viele Schulden anhäufen können? Warum gab er die Firmenleitung nicht ab? Er sollte endlich seinen Mund aufmachen, ihr Vater, er aber lief stumm neben ihr her.

Und warum lässt du dann nicht los?, fragte Luise.

Ich, sagte Kurt abfällig. Er verschränkte die Arme hinter dem Rücken, zog seine Schultern zurück, leicht und gravitätisch, da ging er wieder neben ihr, Kurt Tietjen.

Ich lasse nicht los? Frag deinen werten Onkel.

Meinen Onkel? Du willst doch nur, dass ihm das Unternehmen zwischen den Fingern zerläuft.

Fourth Avenue. Zierliche Frauen verließen die Geschäfte mit gewaltigen Einkaufstaschen, Menschen, die in ihrem Luxuskokon vegetierten.

Das ist es doch, was du an New York liebst, sagte Luise. Dass sie hier alle gescheitert sind. Alle andern. Mein Großvater. Dein Großvater.

Ich bin doch nicht wegen Justus oder meinem Vater hierhergekommen.

Was willst du denn bitte schön sonst hier?, fragte Luise.

Nutzlos sein, antwortete Kurt.

Menschen liefen von Bürohaus zu Bürohaus, sogar die Touristen waren in Eile. Kurt blieb einfach stehen, als könne er sich über das Treiben erheben. Albern, dachte Luise. Das hier war nur ihr Vater, verzagt und müde, er stand dicht neben ihr, möglicherweise lag darin das Problem, manche Menschen wirkten besser, wenn sie abwesend waren. Aber Luise würde auch damit zurecht kommen. Irgendjemand musste es ja.

Sie hakte ihren Vater unter, zog ihn mit sich, über die zerschlissenen Bürgersteige, der First Avenue entgegen, in der Luise früher, als sie noch unsichtbar für ihren Vater gewesen war, mit einer Cola ruhiggestellt worden war, während ihre Mutter versucht hatte, New York zu verstehen, wenigstens die Architektur, und ihr Vater auf einen Geschäftskollegen einredete. Luise erinnerte sich an die voluminös frisierten Gestalten, bei denen sie abends zum Dinner eingeladen waren, Ehefrauen aus Frankfurt oder München, deren Männer Ehejahr um Ehejahr tiefer in der Arbeit versanken. Reedereien, Logistikunternehmen, immer drohte in der Ferne die Pensionierung, immer war man gut gelaunt, ein Haus in Southampton, ein Ausflug nach Miami, alles war hier so viel einfacher als in Europa.

Unsere Familie ist doch nichts als ein Traum, sagte Kurt. Man kann von niemandem erwarten, sein ganzes Leben in einem Traum zu verbringen.

Andere bezahlen ihre Miete nicht mit Träumen, entgegnete Luise. Und wir zahlen auch noch die Miete unserer Angestellten damit.

Third Avenue. Sie näherten sich der Gegend, die Luise vertraut war, und sie hoffte, der Mann, der offenbar seinen Verstand verloren hatte, möge sich hier zurückverwandeln in Kurt Tietjen, den Frotteeverwalter.

Werner will deine Einwilligung, erklärte Luise. Nichts Großes, aber es ist dringend. Die Firma kommt nicht voran, wenn wir nicht bald einen neuen Standort für die Rohproduktion festlegen. Wir müssen mit den Fabriken ins Gespräch kommen, wir müssen Verträge schließen, wir können keine Handtücher produzieren, solange wir keine Stoffe haben. Wir brauchen deine Einwilligung.

Ihr?, fragte Kurt. Ihr braucht mein Einverständnis? Er wandte sich von ihr ab und winkte mitten in den stumpfen Verkehr hinein. Ein Taxi hielt, mit einem Spiderman auf dem Dach, new show starting, sie stiegen ein, der Wagen wurde beschleunigt, der Fahrer knallte sein Kaugummi rhythmisch gegen den Gaumen.

38th Street. Werner hat dich geschickt, sagte Kurt. Ich dachte, du wärest gekommen, weil ich dich angerufen habe.

30th Street. So stand es also: Er herrschte noch immer, ihr Vater, anstatt zu leben, er war noch immer der Fürst, auch wenn ihm das selbst nicht bewusst war.

26th Street. Der Blick des Fahrers im Rückspiegel, gutmütiges Misstrauen gegen diese aufgeregten Touristen.

24th Street. Natürlich, erwiderte Luise und sah ihren Vater von der Seite an, seine Gesichtszüge waren wieder hart geworden, jeden Moment würde er eine Entscheidung treffen, jeden Moment würde er einen Aktenkoffer unter dem Vordersitz hervorziehen und mit ihr zum Verwaltungssitz fahren.

16th Street. Natürlich?, fragte er.

Union Square. Starbucks, Filine's Basement, Trader Joe's.

Natürlich bin ich gekommen, weil du mich angerufen hast, antwortete Luise.

12th Street. Ich habe dein Ticket genommen, ich habe in dem Hotel eingecheckt, das du für mich ausgesucht hast, ich bin zu dem Treffpunkt gekommen, den du mir genannt hast. Wie kannst du fragen, für wen ich gekommen bin?

6th Street.

Natürlich, sagte ihr Vater. Werner spielt keine Rolle?

4th Street.

No, no, go back, 8th Street, I said, rief er nach vorn gebeugt. Between Braodway and Lafayette. Der Wagen bremste ab, schlitterte um eine Straßenecke.

4th Street.

Leise und scharf sagte Kurt: Du lässt dich von ihm als Botin ausnutzen. Ich hätte nicht gedacht, dass du dich so billig verkaufen würdest.

Am liebsten wären sie wohl voreinander weggelaufen, aber nun war Luise nach New York gekommen, das ließ sich nicht leugnen, und was hätten sie anderes tun können, als essen zu gehen? Man ging immer essen, weil es so wenig Alternativen gab. Luise war übel, ein Völlegefühl, obgleich sie seit dem Flugzeugmenü nichts zu sich genommen hatte. Man hatte ihren Vater zunächst nicht in das Restaurant lassen wollen, Luise hatte den Ober überzeugen müssen, sie hatten schließlich einen Tisch bekommen, und Kurt begann, von der Firma zu erzählen. Luise glaubte ihrem Vater kein Wort. Er hasste die Firma, und wer hasste, wurde ungenau.

Sobald ein neuer Gang gebracht wurde, unterbrach ihr Vater seinen Redefluss, und sie versuchte, ihn zu der Unterschrift zu bewegen. Er aber war stur. Was blieb ihr anderes, als ihm zuzuhören? Wie er lästerte. Wie er wütend war. Werner habe keinen Stil, weder als Unternehmer noch als Privatperson. Die Firma sei verkommen, sie sei es seit jeher. Immer schon habe man sich angemaßt, zu wissen, was gut für die Angestellten, was gut für die Kunden, was gut für die Zukunft sei. Weshalb sie sich überhaupt für die Firma interessierte, fragte er. Luise zuckte die Schultern, alles, was er sagte, war ein Vorwurf, und was konnte man schon auf einen Vorwurf erwidern? Er stocherte in seinem Tatar, sah sie an, lauernd. Sie blieb stumm, der Kellner hielt sich von ihrem Tisch fern, Kurt schob seinen Teller zurück und warf die Serviette auf den Tisch.

Dass er ihr keine Unterschrift geben würde, erklärte er. Dass er von Werner nichts halte. Dass er von ihr nichts hielt, sprach er zwar nicht aus, zeigte es ihr aber deutlich. Auch gegen sie musste er sich stellen. Auch ihr traute er nicht zu, das Richtige zu tun.

Er hatte es plötzlich eilig, forderte die Rechnung, kaum

dass die Nachspeise abgetragen worden war. Luise hätte gern einen Kaffee getrunken, irgendwie musste sie sich aufrecht halten. Sie fragte nicht, ob sie sich vor ihrem Rückflug am nächsten Mittag noch einmal treffen würden, sie war froh, fortzukommen. Und als sie dachte, nun sei es vorbei, erklärte er: Ich möchte gern, dass du wiederkommst, Luise.

Im Fenster, weit unter ihr, das Blau der New Yorker Bucht. Ihr Vater war zu weit hinausgeschwommen. Die Strömung trieb ihn immer weiter ins offene Meer. Es war hoffnungslos. Er wusste vermutlich nicht einmal selbst, was er wollte. Weshalb er wünschte, dass sie wiederkam.

Sie hatte genickt. Sie würde wiederkommen. Ganz recht.

Nun saß sie festgegurtet auf ihrem Lufthansa-Sitz, Fensterplatz, und blickte auf die Bucht unter ihr. New York war aus ihrem Sichtfeld verschwunden. Sie hatte nicht bekommen, was sie gewollt hatte, die Unterschrift. Aber sie wusste nun, dass ihr gelingen würde, was ihm nicht gelungen war: die Firma wieder zum Laufen zu bringen.

Sie dachte an ihren Vater, der in seinem grauen T-Shirt vor ihr gestanden, sich umgedreht hatte und im Treiben auf der 8th Street East verschwunden war. Er hatte weder gefragt, wie es ihr ging, noch was sie nach ihrem Studium zu tun gedächte. Dergleichen interessierte ihn nicht. Das Flugzeug auf dem Bildschirm vor ihr nahm Kurs auf Grönland, Restflugzeit 7:10h. Wetter in Düsseldorf 9°, leicht bewölkt. Luise sah bereits ihre ersten Schritte in Essen voraus: Sie würde in die Firma fahren und alle nötigen Unterlagen zusammensuchen. Sie würde mit Wessner sprechen, Kurts Anwalt, und mit einem Anwalt, der kompetenter war als

Wessner. Sie würde Krays einspannen, sie würde ein Dutzend Faulpelze aus der Verwaltung entlassen und ein paar von den zartbesaiteten Frauen aus dem Vertrieb, die immer nur Kaffee tranken. Sie würde sich von Experten erklären lassen, wie man Kurts Mitspracherecht umging.

Unter ihr war nur noch eine massive Wolkendecke zu erkennen. Sie atmete tief ein und wieder aus. Die Stewardess lächelte die Sitzreihen entlang. Luise schaltete ihr Handy ein, schrieb eine Nachricht an Krays, dann eine an Werner. Sie würde nicht länger warten, sie fühlte sich gut, mehr noch, sie fühlte sich vollständig. Ihr Vater hatte schon einmal ihr Leben kaputtgemacht. Dafür würde sie sich rächen. Sie baute seine Firma wieder auf.

XI Neben dem Grocery Store saß ein Obdachloser, die Augen geschlossen, den Oberkörper leicht nach vorn gebeugt. Seine linke Hand war halb zur Faust geballt, als hielte er etwas umschlossen, aber er hielt nichts. Der Zeigefinger seiner rechten Hand war mit einem Pflaster umklebt und ragte aus der Reihe der anderen Finger heraus. Der Mann bewegte sich nicht, die Kapuze seines schmutzigen Pullovers staute sich in seinem Nacken. Der Finger zeigte starr vor sich hin, zeigte regungslos an einem Fleck auf seiner Hose vorbei. Der ganze Mann war nicht nur reglos, er hielt nicht bloß seine Muskeln still, sondern alles in ihm war erstarrt, und Kurt merkte, dass er auf eine Leiche sah.

Erschrocken oder auch nur erstaunt, wandte er sich eilig zum Weitergehen, es kam ihm gar nicht in den Sinn, etwas anderes zu tun, erst später dachte er daran, doch in dem Moment war es, als stiege eine fast vergessene Warnung aus Kindertagen in ihm hoch: Sprich nicht mit Fremden. Er meinte, einen Leichengeruch wahrzunehmen, etwas, das er noch nie gerochen hatte, deshalb musste es eine Täuschung sein, es war wohl nur eine vergammelte Frucht, die unter die Auslage des Grocery Stores gefallen war. Nach wenigen Schritten musste er an der Ampel halten, ein Schulbus fuhr an ihm vorbei, hielt. Eine Reihe Mütter stellte sich vor dem gelben Gefährt auf, die Frauen klopften in holprigem Rhythmus gegen die Scheiben und weckten ihre Kinder, die ans Fenster gelehnt eingeschlafen waren. Es dauerte einige Zeit, eine scheinbar endlose Weile, bis das erste Kind in der Tür erschien, von der Busfahrerin über die Pfütze gehoben wurde und in den Armen seiner Mutter wieder zu sich kam. Dann erschien das nächste, wurde hochgehoben, kam an, dann das nächste, es dauerte eine Ewigkeit, und die ganze Zeit über lag der Geruch des fauligen Obstes in Kurts Nase.

Seine Tochter also. Sie sah erwachsen aus in ihrem dunkelblauen Kostüm, schlicht, europäisch, ein strenges Gesicht, als käme sie direkt aus einem Meeting im Financial District. Und nun war sie zu früh, lief vor dem Schaufenster auf und ab. Ihre Bewegungen waren hart. Seit wann sah sie so aus? Er konnte sich nicht erinnern, wie sie ausgesehen hatte, als sie das letzte Mal miteinander zu tun hatten, im Besprechungsraum der Firma, in dem er das Interview gegeben hatte. Schmal war sie geworden, sie achtete auf ihr Gewicht oder kam nicht mehr regelmäßig zum Essen, hatte nicht mehr die Ruhe dazu, ständig in Angst, Zeit zu verlieren. Sie stand vor dem Schaufenster, in dem Plüschaffen auf und ab sprangen, früher hätte ihr das gefallen, vielleicht gefiel es ihr immer noch. Luise hatte ihr nervöses Hin und Her unterbrochen. Sie übersah den Mann, der hier neben Ampel und Zeitungsautomaten stand und sie betrachtete. Er sah ihr Haar, das so eng an den Kopf gelegt war, als wollte sie es zum Verschwinden bringen, sah ihren schmalen Hals, ihren engen Kostümrock, ihre hohen Absätze.

Er war sich nicht sicher, ob sie noch studierte, von einer Arbeit über Horkheimer hatte sie einmal erzählt, aber war das bereits ihre Abschlussarbeit gewesen? Sollte sie sich doch Zeit lassen. Sollte sie doch tun, wonach ihr war. Solange sie nur nicht in der Firma arbeitete. Solange sein Schwager sie nur damit verschonte. In die Firma Tietjen, da gehörten Menschen wie Luise nicht hin. Luise hatte sich gefälligst aus der Gefahrenzone zu entfernen, zügig, solange es noch ging. Sie hatte sich von alldem fernzuhalten: Vom gerontologischen Pflegedienst, der in der vierten Etage zusammenkam und unter dem Decknamen Gesellschafterversammlung der moribunden Firma zu Leibe rückte. Von der Buchhaltung, in der ein schwacher Absatz in Verband gewickelt wurde, um die peinlichen Verluste zu kaschieren.

Sie drehte sich um, blickte ihn an. Einen Augenblick lang sah sie irritiert aus, oder spiegelte sich nur seine eigene Verwunderung in ihrem Gesicht wider? Sie hatte nichts Kindliches mehr an sich, und nun war Kurt unsicher, ob nicht er sich täuschte, indem er sie für seine Tochter hielt. Sie kam auf ihn zu, er konnte nicht mehr ausweichen. Jetzt musste er sie begrüßen, aber wie begrüßte man eine Person, von der man nicht wusste, wer sie war? Sie streckte ihm die Hand entgegen. Begrüßte man so Verwandte? Oder Geschäftspartner? Oder Fremde?

Wie ihr Flug gewesen sei, erkundigte er sich. Ihr Hotelzimmer?

Danke. Gut. Eine Auskunft, die keine Auskunft war, doch auch seine Frage war keine Frage gewesen, nur Unsicherheit.

Dass sie Hunger haben müsse, sagte er.

Er wollte sie von hier fortbringen, in ein Restaurant, ihm fiel nichts anderes ein, wohin hätte er sie mitnehmen sollen, doch nicht zu sich nach Hause, nicht nach Redhook, da passte sie nicht hin. Sie passte in ihr Elternhaus, in die weiche Hanglage, in den gepflegten Garten.

Und die Firma?, erkundigte sich Luise. Er war überrascht, dass sie ihn danach fragte. Sie fügte nichts hinzu. Kein weiteres Wort. Keine Neuigkeiten. Nein, in der Firma arbeitete sie sicher nicht, sie hatte nie ein Interesse an der Firma oder an der freien Wirtschaft gezeigt. Nach der Schule hatte sie sich für Philosophie eingeschrieben, nein, die Firma war nicht ihre Welt, auch nicht im Kostüm und mit lederner Aktenmappe.

Ach, die Firma, sagte er nur.

Und warum lässt du sie nicht los?

Er hätte gern gelacht (*er* ließ nicht los!), aber das würde sie ihm nicht als Antwort durchgehen lassen. Sie war streng, seine Tochter, und sie hatte keine Ahnung. Es war geradezu lächerlich. Luise belehrte ihn über Verpflichtungen. Über Werner, den er in Frieden lassen solle. Was wusste sie schon?

Das ist es doch, was du an New York liebst, warf sie ihm vor. Dass sie hier alle gescheitert sind. Alle andern. Mein Großvater. Dein Großvater.

Ihre Stimme erlaubte keinen Widerspruch. Er widersprach dennoch. Er betrachtete sie, ihre kalte, weiche Haut an den Wangen, leichter Rougestrich, ihre Hände, die bereits gelernt hatten, bedenkenlos nach den Dingen zu greifen. Was er hier wolle?

Hastige Passanten kamen ihnen entgegen, die der Zeit nachjagten, ohne sie je einzuholen. Seine Tochter wich den Entgegenkommenden aus, drängte sich an ihn. Er roch sie, es war kein Mädchengeruch mehr, sondern der einer Frau. Sie hakte sich bei ihm unter, zog ihn mit sich.

Was wusste sie schon? Er dachte an Werner, der mit der Autorität eines Oberarztes durch die Firma stolzierte, an Schläuchen, Kathetern und Fisteln zog, die den Betrieb provisorisch am Leben hielten, dabei konnte man die Firma nur noch retten, indem man sie endlich in die Insolvenz entließ. Sterbehilfe nannte man das.

Und sie, sie redete davon, wie man mit Träumen Mieten bezahlte. War sie dafür hergekommen? Hatte sie dafür diese Verkleidung ausgewählt? Werner rannte mit seinem Anwalt gegen Kurt Tietjen und Wessner an. Nicht mehr zurechnungsfähig sei Kurt, das war es, was Werner ihm vorwarf. Natürlich war er nicht zurechnungsfähig, aber wer war das schon?

Werner will deine Einwilligung, erklärte Luise.

Ihr, sagte Kurt. Ihr braucht mein Einverständnis. Er wandte sich ab, winkte nach einem Taxi. Auch deshalb hatte er sie herbestellt: um zu erfahren, ob es ihr gutging, ob Werner sie in Ruhe ließ.

Ein Taxi hielt, er riss die Wagentür auf, stieg ein, sie folgte ihm. Da war es wieder. Essen. Bleich, rachitisch, dennoch gewaltig. Zugegeben, er hatte auch wissen wollen, wie es um die Firma stand, um die staubigen Verwaltungsgänge, um das Büro mit den Ölgemälden, Justus als Patron, der Senior neben einem Pferd. Kurt wollte nicht, dass Luise davon vereinnahmt wurde. Von der Firma. Der Firmengeschichte. Es war alles wieder da. Der Druck, der auf ihm gelegen hatte. Die eigene Geltung, unter deren Gewicht er die falschen Entscheidungen getroffen hatte. Der schmale Korridor. Aufgaben. Zeitpläne. Er hatte über keine einzige freie Minute verfügt. Er besaß Geld, er hätte mehr Geld besitzen können, aber keine einzige Minute gehörte ihm selbst.

Werner hat dich geschickt, sagte Kurt und lehnte sich zurück. Ich dachte, du wärest gekommen, weil ich dich angerufen habe.

Natürlich bin ich gekommen, weil du mich angerufen hast, antwortete sie, musterte ihn von der Seite, nahm ihn unter Beobachtung.

Natürlich. Werner spielte keine Rolle? Kurt drückte die Zeigefinger gegen seine Schläfen, starrte hinaus, sah aber nichts von dem, was draußen vorbeizog. Da waren der Schreibtisch, die Ledermappe, die Unterlagen, er musste sie abzeichnen, gegenzeichnen, seine Hand flog über das Papier. Einmal hatte er versucht, aus alldem herauszukommen, damals, als er gegen seinen Vater vor Gericht gezogen war. Aber war es tatsächlich ein Ausbruchsversuch gewesen, oder war der Prozess nicht doch wie alle Mittel der Tietjens gewesen: nur ein Trick, um zu zeigen, dass man besser als die anderen war?

Sie hielten an einer Ampel, ein alter Mann starrte in den Wagen, Kurt blickte beiseite, sah das Straßenschild, *4th Street West.*

No, no, go back. 8th Street, I said, rief er ungeduldig dem Fahrer zu. *Between Braodway and Lafayette.*

Kurt hatte seinen Vater vorgeführt, um selbst gut dazustehen. Und was hatte es ihm gebracht? Nichts hatte es ihm gebracht. Es hatte nur dazu geführt, dass Werner noch näher an den Alten herangerückt war. Und jetzt stand Luise neben Werner. Dass sie die Seiten gewechselt hatte … Aber das konnte ja nicht sein, sie war nicht wie die Tietjens, sie war anders, sie hatte anders zu sein. Leise und scharf wies er seine Tochter zurecht: Und du lässt dich von Werner als Botin ausnutzen.

Der alte Mann starrte noch immer an derselben Stelle in den Verkehr, als sie aus der anderen Richtung an ihm vorbeifuhren. Nichts hatte Kurt damals mit dem Prozess gewonnen, nur seinen eigenen Vater hatte er damit ins Grab gebracht. Kurt sah zum Heckfenster hinaus. Der alte Mann blickte ihnen nach.

Sie hatte keine Ahnung von Werner. Sie hatte keine Ahnung davon, dass Werner mit ihr über kurz oder lang ebenso umspringen würde, wie er mit Kurt umgesprungen war. Werner würde sich vor ihr aufbauen, Schulterschluss mit Krays, mit Schermerhorn, mit wem auch immer, und Luise hätte keine Wahl, so wie Kurt damals keine Wahl gehabt hatte. Werner würde jeden wegbeißen, der ihm seine Stellung streitig machte, so wie er damals auch W. W. weggebissen hatte, um das zu bekommen, was ihm seiner Meinung nach zustand, ihm, dem Schwiegersohn, dem Ziehsohn, dem eigentlichen Erben von Kurt senior. Werner hatte letztendlich auch Kurt weggebissen, wer sonst hätte die Geschichte um Herrn Liu an die Öffentlichkeit dringen lassen, wer außer Werner hätte ein Interesse daran gehabt? Luise hielt ihren Onkel für redlich und pflichtbewusst. Was wusste sie schon.

Werner saß also weiterhin in seinem Büro, schob Aufgaben von Stockwerk zu Stockwerk und ignorierte die Tatsache, dass er inzwischen allein war. Es gab niemanden, auf den er bauen konnte. Die Leute, die noch bei Tietjen und Söhne arbeiteten, würden zusammenbrechen, sobald man Verantwortung auf sie lud, und jene, die etwas bewegt hatten, waren zu Schermerhorn gegangen, wer wollte schon in einer Gerontologie arbeiten.

W. W. war als Erster gegangen, Mitte der Neunziger, er war immer der Erste gewesen, weil er verstand, worauf es ankam. Er hatte es Kurt an einem Feiertag gesagt, war zu ihm hinausgefahren, hatte mit Carola gesprochen, mit der kleinen Luise, ein harmloses Schulkind damals, und dann, oben in Kurts Arbeitszimmer, war es W. W. doch schwergefallen, seine Entscheidung auszusprechen. Kurt und er waren zwar keine Freunde, nein, Freundschaft hätte er es nicht genannt, aber sie waren einander zugeneigt. Zusammen hatten sie ein gutes Team abgegeben: W. W. war derjenige, der sich um die Zahlen kümmerte, Kurt Tietjen derjenige, der repräsentierte. W. W. hing an nichts, er hatte kein Faible für Frottee, keinen Blick für Farben oder Texturen, ihn interessierte nur der Absatz. Er war kein Dogmatiker, er trennte sich von einer Überzeugung, wenn sie sich als ungünstig erwies.

Man kann sich aufbäumen und man kann sich lächerlich machen. Meistens, hatte W. W. immer gesagt, ist es ein und dasselbe.

Das, was ein Werner Kettler nicht besaß, scharfes Kalkül und Seelenruhe, wollte Kurt von W. W. lernen. Klug und schnell, das konnte auch Werner, das Entscheidende aber beherrschte W. W., nämlich klüger und schneller als die anderen zu sein.

Tietjen, es geht nicht darum, die Welt zu retten, hatte

W. W. ihm gesagt. Damit würdest du dich, nimm es mir nicht übel, übernehmen. Die Welt kann man nicht retten, und sie ist im Übrigen egal.

Die meisten hatten geglaubt, W. W. sei damals wegen des Geldes gegangen. Schermerhorn hatte mehr geboten, aber nicht wesentlich mehr, nicht so viel, dass es einen Unterschied gemacht hätte, nicht für einen wie W. W., der in anderen Größenverhältnissen rechnete, tagtäglich. Natürlich hatte Werner seine Finger im Spiel gehabt, Werner hatte vermittelt, Werner hatte gedrängt, Werner hatte W. W. in der Firma Tietjen Steine in den Weg gelegt, wo er nur konnte, und Kurt glaubte gern daran, dass W. W.s Weggang allein Werners Schuld gewesen war. Aber letztendlich hatte W. W. wohl das Phlegma nicht mehr ertragen, das in den Gängen der Firma Tietjen herrschte. Ein Phlegma, dessen Quelle, wie Kurt es sich endlich eingestand, vermutlich nicht allein Werner, sondern auch er selber gewesen war.

Nach W. W. waren die anderen gegangen, nicht alle, aber alle, auf die es ankam, auf die es zumindest Kurt angekommen war. Seitdem stellte die Personalabteilung nur noch Kinder ein, geschmeidige Jungen wie diesen Krays, der nach Milch roch, nach Milch mit einem Hauch Wodka.

Ob er ihnen noch Wein bringen dürfe, fragte der Kellner. Kurt winkte ihn fort, der Kellner aber reagierte nicht auf ihn, entfernte sich erst, als er von Luise die Weisung erhielt.

Sie saßen einander gegenüber, Tochter und Vater, zwei Fremde. Beinah hätte der Kellner Kurt den Zutritt verweigert, es war peinlich, ja, aber hatte er das nicht so gewollt?

Luise hatte sich für ihn einsetzen müssen: dass er ihr Vater sei. Vater? Onkel, hatte sie sich korrigiert. Ob der Kellner es ihr geglaubt hatte oder nicht, er hatte schließlich beschlossen, Luises Kreditkarte zu glauben, die sie ihm für die Rechnung hinterlegte.

Kurt sprach von Werner, von der Firma, von seinem Vater und seinem Großvater. Was er sagte, schien ohne die geringste Wirkung durch Luise hindurchzuziehen. Sie fragte nicht, weswegen er aus Essen weggegangen war, aber sie nahm es auch nicht einfach hin. Sie ließ Bemerkungen über New York fallen: Freiheitskitsch, Traumanstalt, unecht, leblos. Ein Hamsterrad. Menschen, die sich für den Nabel der Welt hielten, weil sie nichts anderes kannten. Provinzidioten im Prinzip. Kurt antwortete nicht auf ihre Abfälligkeiten, er erzählte stattdessen von der Firma. Er erzählte vom Senior und von Justus und davon, wie sie alles und jeden behandelt hatten, als wäre es ihr Eigentum.

Luise hörte ihm zu, jedoch mit einem, wie Kurt meinte, spöttischen Lächeln im Gesicht. Sie würde schon noch sehen. Sie alle würden noch sehen.

Als ein neuer Gang gebracht wurde und er seine Erzählung kurz unterbrach, versuchte sie erneut, ihn zu der Unterschrift zu bewegen. Sie glaubte wohl, sie ginge unauffällig vor, sprach von Carola, nicht vorwurfsvoll, sondern so, wie man entfernte Bekannte übereinander auf dem Laufenden hält. Es war rücksichtsvoll von ihr, das schon, unter anderen Umständen wäre er ihr dankbar gewesen.

Bei ihrem dritten Versuch legte er das Besteck beiseite, griff über den Tisch, drückte ihre Hand nach unten. Hör zu, Luise, spar dir deine Mühe. Ich werde dir die Unterschrift nicht geben. Ich halte nichts von Werner, ich halte nichts von Werners Entscheidungen.

Es sind leider die einzigen Entscheidungen, die es überhaupt noch gibt.

Was interessiert dich die Firma? Und Werner hat nicht über dich zu bestimmen.

Sie zog die Brauen hoch, wie es ihre Mutter zu tun pflegte, und lachte kurz auf, ein Lachen ohne Ironie.

Sieh dir doch deine Tante an, sagte er. Sieh dir an, was aus jemandem wird, der auf einen Werner Kettler hört. Sie sitzt nur noch vor dem Fernseher. Bei allem anderen fängt sie wie ein Kleinkind an zu flennen.

Du glaubst doch nicht, dass es ohne Werner anders gekommen wäre, entgegnete Luise.

Im Gegensatz zu dir, liebes Kind, habe ich es miterlebt.

Ihr habt ihr nichts zugetraut. Ihr habt ihr keine einzige Entscheidung in der Firma überlassen. Sie hatte doch gar keine andere Wahl, als vor dem Fernseher irrezuwerden.

Ob jemand eine Wahl hat! Kurt lachte auf. Weißt du, das ist –

Der Kellner kam zu ihnen an den Tisch, vergewisserte sich, dass alles zu ihrer Zufriedenheit war. Kurt winkte ihn wie eine lästige Fliege beiseite.

Ich lasse doch meine verrückte Schwester nicht über wichtige Betriebsabläufe entscheiden, sagte er und gab die Hand seiner Tochter frei.

Sie ist erst danach durchgedreht, sagte Luise. Deswegen. Weil ihr sie wie ein kleines Kind behandelt habt.

Kurt schüttelte den Kopf, ohne weiter darauf einzugehen. Seine Schwester interessierte ihn schon lange nicht mehr. Die war der Firma entkommen, vor Werner, ja, vielleicht auch vor ihm. Was hätte er dafür gegeben, an ihrer Stelle zu sein.

Sie aßen schweigend, dann ließ er die Rechnung kommen, ehe sie den Kaffee bestellten. Dem Kellner wäre es mit Luises Kreditkarte wohler gewesen, aber er brachte den Beleg, Kurt Tietjen zeichnete ab, wie er immer abgezeichnet hatte, eine beinah waagerechte Linie von links nach rechts. Seine Tochter hatte sich bereits erhoben, er saß noch, blickte zu ihr auf. Er zögerte, sagte dann: Ich möchte, dass du wiederkommst, Luise.

Ihr Gesicht blieb ausdruckslos. Sie griff nach der Visitenkarte des Restaurants und drehte sie zwischen den Fingern, als hinge es von der Qualität des Restaurants ab, ob sie einwilligen würde. Der Kellner drängte im Hintergrund zur Eile, die nächsten Gäste warteten an der Bar. Die schmalen Augenbrauen seiner Tochter zogen sich in die Höhe, er betrachtete die kosmetische Kontur ihres Gesichts. Er war ruhig. Er wusste, sie würde sich ihm nicht widersetzen.

Er sah sie davonstolzieren, schmal und korrekt, sie passte sich ihrer Umgebung an. Jederzeit konnte sie in eines der Bürohäuser abbiegen, dem Doorman zunicken, der am Eingang hinter seinem polierten Tresen stand, im Aufzug kontrollierte sie kurz ihre Frisur, alles würde in Ordnung sein. In ihrer kleinen Welt wäre alles in Ordnung. Sie hatte keine Ahnung, dass es noch eine Welt dahinter gab. Sie hatte von nichts eine Ahnung, glaubte, es sei ihre Pflicht, ihn zu Entscheidungen zu zwingen, die lächerlich waren. Aber was wollte sie? Sie wollte doch nicht ernsthaft die Firma retten.

Kurt lief den U-Bahn-Schacht hinab, eine Reggae-Band

spielte zwischen den Stahlträgern, er nahm es nur undeutlich wahr. Die Bahn fuhr ein, Fahrtwind wehte ihm das Haar aus dem Gesicht. An ihm vorbei drängten Menschen, die er nicht kannte und die er nie wieder sehen würde. War das nicht eine passable Art, miteinander auszukommen?, dachte er.

Als Luise klein gewesen war, hatte Kurt kaum Zeit für sie gehabt. Wenn er von der Firma heimkam, schlief sie bereits, oder sie schrie gegen ihre Mutter an, die sie zum Zähneputzen oder zum Schlafengehen bewegen wollte. Es hatte ihn überfordert, dieses winzige schlafende Etwas ebenso wie ihre Wut, deren Ursache er nicht verstand. Es passte nicht zu seinen bisherigen Gepflogenheiten. Er war Luise ausgewichen, weil er Angst vor ihr gehabt hatte.

Während sie heranwuchs, beobachtete er sie aus der Ferne. Es entging ihm nicht, dass sie in der Schule Bestleistungen erzielte, aber er sagte nichts dazu. Er wollte nicht, dass sie so seine Aufmerksamkeit zu gewinnen versuchte, er wollte nicht, dass sie das glaubte, woran sein Vater ihn zu glauben gedrängt hatte. In den Ferien, wenn sie ein wenig Zeit zu dritt verbrachten, las sie unermüdlich, und er stellte sich vor, dass sie einmal stolz und trotzig wie Horkheimer die Firma beiseiteschieben und Philosophin werden würde. Zum ersten Mal näherte er sich ihr ein wenig an, schenkte ihr Bücher, die er selbst gern gründlicher gelesen hätte, aber später fragte er sie doch nicht, was sie von ihnen gehalten hatte.

Nachdem sie die Schule abgeschlossen hatte, tauchte sie manchmal in der Firma auf, ging mit ungerührtem Blick durch die Flure, unterhielt sich mit den Angestellten, mit Werner, es gefiel Kurt nicht, dass sie dort war. Sie wirkte schwächelos, ein geschmeidiger Panzer. Luise brachte eine Vitalität in die Firma hinein, die dort schon lange nicht mehr zu spüren war. Er begann von neuem Angst vor ihr zu haben, weil er glaubte, dass sie ihm überlegen war, und er fürchtete sich vor ihrer Gleichgültigkeit, wenn sie an seinem Büro vorbeikam und nur kurz innehielt, um ihn zu grüßen.

Als sein Vater im Frühjahr 1991, sechsundsiebzigjährig, gestorben war, blieb von der Firma ein Verbund aus leblosen Frotteebahnen und verschlissenen Zahlen übrig, der seit Jahren im wirtschaftlichen Jenseits, zwischen Verlustgeschäften und neuen Verbindlichkeiten vegetierte.

Kurt Tietjen war im Herbst achtunddreißig Jahre alt geworden, es war der Herbst der gemeinsamen New-York-Reise, und er hatte gewusst, dass sein Vater bald sterben würde, zumindest hatte er es befürchtet, er befürchtete es seit dem Prozess. In einer Verhandlungspause, auf dem Gerichtsgang, hatte der Senior es ihm ins Gesicht gesagt: Dass es vorbei sei, und er meine nicht nur zwischen ihnen beiden, es sei vorbei mit ihm, Kurt senior, sein eigener Sohn habe ihn ins Grab gebracht, er beglückwünsche ihn, wenn er auch sonst nicht viel hinbekommen habe in seinem Leben, das immerhin sei ihm mit Bravour gelungen.

Eines wusste Kurt Tietjen genau: Er konnte das Erbe nicht ablehnen, selbst wenn es rechtlich möglich war. Recht war etwas für Menschen, die noch daran glaubten, dass man alles regeln konnte, die nicht einsahen, dass es nicht um Recht oder Unrecht ging, sondern darum, wer am längsten auf seinem Standpunkt beharrte.

Hätte er verkaufen sollen? Vielleicht. Das dachte er heute, wenn er auch wusste, dass es unrealistisch war. Werner hatte die Preise für die Tietjen'schen Anteile in den Keller getrieben, er hatte Gerüchte gestreut, falsche Zahlen in Umlauf gebracht und ein lukratives Geschäft platzenlassen. Er musste Kurts Absichten geahnt haben, das dachte Kurt im Nachhinein, Werner hatte ihn an die Firma gebunden, weil Kurt für Werner angenehmer war als ein neuer Partner. Werner kannte Kurts Schwächen. Er wusste, wie man mit einem Tietjen umging, wie man ihn abrichtete, wie man ihn zähmte. Er war immer Nutznießer der Tietjens gewesen, der Senior hatte ihn in die Geschäftsführung geholt, und Kurt hatte nicht die Kraft, ihn zu entlassen. Wäre Kurt gegangen, hätte vielleicht auch Werner gehen müssen, er war nicht gut genug, um sich gegen echte Konkurrenz zu behaupten.

Nein, Kurt hätte das Unternehmen damals nicht verkaufen können. Konnte man nicht zu einem guten Preis verkaufen, konnte man gar nicht verkaufen, und sein Schwager hatte dafür gesorgt, dass der Preis nicht gut war. Man hätte sich den Mund über Kurt zerrissen. Und so hatte er Abstand davon genommen, seine Anteile zu veräußern. Er hatte sich in die Gegebenheiten gefügt, still, wie er seit je war, beherrscht und müde.

Kurt hatte befürchtet, dass sein Vater sterben würde, aber er hatte diese Furcht nicht ernst genommen. Sein Vater war ein Mensch, der jenseits von Schwäche existierte, genau genommen jenseits von Zeit. Die Gefahr, dass sein

Vater starb, schien ihm geringer als die Gefahr, dass die Welt plötzlich unterging. Und dann, eines Novembernachmittags im Jahr 1990, wurde die Gefahr plötzlich greifbar.

Sie hatten sich in einem Café verabredet, das von einer polnischen Familie betrieben wurde, zwischen stillgelegten Zechen und Lagerhallen. Kurt hatte auf einem Klappstuhl gewartet, ein wackeliges Modell, dessen Farbe schon weitgehend abgesplittert war. Der Blick des kindlichen Kellners hatte auf ihm geruht, kochend vor Neugier. Herausgewagt aus dem Schatten des Cafés hatte sich der Junge allerdings nicht. Flaue Wärme lag in der Stadt, fast zwanzig Grad mitten im November.

Eine halbe Stunde verspätet war Kurts Vater eingetroffen. Den ganzen Tag war er in der grellen Sonne herumgelaufen, sein Gesicht war gerötet, um die Augen herum allerdings blass. In einem dunkelblauen Sakko saß er auf dem splittrigen Holz des Klappstuhls und hatte einen Kaffee bestellt, der nicht serviert wurde.

Ich möchte nicht, erklärte der Senior, dass etwas von unserer New-York-Reise herumerzählt wird. Unser Treffen mit dem Mitarbeiter von Macy's, wie hieß er gleich –?

Koch.

Es gibt ihn nicht.

Nein, sagte sein Sohn, es gibt ihn nicht.

Wir haben nie in Amerika Verhandlungen geführt.

Nie, wiederholte sein Sohn.

Dass du es begreifst, habe ich erwartet. Aber bleu es deiner Frau ein. Sie hat in den Familienangelegenheiten nichts zu suchen. Wir suchen ja auch nicht. Wir erhalten.

Er spielt wieder auf den Prozess an, dachte Kurt. Er

glaubte, dass sein Vater an nichts anderes denken konnte, weil er selbst an nichts anderes dachte, wenn er seinen Vater sah. Kurt übersah dabei, dass sich der Senior niemals mit Dingen aufhielt, die abgeschlossen waren.

Der Senior blickte sich nach dem Kind um, das sich neben den Eingang des Cafés an die Wand gelehnt hatte und die fleckige Haut seiner Knie untersuchte. Er rief etwas in gebrochenem Polnisch, das sich harsch anhörte, wenn Kurt es auch nicht verstand. Das Kind blickte zu ihm herüber und verzog sich ins Innere, um kurz darauf endlich den Kaffee zu bringen.

Hier geht doch alles den Bach runter, sagte der Senior. Das hier war mal eine Region, in die man investierte. Wir haben geglaubt, wir müssten nur die Hände aufhalten. Wir dachten, das hier sei der Nabel der Welt. Ich verstehe nicht, was mit diesem Land passiert ist.

Nein, dachte Kurt, das verstand sein Vater nicht. Er war ein Mann, der keinen Verfall ertrug.

Nur kurz war Kurt hineingegangen, um die Toilette zu benutzen, ein stickiger, im Dämmerlicht eingeschlossener Raum. Er hatte sich die Hände gewaschen, länger als gewöhnlich, da nur Tropfen aus dem Wasserhahn fielen. Als er zurück in die Helligkeit trat, sah er seinen Vater nicht mehr. Der Platz, an dem sie gesessen hatten, war leer, die beiden Klappstühle brachen verlassen in der Sonne auseinander. Auf dem Tisch stand die Tasse, sein Vater hatte den Kaffee noch getrunken, ein schwarzer Rest färbte den Boden. Daneben, unberührt, ein Glas Wasser. Kurt blickte die Straße hinauf. Ein Auto fuhr ihm entfernt entgegen, aber keine Menschenseele lief auf der Straße. Er trat an den

Rand der Terrasse, im Industriegeröll sammelte ein Mann Müll auf, Kurt trat zurück, ging zum anderen Rand.

Sein Vater hatte sich um die Ecke geschleppt. Was auch immer er dort gesucht hatte – gefunden hatte er es offenbar nicht. Er kauerte an der Hauswand, sein Gesicht hatte alle Farbe verloren, er atmete tief aus, seine Hände waren ineinandergelegt, die Augen geschlossen.

Kurt beugte sich hinab, fragte, was mit ihm los sei, aber die Worte drangen nicht bis zu seinem Vater. Kurz flatterten die Lider auf, aber dahinter war nur Augapfelweiß. Dieser Mann hatte keinen Blick mehr. Er reagierte nicht, als sein Sohn ihn an der Schulter fasste, blies Luft aus, als habe er etwas eingeatmet, das ihm nicht bekam. Das Sakko war ihm zu groß, die Manschetten zu stumpf, unerträglich stumpf.

Kurt rief nach dem Jungen aus dem Café, ein paar gestammelte Laute. Seinen Vater allein zu lassen wagte er nicht. Kurt rief noch einmal. Es musste sich entsetzlich angehört haben, denn der Junge kam, noch ehe Kurt zu einem dritten Ruf ansetzte.

Sein Vater schüttelte den tauben Kopf. Es war kaum hörbar, was er sagte, aber Kurt verstand: Keinen Arzt.

Keinen Arzt, versicherte Kurt. Er wollte seinem Vater die Angst nehmen. Und er wusste ja, was dahintersteckte. Für seinen Vater hieß ein Arzt das Ende. Ein Tietjen war nicht krank. Er starb irgendwann, weil Menschen nun einmal sterben, aber er war niemals krank.

Keinen Arzt, wiederholte der Senior.

Sie hoben seinen Vater an, der Junge links, er rechts. Sie gingen ein paar Schritte von der Terrasse hinunter. Auf der verlassenen Allee war es still, kein Motor, der in der Ferne unter einer veralteten Kühlerhaube dröhnte, nur den gepressten Atem seines Vaters hörte Kurt nah an seinem Ohr. Er hatte seinen Vater nie atmen hören. Dieser willenlos gestemmte Atem brach mit allem, was in der Familie Tietjen üblich war. Autoritäten atmeten nicht, Autoritäten entschieden.

Entfernt hörte er endlich einen Wagen näher kommen, kein Notarzt, ein einfaches Taxi hielt vor ihnen, und der Junge half, den schweren, in teuren Stoff gefassten Körper auf den Rücksitz zu heben. Kurt drückte ihm einen Geldschein in die Hand, achtete nicht darauf, wie viel er wert war, und nicht auf das Gesicht des Jungen, als dieser ihn entgegennahm. Es musste einiges gewesen sein, denn Kurt sah noch, wie der Junge am Straßenrand stehen blieb und ihnen winkte.

Während der Fahrt war sein Vater nicht ansprechbar, seine Haut weiß und kalt, allein der Schweiß, der auf der Stirn stand, verriet, dass in seinem Körper noch Leben war. Der Fahrer redete in einem starken Akzent auf Kurt ein, Silbenreihen, aus denen Kurt nur einzelne Wörter erkannte. Arzt, Notfall, Krupp. Kurt hielt seinen Vater im Arm, strich ihm über das schweißnasse Haar. Krankenhaus Alfried Krupp?, kam es von vorne. Nein, kein Krankenhaus, bestimmte Kurt und wiederholte ihre Adresse.

Der Lederbezug, an dem das Gesicht seines Vater lehnte, war alt und abgescheuert, ein Gestank nach Zigaretten, Obst, Tee und Schlaf füllte den Sitzraum, als sei dies nicht nur der Arbeitsplatz, sondern auch der Wohnort des Fahrers, als fände hier sein ganzes Leben statt.

Der Wagen hielt vor Tietjens Wohnhaus, man öffnete ihnen diensteifrig die Wagentür, hielt sich dann aber zurück. Im Zimmer, auf das Bett gelegt, schlief sein Vater sofort ein. Carola hatte nichts mitbekommen, dafür hatte Kurt gesorgt. Sein Vater hätte es nicht gewünscht. Er lag auf dem Bett, klein wie ein Kind. Sein Atem ging ruhig, doch Kurt saß daneben und fürchtete, er könnte jeden Moment aussetzen. Das Gesicht hatte seine Spannung verloren, es war beinah unkenntlich, wie eine Prägung, die flach gewetzt war.

Kurt Tietjen hielt nichts von Zugeständnissen, die man erzwang, und er misstraute Versprechen, die ohne Zeugen gegeben wurden. Solche Versprechen waren keine Versprechen. Woran er glaubte, waren Verträge. Alles andere spielte keine Rolle. Das hatte er gelernt.

Es war nur ein kurzer Wachmoment gewesen, als sein Vater jene gepresste, kaum hörbare Forderung gestellt hatte: Versprich mir, dass du dich um das Unternehmen kümmerst. Ohne das Unternehmen gäbe es uns beide nicht.

Kurt hatte genickt, das wohl, auch wenn sein Vater das nicht mehr sehen konnte. Sein Blick war bereits wieder abgesunken, der winzige, schwitzende Kopf auf dem Laken lag bewusstlos da. Kurt hockte neben ihm und lauschte auf seinen Atem. Ein, aus. Ein, aus. Stille. Er drückte die Hand seines Vaters, lauschte. Ein, aus. Ein, aus. Ein, aus. Stille.

Die steifen Ecken des Kissens ragten über dem Kopf seines Vaters in die Höhe, daneben der Nachttisch, eine Lampe, ein Kugelschreiber. Wenn ein Mensch wie der alte Tietjen einbrechen konnte, dann war alles möglich. An diesem Nachmittag hatte Kurt Tietjen kein Versprechen gegeben, er hatte lediglich versucht, seinen Vater am Leben zu halten. Er wollte nicht dabei sein, wenn sein Vater starb.

Nach zwei Stunden war sein Vater erwacht, rosig wie ein Säugling, hatte einen Kaffee gefordert, wollte ein Steak essen. Der Senior hatte sich aufgesetzt, seine Krawatte, die lose um seinen Hals hing, neu gebunden und wortlos abgestritten, dass irgendetwas vorgefallen war.

Kurt verließ das Haus. Er hatte sich an seiner Frau vorbeigeschlichen, die allein am weiß gedeckten Tisch im Esszimmer saß und aus dem Fenster sah. Er wusste nicht mehr, wofür er zuständig war. Vielleicht, dachte Kurt, hatte er es nie gewusst. Er war angestellt im Unternehmen seines Vaters, bezog neben seinem Gehalt Einkünfte aus Geldanlagen. Er hatte eine Sekretärin, die ihm seine Termine zusammenstellte, aber worauf sich diese Termine bezogen, warum er nicht frei über seine Zeit verfügen konnte, das war ihm unklar. Er saß in der Geschäftsführung, aber er kam nie zu Wort. Er musste alle Abläufe in der Firma kennen, aber er durfte nichts entscheiden. Er arbeitete neue Konzepte aus, die regelmäßig übergangen wurden. Sein Vater glaubte nicht an ihn. Kurt Tietjen hatte einen Namen, aber der Name ging bei ihm nicht in Erfüllung.

Kurt stand vor seinem Elternhaus, eine leere Getränkedose rollte über den Gehsteig, kippte in den Rinnstein, wurde vom Fahrtwind eines vorbeifahrenden Wagens fortgerissen. Er wusste nicht, wozu er hier war. Er lief die Straße hinab, einfach hinab, einem leichten Gefälle folgend. Er lief längs des Stadtwalds, dann am Alfredusbad vorbei, er sah Menschen hinter Fensterscheiben Kaffee trinken, sah sie aus einem Supermarkt treten, sich auf der Straße streiten.

Normale Menschen mit normalen Gewohnheiten. Er lief immer weiter, bis er nicht mehr sagen konnte, wie das Viertel hieß, in dem er sich befand. Ein muffiger Geruch, wie von Textilien, die man noch klamm in den Wäscheschrank legte. An den Rändern seines Sichtfeldes wuchsen die Gebäude zusammen, die Straße verengte sich zu einem Fluchtpunkt, der keine Flucht bot. Vor ihm führte eine breite asphaltierte Schneise durch das Wohngebiet.

Kurt blieb unter der Brücke stehen, starrte auf verschmierte Garagentore und fleckige Hauswände. Für einen Moment vergaß er seinen Vater, das verklebte Haar, den unruhigen Atem. Hier hatte niemand einen Namen. So jedenfalls stellte es sich Kurt vor, unter dem Lärm einer Hochstraße. Am Straßenrand parkten ramponierte Autos, aus Ersatzteilen zusammengesetzt, und an den Häusern bröckelte der Kitt aus den Fugen. Kurt Tietjen sah auf die Fensterreihen.

XII

Am 1. November, knapp ein halbes Jahr nach Kurts Fortgang, bezog Luise sein Büro. Sie übernahm seine Sekretärin, sie übernahm seinen Stundenplan, sie übernahm seine Geschäftsfreunde. Die Tage hinter Kurts Schreibtisch fühlten sich beklemmend an, als trüge sie den Anzug eines Toten.

Der erste große Termin, den sie allein als stellvertretende Geschäftsführerin der Firma Tietjen und Söhne zu absolvieren hatte, fand in einem Tagungshotel in der Nähe von Köln statt. Es war ein Treffen der nordrhein-westfälischen Textilindustrie, Luise war ganz offensichtlich die Jüngste im Raum und die einzige Frau obendrein, selbst der Cateringservice hatte an diesem Tag nur Männer geschickt. Einer von ihnen zwinkerte ihr zu, sie ignorierte ihn. Niemand sonst beachtete sie. Einige standen zu zweit, andere hatten sich zu Grüppchen sortiert, alle kannten sich.

Luise war froh, als endlich der Beginn der Sitzung angekündigt wurde und die Teilnehmer sich einen Platz am Konferenztisch suchten. Neben ihr saß ein Mann Mitte vierzig, der sie keines Blickes würdigte, allerdings auch nicht dem Geschehen vor dem Clipboard folgte, sondern mit manischer Geschwindigkeit E-Mails auf seinem Notebook beantwortete. Zwischendurch spielte er eine Runde Solitär, dann schrieb er wieder E-Mails. Luise machte sein Getippe nervös, sie konnte sich nicht auf den Vortrag konzentrieren, vielleicht verstand sie auch zu wenig vom Frotteegeschäft, um den Ausführungen zu folgen.

In der Kaffeepause lagen die Teilnehmer wie lungenkranke Kurgäste in den Liegestühlen des Wintergartens und starrten durch das Panoramafenster auf das hügelige Umland. Es war eine weite, nur mit vereinzelten Einfamilienhäusern bebaute Landschaft. Kurz kam die Sonne hinter den Wolken hervor, Luise atmete tief ein, aber es half nichts.

Für die zweite Sitzung suchte sie sich einen neuen Platz, so weit wie möglich vom E-Mail-Schreiber entfernt. Ein Mann im Alter ihres Vaters setzte sich neben sie und nickte ihr zu.

Darf ich? Winfried Maxweld von der Schermerhorn AG.

Er reichte ihr die Hand, und Luise war dankbar, dass jemand sie wahrnahm.

Ich bin für Tietjen und Söhne hier, stellte sie sich vor.

Ihr Nachbar schmunzelte und schenkte ihr Kaffee ein. Na, Sie wird es wohl auch nicht lange in dieser Branche halten.

Weshalb?

Junge Frau, Sie haben sich nicht gerade den Leitstern für Ihr Praktikum ausgesucht. Oder Ihre Assistenzstelle oder was Sie da für Werner Kettler machen.

Entschuldigen Sie, ich bin Luise Tietjen.

Das freut mich. Und was genau soll mir das sagen?

Dass ich die Firma Tietjen und Söhne leite.

Leiten? Oh ja, natürlich.

Maxweld wandte sich zu seinem Nebenmann und flüsterte ihm etwas zu. Dieser beugte sich vor, musterte Luise.

Ach, das ist ja niedlich, sagte er halblaut zu Maxweld. Dann redeten sie in normaler Lautstärke über einen Mann, von dem Luise noch nie gehört hatte und der im kommenden Jahr die Leitung einer Institution übernehmen sollte, die sie ebenso wenig kannte.

Am Abend reichten die Angestellten des Cateringunternehmens Tabletts mit Sektgläsern herum, damit die Teilnehmer auf den erfolgreichen Tag anstoßen konnten. Wieder zwinkerte ihr der Kellner zu, Luise hätte ihm am liebsten ihren Sekt ins Gesicht geschüttet. Stattdessen nahm sie ein zweites Glas und trank es in einem Zug aus. Der Alkohol machte sie leicht benommen, der Boden verlor seine Festigkeit, und langsam glitt das Gefühl von ihr ab, zwischen den Wänden des Konferenzraums zerrieben zu werden.

Eine Stunde später, als sie bereits auf dem Weg nach draußen war, holte Maxweld sie ein.

Frau Tietjen.

Sie drehte sich widerstrebend zu ihm um.

Sie nehmen mir das von vorhin doch nicht übel, Frau Tietjen.

Auch Maxweld wirkte ein wenig beschwipst, sie meinte sogar, ein Lallen zu vernehmen, während er ihr von Ausflugszielen im Bergischen Land erzählte. Luise nickte höflich. Plötzlich war sein Gesicht nah an ihrem, Luise schreckte zurück. Maxweld lächelte schelmisch und kratzte sich am Kinn.

Sie … Sie haben gerade versucht, mich zu küssen, stotterte Luise.

Ach, Sie sind ja hysterisch.

Luise stand vor Krays' Wohnungstür, ihre Haare hingen ihr feucht ins Gesicht. Es sah aus, als sei sie vom Regen durchnässt, erst als Krays ihr die Strähnen zur Seite strich, sah er, dass sie verweint war.

Ich frage lieber nicht, wie es in Köln gewesen ist.

Lieber nicht, antwortete Luise. Aber du kannst mir helfen.

Krays fuhr mit ihr in die Firma, und sie studierten die ganze Nacht lang Unterlagen, die sie aus verschiedenen Aktenschränken zusammensuchten. Absatzzahlen, Umsatzprognosen, Entwürfe für neue Handtuchkollektionen. Auch in den Nächten darauf blieb er mit Luise in ihrem Büro, erklärte ihr, was er von den Betriebsabläufen wusste, recherchierte für sie, was selbst er bislang nicht geahnt hatte. Krays deckte Fehler in der kaufmännischen Abteilung auf, einige alte Verbindlichkeiten waren lange ignoriert worden, und im vergangenen Jahr hatte Werner die Anschaffung von neuen Firmenwagen genehmigt, für die eigentlich kein Spielraum mehr gewesen war. Unter Werners Federführung war gewirtschaftet worden, als sei das Unternehmen unverwüstlich. Auch in der Vertriebsabteilung hatte man nachlässig gearbeitet, Bestellungen waren nicht ausgeliefert worden, wodurch sie allein im letzten Jahr zwei Hotels und ein Fachgeschäft als Kunden verloren hatten. Luise und Krays öffneten Dateien, durchsuchten spätnachts Werners Büro, und je mehr sie erfuhren, desto schlimmer sah die Lage der Firma Tietjen und Söhne aus. Werner und Kurt hatten genommen, als wäre das, was man sich lieh, ebenso gut wie das, was man tatsächlich besaß. Werner hatte zudem Sympathien und bevorzugte, wie Krays meinte, die Falschen.

Wen Werner lange kannte, dem vertraute er blind. Vor allem die drei Eisheiligen des Aufsichtsrats Bentsch, Serner und Rehlein ließ Werner an einer zu langen Leine laufen. Sie führen sich auf, als seien sie die Könige in diesem Haus, sagte Krays. An einem der folgenden Tage pfiff Luise sie zusammen, sie reihten sich vor ihr auf und machten Männchen. Dennoch war sich Luise sicher, dass, sobald sie den dreien den Rücken zukehrte, die Eisheiligen über sie lachten, aber sie ignorierte das Gefühl, ihnen unterlegen zu sein, und hielt ihnen einen halbstündigen Vortrag.

Meist waren Krays und Luise die Letzten, die die Firma verließen, und die Ersten, die kamen. Eines Nachts wachte Luise auf, als Krays gerade eine Wolldecke über sie ausbreitete, sie war mit einem Stapel Papiere auf dem Schoß in ihrem Büro eingeschlafen, auf zwei zusammengeschobenen Sesseln aus der Sitzgruppe. Die Umgebung flackerte im abgedämpften Neonlicht, das durch die Milchglastür hereinfiel, der Raum wirkte unwirklich und noch größer, als er es seit je war. An der Wand ihr gegenüber sah sie die Mäuler der Aktenschränke, die sie offen gelassen hatte. Die Fotografien an den Wänden hatte Lusie so oft gesehen, dass sie sie selbst im Dunkeln noch erkannte. Heinemann blickte zur Seite. Schmidt überreichte ein Dokument. Kennedy schien sich im Schatten zu bewegen.

Hier also bleiben wir, sagte Luise tonlos.

Ich würde lieber nach Hause fahren.

Ich meine nicht heute. Ich rede von den nächsten Jahren.

Du kannst immer noch gehen, Luise, sagte Krays. Er stand hinter ihr und massierte ihren Nacken. Du hast alle Möglichkeiten, die man sich wünschen kann.

Was weißt du schon. Luise starrte auf die Wand. Kennedys Gesicht war weniger freundlich als sonst, seine Zuversicht wirkte künstlich.

Glaubst du, dass wir es schaffen?

Im Augenblick kommen wir gut voran.

Gut voran? Damit willst du sagen, dass eigentlich schon der Versuch wahnsinnig ist.

Nein, Luise, ich meine –

Noch eine Sache, Krays. Sie nahm ihre Füße vom Sessel herunter und setzte sich aufrecht hin. Ich möchte, dass Werner keinen Einfluss mehr hat. So wenig Einfluss wie möglich.

Er sitzt ziemlich sicher auf seinem Posten.

Dann muss er über irgendwas stolpern. Er hat so viele Fehler gemacht, es muss doch möglich sein, dass er über einen davon fällt. Sie warf die Decke beiseite und fixierte Krays mit ihrem Blick. Bekommen wir das hin, Krays?

Er ging im Zimmer auf und ab. Dann blieb er vor ihrem Schreibtisch stehen, tippte auf der Tastatur herum, obwohl der Computer nicht eingeschaltet war. Nach einer Weile hielt er inne und sagte leise: Ja, Luise, wir bekommen das hin. Es klang nicht zuversichtlich. Es klang wie etwas, das man nicht verhindern kann.

2010 hatte die Firma Tietjen ihren Tiefpunkt erreicht. Krays und Luise gingen vorsichtig an die Schulden heran, die Kurt und Werner an verschiedenen Stellen und anscheinend ohne gegenseitige Absprachen immer weiter in die Höhe getrieben hatten. Sie mussten sich die Schulden ansehen und sie zugleich kaschieren. Wären sie auch nur einen

Augenblick unaufmerksam gewesen, wäre alles zusammengebrochen. Luise und Krays arbeiteten neue Verträge aus, Verträge mit den Angestellten, den Zulieferern, den Kunden, mit den Gläubigern, und mit jedem neuen Vertrag bremsten sie den freien Fall der Firma Tietjen ein wenig ab.

Lange hatte Luise Tietjen an nichts geglaubt, weder an Stoffe noch an Menschen, nicht einmal an Geld, denn an Geld zu glauben gelingt nur jenen, die nicht zu viel davon besitzen. Weder an den Namen Tietjen hatte sie geglaubt noch an die Personen, die sich dahinter verbargen. Sie war daran gewöhnt, dass nichts von Bestand war, alles löste sich irgendwann auf und verschwand. In jenem Jahr, in dem ihr Vater aus Essen geflohen war, wusste Luise endlich, woran sie glaubte. Luise Tietjen glaubte an Verträge. Mit Hilfe von Verträgen und durch nichts anderes kamen Menschen miteinander aus. Menschen waren freundlich zueinander, aber niemals verbindlich, sie waren sich so lange zugewandt, wie sie fürchteten, der andere könne stärker sein als sie selbst. Verträge hielten ihre Versprechen, sie waren das, was sie waren, während Menschen immer mehr sein wollten, als sie vertrugen.

2010 war auch das Jahr, in dem Luise glaubte, eine neue Ära einläuten zu können. Sie siebte die Geschäftsfreunde ihres Vaters aus, die wie alter Sand aus dem Adressbuch rieselten, ließ ihren Stundenplan neu aufstellen und erkundigte sich über das Privatleben ihrer wichtigsten Angestellten. Sie setzte sich mit ihnen zu Gesprächen zusammen, in denen es nicht nur um die Firma, sondern auch um ihre persönlichen Belange ging. Luise nahm, so schien es, Anteil am Leben ihrer Mitarbeiter. Sie kannte die Namen der Ehemänner, erkundigte sich nach den Kindern, versprach flexiblere Arbeitszeiten und forderte Überstunden so sanft ein, dass ihre Mitarbeiter glaubten, sie entschieden sich freiwillig dafür.

Luise hatte nicht vor, sich kampflos zu ergeben. Kampflos hatte sie bereits ihren Vater verschwinden lassen, das Unternehmen würde sie nicht hergeben. Sie würde es aus den Schulden herausziehen, es wieder mit Leben erfüllen, ehe die Mitarbeiter, die Banken, die Zulieferer, die Großhändler, Hotels und Medien, ehe sie alle begriffen, dass die Firma Tietjen und Söhne nur noch eine Schimäre war.

Nach ihrem ersten New Yorker Treffen mit Kurt hatte sie sich in die Arbeit gestürzt, bis sie vergessen hatte, dass es eine Welt außerhalb der Firma gab. Ein Tag war erst genug, wenn sie alles gegeben hatte, alles andere wäre eine Ausrede gewesen, und Ausreden hatte sie genug gehört. Sie spürte keine Überlastung, sondern das rauschhafte Gefühl von Beschleunigung. Sie wartete nicht mehr darauf, dass ihr Leben begänne, sondern trieb es selbst voran. Es fühlte sich richtig an. Ihre Arbeit war ein Teil von ihr, jener Teil, den man ihr jahrelang vorenthalten hatte. Je mehr sie arbeitete, je länger sie standhielt, je mehr sie in die Angelegenheiten der Firma eindrang, desto stärker wurde der Sog. Ein Rausch. Eine Sucht. Luise wuchs. Sie wuchs weit über sich hinaus.

Krays erschien ihr zunehmend blass daneben, er verlor seinen Reiz für sie. Früher war sie in seiner Wohnung vor ihrer Familie in Deckung gegangen, jetzt wurde sie unruhig, sobald sie sein Treppenhaus betrat. In der Firma kamen sie gut miteinander aus, aber wenn sie sich in privater Umgebung trafen, wurde sie gereizt. Sie hatte keine Zeit zu verlieren, verlor zu viel davon, wenn sie bei ihm war, und sie begriff nicht, warum Krays das nicht einsah.

Die Arbeit, die sie sich aufhalste, sei eine Zumutung, sagte Krays zu ihr und er hatte damit sogar recht, aber das ganze Leben war eine Zumutung, und Luise befand sich in der privilegierten Situation, sich ihre Zumutungen selbst aussuchen zu können. Ihre Zumutungen bewirkten zudem etwas. Sie genoss es, dass Entscheidungen, die sie fällte, eine Kette von Reaktionen auslösten. Und sie dachte daran, dass es Menschen wie ihren Vater gab, die ein Privileg besaßen und nichts damit anfingen.

Eines Abends fand sie Krays in seinem Büro, apathisch vor sich hin starrend. Obwohl sie die Tür laut hinter sich schloss, regte er sich nicht. Luise blieb einige Sekunden neben dem Türrahmen stehen, sah Krays' Profil, seine Augen, die auf den Bildschirm gerichtet waren, auf dem das Logo der Firma *Tietjen und Söhne Frottee AG* leuchtete.

Dass Krays sich an manchen Abenden mit einer Angestellten aus der Vertriebsabteilung traf, mit Lotte Bender, die falsche Perlenohrringe trug und dümmlich vor sich hin lächelte, hatte Luise von zwei Mitarbeitern gehört. Sie hatten es ihr nur angedeutet, eigentlich nicht einmal von einem Treffen gesprochen, sondern lediglich von längeren Besprechungen nach Dienstschluss, aber Luise wurde den Verdacht nicht mehr los, dass Krays sich heimlich ihrem Einflussbereich entzog. Seitdem war sie stets ein wenig unruhig, wenn sie Krays in seinem Büro aufsuchte. Sie sog prüfend die Luft ein, versuchte ein Damenparfum herauszuriechen, aber sie nahm nur Krays' vertrauten Geruch wahr. Er hatte sich noch immer nicht zu ihr umgedreht.

Was ist los, Krays? Ich dachte, du wärst schon nach Hause gefahren.

Endlich wandte er sich zu ihr, langsam, wie jemand, der alt und gebrechlich war. Seine Augen waren gerötet.

Luise, ich kann nicht mehr. Ich kann mich nicht um alles kümmern.

Wer erwartet das von dir?, fragte Luise. Ich komme gut ohne dich zurecht.

Du weißt, dass es nicht so ist. Oder machst du dir was vor? Glaubst du, dass du alles im Griff hast? Luise, mir gefällt nicht, was aus dir geworden ist.

Sie ging auf ihn zu, sog seinen Geruch ein, der eigentlich der Geruch seiner Kleider war, die Dämpfe der Reinigung, die noch an seinem Anzug hafteten, sie strich über seine Stirn, griff in sein Haar, riss ein wenig zu heftig daran, so dass er den Kopf zur Seite wenden musste. Wer wärst du denn ohne mich in dieser Firma, Krays?

Ich frage mich langsam, wer ich überhaupt noch bin, entgegnete er. Luise, ich muss schlafen, ich muss atmen, ich muss einfach mal aus diesem Büro raus.

Dann geh doch. Geh, sagte Luise. Sie trat einen Schritt zurück, ihre Finger spielten unruhig mit den Stiften, die auf seinem Schreibtisch lagen. Aber erwarte nicht, dass ich dir dabei helfe.

Niemand hat gesagt, dass ich abhaue. Und ich brauche deine Hilfe nicht, Luise. Du hast mir noch nie geholfen. Ich habe immer nur dich unterstützt.

Du willst, dass ich mich erkenntlich zeige?

Nein, hör zu –

Aber Luise fuhr ihm über den Mund. Gut, Krays, ich verstehe. Luise ging leicht in die Knie, um auf Augenhöhe mit ihm zu sein. Werner hat lange genug auf seinem Posten gepennt. Es wird Zeit, dass man ihn aus seinem Tiefschlaf holt. Sie erhob sich wieder und ging zur Tür. Dort blieb sie, mit dem Rücken zu Krays, einige Sekunden lang stehen, dann drehte sie sich noch einmal um und sagte: In drei Monaten wirst du Vize der Firma Tietjen und Söhne sein.

Luise, darum geht es mir nicht, rief Krays ihr nach, aber Luise hatte die Tür schon zugezogen.

Justus Tietjen tauchte vor Luises Augen auf, galant angelte er mit seinem versilberten Spazierstock Frauen aus den Fenstern eines Puppenhauses. Sie sah Kurts Vater, den Senior, als Riesen, der die Hochhäuser von New York wie leere Konservendosen zertrat. Sie sah Kurt, ihren Vater, wie er in seinem überhitzten Apartment vor einem Plastikventilator saß, seine Kleider spannten, sein Gesicht wölbte sich zu einer prall gespannten Maske, es ekelte sie, er ekelte sie an.

Ein heftiges Absacken der Maschine rüttelte sie auf. Kurz musste sie eingenickt sein, in ihrem Bewusstsein trieben Fetzen eines Traumes. Aus dem Cockpit kam eine Durchsage: Turbulenzen. Und kurz darauf der freie Fall der Kabine, heftiges Rütteln, dann wieder Fall. Sie saß in einer Nussschale. Zwei Passagiere versuchten sich an den Armlehnen festzuhalten, aber alles, was sie greifen konnten, stürzte mit ihnen ab. Die Übrigen blieben ruhig, Businessclass, Luise war umgeben von professionellen Passagieren.

In der First class forderte jemand die Betreuung durch eine Stewardess, immer wieder hörte Luise das Signalgeräusch, bis sich endlich eine der Flugbegleiterinnen abgurtete, obwohl es ihr untersagt war. Ein weiteres Luftloch, die junge Frau stürzte zu Boden.

Luises Sitznachbar legte das Times Literary Supplement beiseite. *These people will never understand that the world is not a business they run but a place to be.*

Die Stewardess hatte sich aufgerappelt und schwankte vorsichtig nach vorn, verschwand aus Luises Sicht. In der First Class wurden die Gäste mit Namen angesprochen, das hätte Krays gefallen, dachte Luise, dann wäre auch sein Name einmal etwas wert. Aber bis zur First musste er sich noch anstrengen, mussten sie alle sich anstrengen, wer konnte sich schon für seine Angestellten die erste Klasse leisten. Die Manager von Schermerhorn flogen nicht einmal Business, Luise hatte Winfried Maxweld beim Einchecken in der von Touristen übervölkerten Schlange vor der Economy entdeckt, er hatte zur Seite geblickt. Dass es dem Unternehmen derart schlecht ging, hatte sie nicht gewusst, und sie hatte im Stillen triumphiert.

Das Flugzeug hatte inzwischen den Landeanflug begonnen, bald tauchten die ersten Hausspitzen aus dem Dunst auf, die Gesichter in der Economyclass drückten sich an die Scheiben, als könne man in diesem Plastikausschnitt die Freiheitsstatue besser erkennen als im Internet.

Was Luise ihrem Vater am meisten vorwarf, war nicht, dass er die Kontrolle über die finanzielle Lage der Firma verloren hatte, sie warf ihm weder vor, dass er Werner hasste, noch dass er kein guter Geschäftsmann war. Was sie ihm vorwarf, war, dass er sich am Ende seines Lebens lächerlich machte. Was hätte ihr Vater in New York alles aufbauen können? Er hätte eine Zeitung gründen oder ein Institut eröffnen können, er hätte fotografieren, malen, seine Memoiren schreiben können. Allein das, wofür er sich letztendlich entschied, hatte Luise ihm nicht zugetraut: Er tat nichts. Er arbeitete nicht, er ging nicht einmal ins Museum, nicht in die Oper, machte keine Ausflüge, sah keine Filme, ging nur spazieren, ohne Ziel.

Luise blickte ein weiteres Mal der glänzenden regennassen Rollbahn entgegen, die Maschine setzte hart auf, dann wurde Luise von der Bremskraft leicht nach vorn gedrückt. Alle zwei Monate flog sie nun hierher, nicht allein, um ihren Vater zu treffen, sondern vor allem, um zu sehen, wie er gegen sie verlor.

Newark International Airport. Kurt war nie auf den Gedanken gekommen, sie vom Flughafen abzuholen. Hätte es ihn glücklich gemacht, zu wissen, dass die Firma längst dort stand, wo er sie haben wollte? Vielleicht nicht. Vielleicht ist die Leere, die man spürt, wenn der Feind geschlagen ist, größer als die Erleichterung.

Die Warteschlange vor der Homeland Security. Luises geübte Antworten auf die Fragen des Beamten: *Holiday. Pleasure.* Auf dem Gepäckband drehte ihr Schalenkoffer bereits verlassen seine Runden. Sie stemmte ihn herunter und lief Richtung Ausgang. Vor der Ankunftshalle, wo die Raucher hastig die ersten Züge nach zehn, zwölf Stunden Flug einsogen, stieg sie in ein Taxi, gab die Adresse durch, lehnte sich zurück und wartete darauf, dass die Stadt sich um sie zuzog.

New York versetzte sie stets in Anspannung, und wenn sie die Menschen betrachtete, schien es ihr, als ginge es ihnen genauso. Nur ihr Vater widersetzte sich dieser Nervosität, wie er sich überhaupt allen Einflüssen widersetzte. Er hatte seit je ignoriert, dass er nicht allein auf der Welt war, dass seine Entscheidungen Konsequenzen für andere hatten. Ihr Vater führte sich wie ein trotziges Kind auf, dass das Spielzeug der anderen kaputt trat und nicht begriff, dass die anderen kein neues bekommen würden. Dass er sich selbst in den Ruin getrieben hatte, war seine Sache, aber er konnte nicht erwarten, dass seine Tochter ihm folgte.

Die Wahrheit ist doch, hatte Werner zu Luise gesagt, dass dein Vater kaufmännisch eine Katastrophe ist. Da hat der Senior schon recht gehabt. Was willst du, Luise, Väter und Söhne kennen sich entweder zu gut oder überhaupt nicht.

Das hatte er ihr gesagt, ehe sie nach New York gereist war. Diesmal hatte sie ihm gegenüber ihre Reise nur nebenbei erwähnt, Luise hielt Werner nicht mehr über alle ihre Tätigkeiten auf dem Laufenden, über seine hingegen war sie stets informiert. Es war von Vorteil, mehr über den anderen zu wissen, als umgekehrt. Schließlich belog sie ihn ja nicht, sie verschwieg ihm nur einige Details, so wie er den Gläubigern, den Banken, dem Finanzamt einige Informationen verschwiegen hatte, um die Firma am Leben zu halten, bis die Krise überstanden war. Der Unterschied zwischen Werner und Luise lag nicht in der Taktik, sondern darin, dass Werner vom Überleben ausging, während Luise darum zu kämpfen begann.

In jenen ersten Wochen, nachdem Kurt aus Essen verschwunden war, hatte Luise gehofft, hinter dem Gesicht ihres Onkels würde irgendwann das Gesicht ihres Vaters in Erscheinung treten. Sie glaubte nicht an Werner und auch nicht an ihre Tante, die Werner an die Familie der Tietjens band, Fiona war so früh in ihrer Verwirrtheit abhandengekommen, dass sie für Luise nur noch als Gerücht vorhanden war. Luise hingegen wollte nicht bei lebendigem Leibe, bei vollem Bewusstsein aus der Welt fallen. Sie hatte durchaus den Willen zu existieren.

Luise wartete am Astor Place auf ihren Vater, wie sie bereits vor Macy's und an der Lafayette Street auf ihn gewartet hatte, zuerst nervös und dann mit einer plötzlichen Ruhe. Niemals hätte er sie zu sich nach Hause oder auch nur in seine Nachbarschaft eingeladen. Wieder traf er verspätet ein und sah schlechter aus als bei ihrem letzten Besuch, ungepflegt und aus der Form geraten. Sie begrüßten sich ungeschickt und spazierten den Broadway hinab. Kurt sprach von sich, natürlich, er kreiste noch immer um sich selbst und rückte die Dinge so zurecht, dass sie den rechten Schatten auf ihn warfen. Er schilderte die Geschichte der Tietjens, wie er sie gern gehört hätte, er erzählte von kleinen Diktatoren, die über ihr Frotteereich herrschten, dabei machte er sich selbst des größeren Vergehens schuldig: Er herrschte nicht, obwohl er nun einmal auf dem Fürstenplatz saß.

Luise berichtete ihm von ihren Plänen, die Fernostgeschäfte auszubauen. Kurt reagierte nicht, fragte nicht nach den Hintergründen, pochte nicht auf sein Vetorecht, vielleicht hatte er begriffen, dass man in Essen nicht mehr gewillt war, auf seine Launen Rücksicht zu nehmen.

Du bist nach China gereist?, fragte er schließlich. Nein? Dann sieh es dir mal an. Schön ist es da nicht.

Wer wollte denn dort produzieren lassen?, entgegnete sie. Du warst vor Ort und hast die Verträge mit den Fabriken abgeschlossen.

Ach, was weiß ich. Ich weiß auch nicht mehr, wo ich überall gewesen bin. Seine Stimme klang müde. Bislang hatte Luise gedacht, es seien die Monate in New York, die ihn erschöpft hatten, all der Lärm. Doch vielleicht war es gar nicht New York, dachte sie jetzt, vielleicht war New York sein letzter Versuch gewesen, zur Ruhe zu kommen.

Sie hatten sich wieder zum Gehen gewandt, hinauf Richtung Central Park, rechts die Wall Street, links die Cafés, in denen Juristen und Banker Filterkaffee aus glänzenden Thermoskannen tranken. Kurt deutete auf zwei Herren in Anzügen, die ihnen entgegenkamen, Luise war es unangenehm, wie auffällig er sich dabei verhielt.

Die glauben tatsächlich noch an ihren Dreisatz: Wer arbeitsam ist, ist ein besserer Mensch, wer ein besserer Mensch ist, verdient mehr vom Leben. Dabei ist doch alles, was sie von früh bis spät auf dem Börsenparkett machen, nichts als ein großes Videospiel. So ist es, sagte er. Irgendwann werden sie mit all ihrer protestantischen Ethik gegen die Wand fahren.

Kurt begann von Streik, von Mitbestimmung und Gewerkschaft zu reden, es war Unsinn, Kurt malte ein bizarres Schauspiel aus, aber Luise widersprach ihm nicht. Sie blickte auf die gotisch verzierten Hausspitzen an der Barclay Street, ließ sie vorüberziehen. Sie trieben weg wie längst tauende Eisberge.

Streik, Mitbestimmung, Gewerkschaften. Kurt begriff nicht, wie es sich tatsächlich damit verhielt, weil er nie aus seiner Welt herausgekommen war, weder in Essen noch in New York, wo alles schneller und härter war. Immerhin blieben die Menschen hier am Laufen und versanken nicht in Lethargie wie im alten traurigen Essen. Da war es nicht besser, dachte Luise, nur anders. Es gab keine Mitbestimmung, nur einen chaotischen Betriebsrat, der Briefe verfasste, die von nichts handelten und von niemandem gelesen wurden. Es gab keine Gewerkschaften, nur einen verfetteten Verwaltungsapparat, in dem unzählige Formulare und Petitionen angehäuft wurden. Die Menschen, die von ihnen auf die Straße geschickt wurden, wollten nicht demonstrieren, sondern einfach nur mehr Lohn bekommen, und sie hockten bald wieder an ihren Arbeitsplätzen, damit ihnen kein Euro verlorenging. Es gab eine durchfinanzierte Masse auf der einen Seite, in der jeder für sich die Hand aufhielt, und die Gewerkschaftsführer auf der anderen Seite, mit denen Werner und Luise telefonierten. Das war alles, was es vom Arbeitskampf noch gab.

In einem Sushilokal in der Lower East Side setzte Kurt sich an den Tresen, währen Luise neben der Tür stehen geblieben war, um einen Anruf entgegenzunehmen. Krays berichtete, ein Mitarbeiter, der kürzlich seine Kündigung erhalten hatte, habe mit einem Anwalt gedroht. Mach dir keine Gedanken, Luise, der versteht von seinen Rechten nicht viel und von guten Anwälten ebenso wenig.

Als sie aufgelegt hatte, beeilte sie sich, durch den dicht besetzten Raum zu Kurt zu kommen, der sie die ganze Zeit über betrachtet hatte. Am Nebentisch strickte eine junge

Frau einen Schal, ein Mann sprach mit sich selbst. Alles war in eine appetitliche Kulisse aus Fernost gefügt, klare Linien, ein wenig Palmgrün in Vasen, auf einem Fließband zogen Sushischalen vorüber. Luise griff eine Schale für sechs Dollar heraus und reichte sie dem Sushimeister. Kurt trank, die Ellbogen auf den Tresen gestützt, heißen Sake.

Eine Stunde bei der Einreise heute, sagte sie und griff einen weiteren Teller vom Band. Es dauert jedes Mal länger. Sie behandeln mich, als hätte ich ein Verbrechen begangen, dabei will ich nur einreisen.

Und warum glaubst du, was Besseres verdient zu haben? Wer gibt dir das Recht? Wer gibt dir das verdammte Recht einzureisen?

Luise schrak vor der Heftigkeit zurück, mit der ihr Vater sie angriff.

Du beanspruchst New York für dich, wir alle, und weshalb?, fragte er und nippte an seinem Sake.

Es ist doch –, versuchte Luise einzulenken, doch Kurt ließ sie nicht zu Wort kommen.

Was glaubst du, wie lange die Kontrolle gedauert hat, als mein Vater hier einreisen wollte? Über Stunden haben sie ihn ausgefragt, ich hatte schon geglaubt, sie würden ihn wieder zurückschicken, in die nächste Maschine setzen und ab nach Deutschland, den alten Nazi. Einen kurzen Moment hat mich dieser Gedanke erleichtert. Wie ich mich dafür geschämt habe, als er dann endlich vor mir aufgetaucht ist.

Durch die Fenster des Lokals sah Luise auf die Schneeberge, die am Rand des Bürgersteigs von den Anwohnern aufgehäuft worden waren, ein prähistorischer Anblick, und sie fragte sich, ob die Beringstraße in diesem Winter wieder zufrieren und wenn ja, ob die Homeland Security fünfzehntausend Beamte in Reserve haben würde, um dieser neu geschaffenen Einreiseschneise zu begegnen. In der Spiegelung der Scheibe sah sie, dass Kurt sie betrachtete.

Ein Investor aus New York interessiert sich für die Firma, sagte sie, um seinen Blick nicht länger stumm ertragen zu müssen.

Du meinst, fragte Kurt spöttisch, die Firma sei gut genug dafür?

Sie wird bald gut genug dafür sein, erwiderte Luise.

Kurt lachte auf. Luise war sich nicht sicher, was er über die Lage der Firma wusste. Sie hatte angenommen, dass er die Zahlen nicht mehr klar sah, wie ein Weitsichtiger, der alles, was zu dicht vor seinen Augen lag, nur verschwommen wahrnahm, zumindest hatte er so gehandelt, vielleicht war es auch Leichtsinn gewesen, was wusste denn sie.

Die Firma wird nicht mehr gut genug sein, sagte er.

Die Sushiteller fuhren im Kreis, vor dem Fenster hob das Laternenlicht die hohen Schneeflächen kantig hervor, während alles andere dahinter irreal wirkte, die glatten Fassaden der Häuser, die Pfosten und Straßenschilder, die in ihren Schritten verunsicherten Menschen. Der Schnee dominierte das Bild, alles andere musste sich unterordnen.

Am Ende hatte er sie doch überrascht, ihr Vater, ein letzter Vorwurf, der zugleich ein Zugeständnis war, mehr, als Luise ihm zugetraut hatte. Schon auf der Höhe der Christopher Street hatte sie aufgehört, seinen Tiraden zu folgen, die immer wirrer geworden waren. Mit der rechten Hand hatte sie

E-Mails über das Display ihres Telefons laufen lassen, zwei Nachrichten von Krays, eine von Werner, ein Terminvorschlag eines New Yorker Geschäftspartners. Menschen joggten an ihnen vorbei, flüchtig warf sie einen Blick in eine Kneipe, die voller Studenten war. Luise hatte nicht mehr darauf geachtet, ob Kurt noch neben ihr ging, gerne hätte sie die Stadt für sich allein gehabt, wäre darin verlorengegangen, ein Zustand, zu dem Luise in Wirklichkeit nicht in der Lage war, so zielstrebig, wie sie geworden war. Sie lief ihrem Hotel entgegen, um den Akku ihres Telefons aufzuladen, ehe das Display erlosch.

Kurt war einfach stehen geblieben, ein Läufer, der auf einer zu langen Strecke hinter der Konkurrenz zurückblieb. Sie hatte einen Blick zurückgeworfen, ohne anzuhalten. Kurt hatte gut zehn Schritte hinter ihr verharrt, regte sich nicht, sah ihr nur nach, und sie stieß mit einem jungen Mann zusammen, dessen Unterlagen auf den Gehsteig fielen. Luise bückte sich, um ihm beim Aufsammeln zu helfen, ehe die Blätter vom Verkehr mitgerissen wurden.

Als Luise sich wieder aufrichtete und hinter sich sah, war Kurt verschwunden. *So kind of you,* hörte sie den jungen Mann sagen, bevor er davoneilte, und sie blickte sich auf der Straße um, aber nirgendwo konnte sie ihren Vater entdecken. Sie zog ihr Telefon hervor, das Display leuchtete kurz auf und färbte sich dann schwarz. Schnell ging sie die letzten Schritte bis zum Hotel, sie hörte noch den stummen Lärm von der Straße, während sich die Glastür hinter ihr schloss. Im Foyer plätscherten ein künstlicher Wasserfall und ein Klavierstück, Chopin vielleicht, sie kannte sich mit Musik nicht aus. Erst jetzt dachte sie an Kurts Worte. Er hätte all dies nicht beabsichtigt. Er sei einfach nicht die richtige Person gewesen, um an der Stelle zu stehen, an der er gestanden habe, in der Geschäftsführung, als Leiter eines Unternehmens. Nein, er habe die Rolle nie füllen können, sagte er. Und es ist euch allen klar gewesen, und ihr habt trotzdem nichts getan.

XIII

Die U-Bahn fuhr nicht bis nach Redhook. Kurt ging den Rest des Weges zu Fuß, sah zu Boden, was ratsam war auf den unebenen Bürgersteigen Brooklyns. Vielleicht, dachte er, hätte er damals, nach dem Zusammenbruch seines Vaters, aussteigen sollen.

Ihm kam das Bild des Obdachlosen in den Sinn, den er im letzten Jahr, bei dem ersten Besuch seiner Tochter, vor einem Grocery gesehen hatte. Was mochte mit ihm geschehen sein? Hatte die Stadtreinigung ihn beseitigt? Oder war doch das Leben in ihn zurückgekehrt? Auferstanden, dachte Kurt, und dann? Er hätte sich weitergeschleppt, durch die Straße, durch den Tag, durch die Minusgrade der Nacht, aus einem Subwayeingang vertrieben, aus dem Eingangsbereich einer Bank, und fände schließlich in einer guten Wohngegend einen Vorgartenzaun, an den er sich lehnte und aufgab.

Der Hausflur roch nach Fett, Seife und dem klebrigen Inneren des Müllschachtes. Aus dem Keller hörte Kurt den Waschautomaten rumpeln. Langsam stieg er die Treppe hinauf, schloss die Tür auf, ließ den Schlüssel in die Schale auf der Garderobe fallen, die Fanny dorthin gestellt hatte. Es wirkte, als gehöre er in diese Wohnung. Er verhielt sich unauffällig in ihr, wenn er auch spürte, dass er hier noch immer ein Fremdkörper war. Er war nutzlos geworden, das zumindest hatte er erreicht. Ob es tatsächlich das war, was er sich wünschte, wusste er nicht mehr zu sagen, aber er hatte es erreicht, immerhin.

Fanny war es gewesen, die gesagt hatte, Kurt müsse etwas mit seiner Zeit anfangen. Sie fragte nicht, wovon er lebte. Sie meinte nicht, er müsse Geld verdienen, aber sie sah, wie er sich abnutzte. Er wurde hager, zugleich seltsam verfettet im Gesicht, eine groteske Mischung zweier unterschiedlicher Menschen.

Dabei tat er doch etwas: Er ging spazieren, hin und wieder mit seiner Tochter, meistens allein. Er wachte auf, und kaum wurde ihm der erdrückend leere Tag bewusst, stand er auf, wusch sich, zog sich an und verließ, ohne etwas zu essen, das Haus. Er ging die Straßen hinauf oder hinunter, achtete nie auf die Richtung, sah die Häuser nicht, nicht die Menschen, lief, bis er vor Entkräftung zu zittern begann. Dann suchte er ein Café oder einen Schnellimbiss und aß etwas.

Er hörte, wie der Schlüssel im Schloss gedreht wurde, Fannys weiche Schritte (Turnschuhe, zehn Jahre alte Nikes) näherten sich durch den Flur. Ihr Gesicht wie alle Tage. Während sie auf ihn zukam, steckte sie den Zweitschlüssel, den Kurt ihr gegeben hatte, in die Tasche ihrer Jeans, ein Zeichen seines Vertrauens, hatte er gedacht, dabei misstraute er wohl eher sich und brauchte Fanny, damit sie nach ihm sah.

Sie setzte sich zu ihm, legte ihren Kopf an seine Schulter, er aber rückte von ihr ab, selbst sie, die nichts wog, war ihm zu schwer. Fanny wusste nicht, dass er sich mit seiner Tochter getroffen hatte, sie musste annehmen, dass er heute, wie an allen Tagen, durch die Stadt gestreift war, allein, grundlos und ohne Ziel. Er kauerte sich neben ihr zusammen.

Hätte er jemals gelernt, wie das ging, weinen, hätte er jetzt geweint, aber er konnte sich nicht erinnern, es jemals versucht zu haben. Als Säugling, vielleicht, aber vermutlich nicht einmal das. Weinten Säuglinge, oder schrien sie bloß? Er wusste es nicht, er spürte Fannys mageren Schoß, das knochige Becken, ein Kissen aus Stein, eine versteinerte Geliebte, das also war seine neu gewonnene Freiheit.

Die Dinge wiederholen sich nicht, hatte der Senior damals auf dem Flug nach New York zu ihm gesagt. Sie bleiben einfach gleich. Du verhältst dich wie ich. Und ich verhalte mich wie Justus.

Das ist nicht wahr, hatte Kurt widersprochen.

Ach, was ist schon wahr, hatte der Senior gemurmelt.

Fanny fuhr ihm mit der Hand durchs Haar, kämmte einzelne Strähnen auseinander, ein sanfter Druck auf seinem Kopf.

Er könne nicht mehr, sagte er.

Obwohl Fanny nicht wissen konnte, wie sein Leben früher ausgesehen hatte, schien sie zu merken, dass etwas aus dem Lot geraten war. Dass er sich nicht zurechtfand. Sie strich Kurt durchs Haar, hielt ihm die Hand wie einem kranken Kind, und was war er anderes?

Dass er nicht begreife, weshalb er aus alldem nicht herauskomme. Und warum eigentlich manche Leute frei seien und andere ewig an ihre Familie gebunden.

Was willst du?, fragte Fanny. Allein sein? Für niemanden da sein?

Vielleicht, sagte Kurt.

Du hast dich nie für andere interessieren müssen. Du konntest dir immer leisten, alle zu ignorieren.

Was glaubst du denn, wie mein Leben ausgesehen hat?

Du bist privilegiert, hast du das vergessen? Hast du vergessen, wie privilegiert du bist?

Und daraus willst du mir einen Vorwurf machen?, fragte er.

Nein, aber denk bitte nur einmal darüber nach, dass die Leute um dich herum nicht die Privilegien haben, die du hast. Ich werfe sie dir nicht vor, aber nutz sie wenigstens.

Was willst du mir schon vorschreiben. Was bildest du dir ein, wer du bist.

Und was bilde er sich ein? Denke er etwa, sie sei immer nur Kellnerin gewesen? Im Gegenteil, sie kenne sich aus. Sie habe schließlich für ein Unternehmen gearbeitet, das die Kreditwürdigkeit von Firmen beobachtet habe. Mit einer Mail habe ihr Vorgesetzter manchmal ein ganzes Unternehmen zusammenbrechen lassen. Wir haben über riesige Konzerne beraten, sagte Fanny. Eine Firma wie deine, das waren für uns die fünf Minuten vor der Mittagspause.

Woher sie überhaupt von der Firma wisse?

Für wie naiv hältst du mich?, fragte Fanny. Natürlich weiß ich, wer du bist. Ich habe deinen Namen auf dem Brief gelesen, Apartment 12, der Brief deines Anwalts, den ich dir einmal gebracht habe, erinnerst du dich? Ich habe mich informiert. Natürlich weiß ich, wer du bist, Kurt.

Du weißt überhaupt nichts, fuhr Kurt sie an. Aber es war nutzlos. Er fühlte sich nackt vor ihr, seiner Tarnung entledigt, möglicherweise hatte er nie eine gehabt, war als Kaiser in neuen Kleidern durch das Viertel spaziert, und jeder –

jeder! – hatte gesehen, wer er war, Kurt Tietjen. Nichts weißt du, wiederholte er, als könne er die Tatsachen verschwinden lassen, wenn er sie nur lange genug abstritt.

Und wie fühlt es sich an, vermögend zu sein?, fragte sie.

Er konnte nicht sagen, ob sie es spöttisch meinte, er konnte in diesem Moment überhaupt nichts mehr über sie sagen.

Reich sein ist nichts, antwortete er, nur ein Zustand.

Warum versteckst du dich dann davor?, fragte Fanny.

Und du, was willst du eigentlich von mir? Wenn du es die ganze Zeit gewusst hast, warum hast du mitgespielt?

Vielleicht bin ich wie der talentierte Mr. Ripley, sagte Fanny, nur ohne Talent. Vielleicht will ich einfach was Besseres sein.

Ich bin auch nichts Besseres, entgegnete Kurt. Ein Vermögen macht dich nicht dazu. Im Gegenteil.

Sie sah ihn einen Moment fassungslos an, dann schüttelte sie den Kopf. Du begreifst es nicht, erklärte sie und zog ihre knochigen Schultern hoch. Fanny saß starr vor ihm, sie erinnerte ihn plötzlich an seine Tochter, wenn er auch nicht hätte sagen können, was genau es war. Versuchte er ein Bild von Luise heraufzubeschwören, kamen ihm nur die Nadelstreifen in den Sinn, maßgeschneidert und dennoch so verwechselbar. Fanny war, wie seine Tochter hätte sein können, wenn sie nicht diese Anzüge trüge, wenn ihre Gesichtszüge nicht so hart wären, wenn sie nicht seine Tochter wäre.

Was für ein Unsinn, dachte er. Er dachte doch nicht wirklich an seine Tochter, er dachte ganz sicher nicht jetzt an sie, da Fanny sich vor ihn hockte, ihr Gesicht zu seinem Bauchnabel herabbeugte, seine Hose öffnete und mit ihrer Zunge durch sein Schamhaar fuhr. Ein Wiedergutmachungsversuch, nicht mehr. Er atmete ein, blickte auf ihren Kopf herunter, die gelben Haare, sie war das Gegenteil von seiner Tochter, dachte er, ließ sich auf den Stuhl zurücksinken, sah ihr Haar, all das Gelb. Er schloss kurz die Augen, öffnete sie, Fanny reckte sich wieder hoch, er sah ihr ins Gesicht, verächtlich. Da saß sie vor ihm, reglos, ihre Hände im Schoß gefaltet, ein mageres Nichts aus Pennsylvania.

In China hatte er Menschen an den Straßenrändern hocken sehen, die ihm wie Gegenstände aus einem Kuriositätenkabinett vorgekommen waren. Sie legten ihre zerfressenen Beine in die Sonne und ließen die Fliegen auf dem Wundbrand nach Nahrung suchen. Sie hatten ihre Kinder angeleint. Die Hitze lag in den Fugen der Häuser, auf den Mauern, in den Blicken der Menschen. Die Hitze flimmerte auf den schlecht befestigten Gassen, die hinter den Prachtstraßen entlangführten, durch das Innenleben der Stadt, die Hitze moderte auf dem Fähranleger, der das Land an die Stadt band, auf der Uferstraße, auf der unzählige Autos fuhren. Kurt hätte gern herbstliche Temperaturen gehabt, dunkle, von tief fallendem Licht angestrahlte Wolken, alles in einen Halbschatten gedrückt, den man von historischen Momenten erwartet, einem Kriegsbeginn oder einer Hyperinflation.

Aber auch solche Ereignisse fanden mitunter bei blauem Himmel statt. Das Wetter unterschied nicht zwischen Ereignissen, nur zwischen Windstärken und Luftdruckgebieten, das war möglicherweise der größere Fauxpas. Kurt Tietjen war im September sechsundfünfzig Jahre alt geworden, ein Alter, in dem man möglicherweise anfällig ist für Krisen. Daran versuchte er zu denken, doch es half nichts, er wurde das Gefühl nicht los, verloren zu sein.

Gustav hatte ihn im Stich gelassen. Nach einem hastigen Frühstück, bei dem er kaum von seinen Papieren aufgeblickt hatte, war er umgehend in sein Hotelzimmer zurückgekehrt. Kurt solle sich die Gegend ansehen, hatte Gustav ihm noch geraten, das sei gewiss lohnend. Gern würde er selber, nur leider, die Studie, was solle man machen, aber er wünsche ihm einen schönen Tag.

Nun hatte Kurt niemanden mehr, der ihm half, sich zurechtzufinden. Das Fehlen lateinischer Buchstaben versperrte ihm den Blick auf die Stadt, und seine Orientierung breitete sich nur schwerfällig Block um Block aus. Die in Verkaufsparzellen aufgeteilten Häuser. Kuchen, Fleischspieße, Elektronik. Vor den größeren Geschäften hielten ihm Händler gebrannte DVDs in Klarsichthüllen entgegen. Die melancholische Straße, hatte Gustav sie genannt.

Weshalb sie so heiße, hatte Kurt sich erkundigt und an trauernde Menschenzüge gedacht, blutige Splitter der Kulturrevolution, unzählige Genossen, die in schwermütigem Gleichschritt die Straße hinuntermarschierten.

Weil es hier so viele Elektrogeschäfte gibt, hatte Gustav ihm geantwortet. Kurt hatte nicht begriffen, wo der Zusammenhang bestand. Dann war ihm klar geworden, dass er Gustav falsch verstanden hatte, dass er nicht von der melancholischen, sondern von der elektronischen Straße sprach. China war kein trauerndes Land, fürs Trauern hatte man hier keine Zeit. China war ein Land der Dioden, Elektroden und des piepsenden Elektroschrotts. Das hätte er wissen müssen, das wusste er doch.

Am Abend traf er Gustav in einem Restaurant neben dem Hotel, es waren Gustavs letzte Stunden in der Stadt, in den frühen Morgenstunden fuhr der Zug, der ihn in die Nachbarprovinz bringen sollte, zur nächsten Fabrik. Kurt erkundigte sich, wie es voranginge. Oh, sehr gut ging es voran. Was sollte er auch sagen, dachte Kurt, immer ging es sehr gut, wenn nicht hervorragend.

Ich habe übrigens eine Zulieferfirma für Textilien, wie soll ich mich ausdrücken?, erklärte Gustav, während eine zierliche Frau Pekingente auf ihre Teller verteilte. Ich habe sie auf meiner Liste, sagte er. Morgen werde ich diesen Betrieb besuchen, der Sie interessieren wird. Ich habe ein wenig recherchiert. Berufsneurose. Gustav lachte, Kurt verstand nicht, warum.

Darf man in ein Land wie China investieren? Was ist Ihre Meinung?, fragte Gustav mit einem Eifer, der Kurt umgehend ermüden ließ.

Dürfen?, dachte Kurt. Warum sollte gerade er wissen, was man durfte?

Jedenfalls sollte man es wohl nicht so anstellen wie die Firma Tietjen, fügte Gustav hinzu.

Was meinen Sie damit?, fragte Kurt.

Tietjen und Söhne ließ, wie er an jenem Abend von Gustav erfuhr, chinesische Arbeiter mit Chemikalien arbeiten, von denen bekannt war, dass sie nicht nur giftig, sondern hochgradig krebserregend waren. Die Firma Tietjen hatte einer Fabrik den Zuschlag gegeben, die dafür bekannt war, dass dort die schlechtesten Löhne der ganzen Region bezahlt wurden. Obwohl sich mittlerweile herumgesprochen hatte, dass es den Vorarbeitern erlaubt war, handgreiflich zu werden, hatte Tietjen und Söhne den Vertrag verlängert. Vor einigen Monaten hatte es zudem einen Todesfall gegeben – aber natürlich, wandte Gustav ein, Sie werden dagegenhalten, dass es nicht die erste chinesische Fabrik ist, in der so etwas passiert. Ob Sie es glauben oder nicht, es soll auch hier noch Fabriken geben, in denen niemand zu Tode kommt. Wieder lachte er. Wieder verstand Kurt nicht, warum.

Ein Arbeiter war vom Dach der Wohnbaracken in den Tod gesprungen, sein Mobiltelefon, einziger Besitz von Wert, hatte er in der Hand gehalten, als er auf dem Steinboden aufgeschlagen war. Das Adressbuch enthielt, wie sich später herausstellte, keine einzige Nummer.

Das ist letzten Herbst passiert. Seitdem soll es zu keinen weiteren Vorkommnissen gekommen sein. Aber wer weiß, wie es sich tatsächlich verhält, meinte Gustav. Meistens schlechter, als ich es erwarte.

Kurt rückte ein wenig vom Tisch ab, ihm war plötzlich, als rieche er Gustavs Schweiß, alten, zwiebeligen Männerschweiß, der nicht zu dem jungen Mann passte.

Wollen Sie nicht mitkommen?, fragte Gustav. Es wäre für Sie sicher interessant, den Betrieb zu sehen, in dem Sie produzieren lassen.

Dass er für den nächsten Tag seine Rückfahrt plane, erklärte Kurt. Ihm war nicht nach Reisen zumute. Ihm war nicht einmal danach zumute, anwesend zu sein.

Haben Sie schon ein Zugticket? Nein? Dann werden Sie nicht nach Schanghai kommen. Nationalfeiertag. Morgen ist halb China unterwegs.

Kurt sackte unmerklich in sich zusammen. Er wollte zurück, so schnell wie möglich. Zurück nach Schanghai, zurück nach Europa. Doch er hatte das Geschehen nicht mehr in der Hand, er konnte sich aufbäumen, es würde nichts bewirken.

Was sollte es. Wohin wollte er überhaupt? Zurück in die Firma? Er liefe in seinem Essener Haus umher, lenkte sich mit Unterlagen ab, die ihn nicht interessierten, und hoffte, dass es ihn diesmal nicht erwischen würde, dass er nicht wieder in die Lethargie fallen würde, die ihn nach jeder Reise regelmäßig in Beschlag nahm. Er würde auf dem Sofa in seinem Arbeitszimmer liegen und beten, dass niemand die Tür öffnete, dass niemand sähe, wie er hier, unfähig zu jeglicher Bewegung, zerschlagen, zerbrochen, ausharrte, bis der Zustand vorüber war. Währenddessen gingen in seinem Büro Anrufe und Faxe ein, Mitarbeiter klopften an: Wo in der kommenden Saison Anzeigen zu schalten seien, ob man den Nettoverkaufspreis der Bademäntel noch in diesem Jahr erhöhen dürfe, wann er am Freitagabend zum Eröffnungskonzert in der Philharmonie gebracht werden wolle. Entschlüsse mussten gefasst werden, und Kurt zögerte alles hinaus, weil ihm jede noch so kleine Entscheidung zu gewichtig erschien, um sie jemals befriedigend fällen zu können.

W. W. war anders gewesen. Er hatte die Dinge mit seinen massiven Händen angepackt und so vor sich aufgereiht, dass er sie nicht nur ertrug, sondern dass sie ihm sogar angenehm schienen. Sieh mal, Tietjen, wenn wir uns hierhin verlagern, und zwar bevor es alle anderen tun, dann können wir noch günstige Konditionen aushandeln. W. W. hatte die Gabe, alles in Zahlen zu verwandeln, und die Frage war nicht mehr, ob eine Handlung gut oder schlecht war, sondern ob sie 1000 oder 50 000 einbrachte. Zahlen waren gesichtslos, Zahlen existierten nur in der Phantasie, Zahlen hatten keine Geschichte.

Alex verabschiedete sich frühzeitig an jenem Abend, er wollte in den Morgenstunden weiterreisen. Kurt blieb allein im Lokal, bestellte einen Wein, fühlte sich beobachtet, fühlte sich fehl am Platz. Er verlangte die Rechnung und beeilte sich hinauszukommen.

Er trat auf die heiße, von Abgasen verpestete Straße. Autos hupten, Menschen zogen an ihm vorbei, spuckten auf den Bordstein, redeten ununterbrochen. Die fremden Laute umhüllten ihn und schlossen ihn aus. Ein Kind mit geschlitzter Hose wurde zum Urinieren über eine Mülltonne gehalten. Als es Kurt sah, verzog es das Gesicht. Kurt starrte verbissen zurück. Er hatte es bis auf die andere Seite der Welt geschafft, und dort gaben ihm selbst Kleinkinder zu verstehen, dass er unerwünscht war.

Er bog in eine Seitenstraße ab. Die Häuser waren niedrig und so windschief, dass Kurt Zweifel bekam, ob der rechte Winkel schon erfunden worden war. In einem verrosteten Vehikel war ein Wok eingelassen, Hefeklöße quollen darin, der Koch winkte ihm und wollte, dass er welche davon kaufte. Kurt bog um eine weitere Ecke und um noch eine, die Häuser wurden, so glaubte er, niedriger, schiefer, und in den Waschbecken, die vor den Häusern aus kariösen Ziegeln gebaut waren, schwammen Fische. Kurt Tietjen wusste nicht mehr, wo er sich befand. Kurz bedauerte er, dass er keinen Stift und kein Papier bei sich hatte, um einen Abschiedsbrief zu schreiben. Er glaubte, nie wieder aus dieser Fremde aufzutauchen, und der Gedanke machte ihn gleichmütig. Die Exaktheit eines deutschen Verwaltungsgebäudes konnte er sich nicht mehr vorstellen. Die grau und kantig gegen das Licht stehenden Fensterfronten, das pedantische Innere, die verchromten Fahrstühle. Das alles hatte nie existiert. Die Menschen betrachteten ihn hier nicht feindselig, sondern beharrlich. Der dicke Dunst einer weiteren Wokstation umnebelte ihn. Er sah an sich hinunter, aber er konnte sich nicht ins Gesicht sehen.

Er bog erneut ab und stand plötzlich vor der hohen, rechtwinkligen Filiale einer Supermarktkette. Er war wieder in der Großstadt. Er hätte nicht sagen können, wie er aus der einen Welt in die andere gewechselt war. Er lief verwirrt ein Stück die Straße hinab, hielt ein Taxi an, reichte dem Fahrer die Adresse des Hotels und lehnte sich zurück.

Nach jenem Abend im Restaurant wusste er nicht mehr, ob ihn China umgab oder nur sein Bild von China. Der Himmel war ein weißes Loch. Der Baulärm hing überall in der Stadt. Die nächtlichen Gespräche auf dem Flur klangen harsch, wie Razzien oder Festnahmen. Frühmorgens die lauten Schläge gegen die Tür nebenan. Drei Tage musste Kurt Tietjen warten, bis ihn ein Zug nach Schanghai zurückbrachte. Es konnte sein, dass er in einem Schaufenster ein aufgeschlitztes Schwein gesehen hatte, hellrot und grinsend. Es konnte ebenso gut nicht sein.

XIV

Sie kommen an und sehen nichts von der Stadt, Luise, Sie sehen einfach durch sie hindurch.

Wenige Tage vor Luises Asienreise trafen sie sich zu einem jener Abendessen im Essener Hof, bei dem zwischen den Gängen die Einflussbereiche der Stadt abgesteckt wurden. Luise saß neben einem Bekannten von Werner, der für einige Tage aus New York angereist war, Kiesbert, ihr solltet euch unterhalten, hatte Werner in seiner jovialen, aber bestimmenden Art gesagt, und Luise hatte sich neben seinen alten Freund gesetzt, dessen Atem nach Vergorenem roch.

Wenn Sie nur drei Tage fahren, sollten Sie sich die Stadt gar nicht erst ansehen, das verwirrt nur. Sehen Sie einfach durch alles hindurch, und wenn Sie im Taxi fahren, sehen Sie nicht aus dem Fenster, am besten, Sie dösen ein wenig, dann kommen Sie auch mit der Zeitumstellung besser zurecht.

Väterlich klopfte er ihr auf die Schulter, in seinem Blick war kein Begehren, eher Wohlwollen, er schien ihr sagen zu wollen: Sie machen das schon, oder mehr noch: Passen Sie auf sich auf. Alles an ihm war väterlich, seine Ruhe, sein Appetit, seine Allwissenheit, sein Mundgeruch, sein Leibesumfang.

Der Kellner, den Werner seit Jahren kannte, brachte ihnen den üblichen Wein. Sie lebten in einer Welt, in der alles möglich war, und sie konnten diese Welt einfach gegen eine andere eintauschen, wenn sie ihnen nicht mehr gefiel, so jedenfalls fühlten sie sich, so fühlte sich Werner, so hatte sich auch Kurt, auf seine Art, gefühlt. Und dann betrat, eine Stunde und zwei Gänge später, Krays das Restaurant.

Er setzte sich nicht, sondern blieb vor ihnen stehen, beugte sich vor, die Fäuste auf den Tisch gestützt, er sprach hastig und ließ Luise dabei nicht aus den Augen. Gerade habe er mit seinem Bekannten Winter gesprochen, erklärte Krays. Die Organisation Kleider ohne Not plane eine Kampagne gegen die deutsche Frottee-Industrie, und neben Schermerhorn und der BFAG hätten sie auch Tietjen und Söhne im Visier. Nicht bloß eine kleine Demo, sagte Krays. Plakate, Anzeigen, Petitionen. Am liebsten würden sie uns ganz verbieten.

Aber Krays, beruhigen Sie sich, rief Werner. Was sind das denn für Leute? Die haben doch keinen Einfluss. Das sind Studenten, die es in ihrem Leben zu nichts bringen werden. Die sollten sich lieber um ihren eigenen Kram kümmern als um Dinge, von denen sie nichts verstehen.

Werner, Sie unterschätzen das. Natürlich können sie uns nicht verbieten lassen, aber es könnte teuer für uns werden. Wir haben lange genug hier herumgesessen und Carpaccio in uns hineingeschaufelt, wir können nicht bis in alle Ewigkeit vor uns hin siechen, sonst geht irgendwann alles den Bach runter. Wir müssen etwas unternehmen, solange das noch möglich ist.

Genau das tun wir doch, mein Lieber, wir bewegen uns, erklärte Werner und ließ die Gabel in der Luft kreisen. Er und Kiesbert begannen zu lachen. Es amüsierte sie, wie

Krays herumzappelte, ein Fisch, der den falschen Haken geschluckt hatte.

Es reicht nicht mehr, nur mit den Gewerkschaften zu sprechen. Wir müssen auch die NGOs ins Boot holen, sagte Krays. Auch wenn es uns nicht passt.

Ich will sie nicht im Boot haben, und ich brauche sie auch nicht, entgegnete Werner kühl. Sie, Krays, können mit den NGOs gern eine Paddeltour über den Baldeneysee machen, wenn Ihnen danach ist. Ich esse mein Carpaccio. Aber setzen Sie sich zu uns, Krays, hören Sie sich an, was Luise erreicht hat, vielleicht bringt Sie das zur Ruhe.

Vor wenigen Tagen hatte Luise sich mit Lennart Wenzel getroffen, im selben Restaurant, in dem sie schon einmal gemeinsam zu Abend gegessen hatten. Er war verfrüht erschienen, saß bereits am Tisch, als sie eintraf, sein Anzug in einem stillen, dunklen Blau, gut geschnitten. Er behandelte sie zuvorkommend, rückte ihr den Stuhl zurecht, ob sie eine gute Woche gehabt habe, fragte er und legte sein Mobiltelefon diesmal nicht auf den Tisch. Auch Luise war vornehm gekleidet, ein dekolletiertes Kleid, sie trug feinen Schmuck, und Wenzel hörte ihr aufmerksam zu, faltete die Hände vor sich auf der Tischplatte und nickte zu allem, was sie sagte. Er musste aufmerksam sein, musste ihre Hand nehmen, wenn Luise sie ihm hinhielt, und sie hielt sie ihm hin, Luise hatte begriffen, dass er es sich nicht mehr leisten konnte, unhöflich zu sein. Ihm ging es nicht um das Halbschlingenverfahren, nicht um das Geld, das sie von ihm wollte, ihm ging es nur darum, dass er sein Mandat behielt.

Luise erzählte, wie gut sich das Halbschlingenverfahren für nachhaltige Produktion nutzen ließ, flocht eine Anekdote ein, ein Missgeschick kurz vor einer Flugreise nach Bayreuth. Ihre Sekretärin hatte das Ticket telefonisch gebucht, und als Luise bereits im Taxi zum Flughafen saß, las sie, dass es nach Beyrouth ausgestellt war, sehen Sie, so schnell kann es gehen, und wenn Sie nicht aufpassen, landen Sie im Libanon.

Sie lachte und Lennart Wenzel lachte auch. Luise Tietjen ging es nicht um die Gelder, die sie mit Wenzels Hilfe bekommen würde, sie wollte von ihm die Bestätigung, dass er sie als Frau begehrte. Ihre Mutter hatte sich immer an Luises Misserfolgen bei Männern geweidet. Carola mochte keine Konkurrenz, und eine Tochter, die erwachsen wurde, während die Mutter selbst alterte, drohte eine ernst zu nehmende Konkurrentin zu werden. Aber ihre Mutter irrte sich, dachte Luise, sie war nicht an Krays gebunden, sie saß im besten Restaurant der Stadt, Lennart Wenzel gegenüber, trank Wein mit ihm, sah ihm ins Gesicht, und er wich ihrem Blick nicht aus, auch sie hatte eine Wirkung auf Männer, und Lennart Wenzel hatte keine Wahl.

Am Tag nach dem Abendessen im Essener Hof telefonierte Luise mit einem Vertragspartner in China, Herrn Dao, er sprach ein tanzendes, gewichtslos klingendes Deutsch. Er würde sich um alles kümmern, versprach er. Seine Fürsorge umschloss Luise beinah mütterlich, er wusste, wie jung sie war.

Sie dankte ihm, er versicherte sich noch einmal, ihre Flugnummer richtig notiert zu haben, er würde sich um alles kümmern, doch das würde nichts mehr ändern, die Verträge mit Dhaka waren längst vorbereitet worden.

Luise musste nach China reisen, um mit möglichst geringem Verlust die laufenden Verträge zu lösen, Tietjen und Söhne würde das Land verlassen, das stand fest, und man musste niemanden beschenken, auf den man nicht mehr angewiesen war. Luise war an Auflagen gebunden, sie musste das Geschäftsziel für dieses Jahr erreichen, sie musste einsparen. Der Markt war stärker und größer als sie.

Auf zwanzig Entlassungen hatten Krays und Luise sich in diesem Quartal geeinigt, auch auf sie, Lotte Bender, das heißt, geeinigt hatten Krays und Luise sich in ihrem Fall nicht, Luise hatte ihren Namen auf die Liste gesetzt, ohne Krays in die Entscheidung einzubeziehen. Luise konnte nicht sagen, dass sie sich Lotte Bender ausgeguckt hätte, nein, das nicht, sie mussten entlassen, und Krays' Liste war nicht überzeugender als ihre, also legte sie einige von seinen und einige von ihren Namen zusammen, darunter auch Bender. Luise hatte Krays gebeten, es Lotte Bender auszurichten, er hatte sich geweigert. Luise hatte es ihm befohlen, aber er hatte sich weiterhin geweigert, und so hatte sie ihm den Brief mit den Worten in die Hand gedrückt, wenn er ihn ihr nicht gebe, würde sie es tun, und ob er das wolle, ob er so hartherzig sei.

China war heiß und grün, die Bäume an der Straße geschmückt mit goldenen und roten Bändern, die ganze Stadt im Taumel, nur an ihren Rändern, auf der anderen Seite des Flusses, torkelten magere Hühner über Lehmstraßen. Ein Telefon stand verlassen auf einem Sims, ein roter Siemensapparat mit Wählscheibe. Auf einem Laster schlief in der Mittagsglut ein Mann zwischen Zuckerrohr und Bananen, es schien, als habe er alle Zeit der Welt. Vermutlich bekam er in der Nacht kein Auge zu, weil die Hütte nicht genügend Platz bot für die ganze Familie, dachte Luise und wandte den Blick ab, was wusste sie schon. Sie hatte nie den Anspruch besessen, die Welt zu verstehen, sie wollte nur nicht in ihr untergehen. Sie würde Geschäfte machen, sie würde investieren und wieder investieren, das war das sicherste Mittel, um lebendig zu bleiben. Wer investierte, war nicht tot.

Hier könnte ein Fabrikgelände entstehen, billiges Land, aber nicht billig genug, zudem mit einer Infrastruktur aus dem vorletzten Jahrhundert. Nein, es hatte keinen Sinn, die letzten billigen Flecken hier waren nicht ohne Grund billig, man hatte ihr das vorab gesagt, nun hatte sie sich ein eigenes Bild gemacht, es war gut, die Tatsachen zu kennen, das verschaffte ihr Respekt. Immerhin war sie beweglich genug, in die entlegenen Ecken der Welt zu reisen, während die Vorstandsmitglieder bei Schermerhorn vom jahrzehntelangen Warten auf die Quartalszahlen dick und aufgedunsen in ihren Ledersesseln saßen und schon beim Öffnen des E-Mail-Programms ins Schnaufen gerieten.

China, natürlich, war vorbei, die Arbeitskräfte kosteten zu viel und das Land nahm sich selbst zu wichtig, eine untragbare Kombination. In der heruntergekommenen Fahrraddroschke ließ Luise sich zum Fähranleger zurückbringen. Auf der anderen Seite sah sie die Türme der Metropole, hier war Provinz, hier waren die sechziger Jahre, und vermutlich kam auch Mao noch ab und an auf eine Zigarette vorbei.

In fünf Jahren oder schon in fünf Monaten würde all das hier unter einer dicken Schicht aus Bürohäusern, Universitätskomplexen und Fabriken verborgen sein. In Zentralchina stellte man Millionenstädte ins Nichts und wartete darauf, dass die Menschen kamen. Natürlich musste man vorsichtig sein, ein florierendes Land verschlang fremdes Kapital. Schermerhorn hatte sich nach Bangladesch verlagert, auch die Tietjens würden nach Bangladesch gehen, was sollten sie noch in China? Luise würde Schermerhorn nicht das Feld überlassen.

Die Fähre legte an, über den wackeligen Steg balancierte Luise zurück an Land. Sie war erleichtert, wieder im westlichen China zu sein, Nachrichten trafen auf ihrem Telefon ein, drüben, auf der anderen Seite des Flusses, hatte sie keinen Empfang gehabt. Sie ging die Nachrichtenliste durch, Krays, Werner, eine Kollegin aus Frankreich, mit der sie zum Abendessen verabredet war, zwei Geschäftspartner aus Bangladesch, die sie treffen würde, wenn sie aus China endlich fortkam. Ihre Sekretärin schickte einen Zeitplan für die nächste Woche, das Interview mit der Zeitung würde endlich stattfinden, Luise war zufrieden. Von ihrem Taxi aus sah sie auf die Werbefilme, die an den großen Kreuzungen gezeigt wurden. Chinesinnen hielten Maggi-Suppen in die Kamera, ein Paar fuhr in einem Kabriolett, ein Glatzkopf verlas Nachrichten. Neben den Bildern liefen Schriftzeichen über den Bildschirm, Luise genoss es, sie nicht zu verstehen, es nahm ihr die Sorge, sich auch um das kümmern zu müssen, was außerhalb ihrer Arbeit geschah.

Im Hotel richtete man ihr an der Rezeption aus, Herr Dao habe sie sprechen wollen. Sie rief ihn zurück, es war, wie sich herausstellte, nichts Dringendes, nur eine Geste der Gastfreundschaft. Er lud sie zu einer Besichtigung der Textilfabrik bei Nanjing ein, sie sagte unter Einhaltung aller ortsüblichen Höflichkeiten ab. Großes Bedauern auf seiner Seite, aber nein, aber sie sollten, aber wie schade, ihr war es gleich, ob er ihre Ausreden durchschaute oder nicht, sie würde hier bald fort sein.

Danach telefonierte sie mit Krays, der in Essen alles am Laufen hielt. Er nahm in letzter Zeit noch mehr Arbeit auf sich, als sie ihm zugetraut hätte, dabei hatte sie ihm immer viel zugetraut, und nur, weil er gezögert hatte, Lotte Bender die Kündigung mitzuteilen, konnte sie ihm nicht ihr Vertrauen entziehen. Das wäre unprofessionell, und Luise Tietjen wollte über den Dingen stehen. Krays traf Entscheidungen, die sich bewährten, und Luise hielt an ihm fest, weil sie wusste, dass sie keine andere Wahl hatte. Vielleicht würde sie ihm eines Tages einen Antrag machen. Es war ja nicht undenkbar, jemanden zu heiraten, den man nicht liebte, von dem man zumindest nicht sagen würde, dass man ihn liebt. Viel fataler war es, jemanden zu heiraten, für den man Leidenschaft empfand, denn solche Menschen lösten sich auf, kaum war der Ehevertrag unterzeichnet. Da war Krays die bessere Wahl. Krays war das Beste, was ihr bislang passiert war, und weil sie sich Träumereien verbat, ging sie davon aus, dass sie nicht mehr zu erwarten hatte.

Luise wohnte im Jinling, dem besten Hotel der Stadt. Unter ihr eine breite Straße. Weiter südlich das Geschäftsviertel, Shoppingmalls, Luxuskaufhäuser. Gucci, Chanel und

Prada sahen an chinesischen Modellen noch besser aus. Am Abend traf sie sich mit Kollegen aus Deutschland, Belgien und Frankreich beim Stammtisch in einer der unzähligen Seitenstraßen hinter der Universität. Es wurde Braten und Sauerkraut gereicht. Das Restaurant hatten zwei Niederländer eröffnet, die verstanden, dass sich das deutsche Essen besser verkaufen würde als das ihrer Heimat, wer wusste hier schon, was die Niederlande waren.

Die anwesenden Deutschen, ein junges Paar und zwei Männer mittleren Alters, pendelten seit Jahren zwischen China und Europa, blieben ein paar Monate hier, ein paar Monate dort, sie arbeiteten für ein großes Unternehmen, das deutsche Haushaltsgeräte für den chinesischen Markt produzierte.

In China sei man ganz verrückt nach deutschen Haushaltsgeräten, da sie langlebiger und nicht so störungsanfällig waren wie die chinesischen, erklärte Keuner, einer der Deutschen, der hier seit drei Jahren festsaß.

Dass Keuner nie wieder nach Deutschland zurückkehren konnte, erzählte sein Kollege ihr hinter vorgehaltener Hand. Sie haben ihn bei uns längst abgeschrieben, flüsterte er Luise zu. Vermutlich weiß auch Keuner selbst, dass er nicht mehr zurückkann, wenn er es auch überspielt. Er hasst China, aber in Deutschland würde er sich nicht mehr zurechtfinden, er würde nicht mehr wissen, wohin mit sich. Hier ist er doch gut aufgehoben, er hat sich eingerichtet mit seinen Hasstiraden und seinen Überlegenheitsgefühlen.

Neben Luise saß Mademoiselle Poinette, eine pedantisch aussehende junge Frau. Sie versuchte Luise für eine Kooperation in Shengzuo zu begeistern. Luise stimmte ihren Vorschlägen unverbindlich zu und wusste, dass Mademoiselle bald wieder von der Bildfläche verschwunden sein würde. Zu sagen hatte sie in ihrem Konzern sicher nichts, dafür redete sie zu viel.

Später stieß W. W. zu ihnen. Luise kannte ihn von früher. Als sie klein gewesen war, hatte er neben ihrem Vater in der Geschäftsführung der Firma Tietjen gesessen. Für sie hatte er damals nur aus buschigen Augenbrauen bestanden, und jetzt tauchte er plötzlich wieder auf, ein Gespenst aus einer untergegangenen Zeit. Seine Augenbrauen wucherten immer noch üppig, doch sein restliches Gesicht wirkte gelassen, beinah erhaben, ein Mensch, der wusste, dass er die Aufmerksamkeit auf sich zog. Er versuchte mit ihr zu flirten, was ein wenig albern war, und er unterließ es, als er begriff, wer sie war.

Luise, Sie machen das ja ganz ausgezeichnet, ich höre nur Gutes über die Firma und Sie.

Einen Moment lang fühlte sie sich erhitzt, sie spürte Stolz in sich aufkommen, doch sie bekam sich schnell wieder in den Griff. W. W. wusste, was er tat, Lob machte bestechlich, und wer bestechlich war, wurde angreifbar.

Nun sagen Sie, Ihr Vater ist noch immer in den Staaten? Tatsächlich? Sehen Sie, das gehört sich nicht für einen Mann in seiner Position. Aber es ist, wenn ich so offen sein darf, vermutlich das Beste für die Firma. Jedenfalls sehe ich, dass Sie uns wieder Konkurrenz machen. Das hat die Firma unter Ihrem Vater jahrelang nicht geschafft.

Luise lächelte höflich. W. W. war stärker als sie, stärker als Krays, stärker als sie alle zusammen. Sie konnte nur gewinnen, wenn sie unterhalb seiner Augenhöhe blieb. Wenn er sie unterschätzte, hatte sie möglicherweise eine Chance.

Sehen Sie – er wies mit der Stirn auf die Umsitzenden und senkte seine Stimme –, manche glauben ja nach wie vor, dass hier noch was zu holen ist. Das mag im Prinzip sogar stimmen, nur muss man dafür mehr Geschick mitbringen, als diese Leute hier besitzen. In China grast man nicht mehr so einfach die Rendite ab wie noch vor ein paar Jahren. Aber Sie, Sie sind sicher nur wegen der letzten Abwicklungen hier, so ist es richtig. Na ja, W. W. lachte, Sie hatten auch keine andere Wahl, was? Die Region hier ist für Tietjen und Söhne verbrannte Erde. Genau genommen ist ganz China verbrannte Erde, der Kunde in Deutschland kann doch keine Provinz von der anderen unterscheiden. Sie sollten sich die Sehenswürdigkeiten ansehen, dann bekommen Sie vielleicht einen Überblick. Sie sind ja noch jung.

Er tätschelte ihre Hand, gutmütig beinah und dennoch herablassend.

Sie werden das schon hinbekommen. Werner haben Sie offenbar im Griff. Und die Geschäfte auch. Ihr Vater hat sich hier einen ganz hübschen Skandal geleistet. Ich war erstaunt, wie gut er aus der Sache wieder herausgekommen ist. W. W.s Brauen senkten sich, als wollten sie seine Augen verschlucken und Luise wünschte sich, es möge tatsächlich geschehen und seine ganze gespenstische Präsenz verschwände von diesem Ort.

Das macht man nicht, erklärte er, Schmiergelder sind immer eine hässliche Sache, und bei hässlichen Sachen lässt man sich nicht erwischen. Er hat uns ein Geschäft weggeschnappt, aber im Endeffekt haben wir profitiert, so sind wir früher nach Bangladesch gekommen. Sie wissen sicherlich, wie es in der Fabrik zuging, in der er produzieren ließ. Da hätte nur mal ein Journalist genauer hinschauen müssen. Wenn ich mich recht erinnere, hat sich dort einer der Arbeiter sogar in den Tod gestürzt. Kommt vor, natürlich. Ihr Vater will von alldem nichts gewusst haben. Und wissen Sie was, ich nehme es ihm mittlerweile sogar ab, er war doch arg mitgenommen am Ende.

W. W. griff nach Luises Glas und trank die letzten Schlucke daraus.

Wissen Sie, dass es Ihre Firma eigentlich gar nicht mehr geben sollte? Es war alles vorbereitet für die Übernahme durch Schermerhorn, und dann ist Kurt nach Amerika, und wir haben ihn nicht mehr zu fassen gekriegt. Er konnte den Gedanken wohl nicht ertragen, sich von Schermerhorn schlucken zu lassen. Und wissen Sie was? Ich verstehe ihn. Ich würde Ihren Vater im Zweifelsfall sogar schützen. Alte Bekannte lässt man nicht vor die Hunde gehen. Ich habe meine Prinzipien. Und Ihr Vater hatte sie auch. Er hat nur den Überblick verloren. So was passiert. So was kann gefährlich werden, aber es passiert. Und was ist mit diesem Herrn Krays?

Krays?, wiederholte Luise mechanisch, das Gespräch war von ihr weggerückt. Nie wäre sie auf die Idee gekommen, dass die Firma von Schermerhorn geschluckt werden sollte. Sie dachte an Werner und daran, dass es ihm gelungen war, ihr das zu verheimlichen, und sie fragte sich, ob sie ihren Onkel unterschätzte.

Verständiger Mensch, Ihr Herr Krays, sagte W. W. Ich habe einige Male mit ihm gesprochen. Ich glaube, Sie können zusammen wirklich etwas auf die Beine stellen. Sie machen gute Arbeit, Luise. Ich würde gerne sagen, dass Ihr Vater stolz auf Sie wäre, aber das bezweifle ich leider. Sie sind viel zu gut für ihn.

W. W. verabschiedete sich früher als der Rest der Gruppe, auch Luise wäre gern schon gegangen, wollte aber als Jüngste in der Runde kein Aufsehen erregen. So saß sie noch fast zwei Stunden still zwischen ihren Kollegen und beantwortete unauffällig die Nachrichten auf ihrem Mobiltelefon.

Hinter unserem Rücken lachen sie uns aus, erklärte Luises Nachbar, der nach W. W.s Abschied zu ihr aufgerückt war. Er stieß sein Knie wie zufällig gegen ihres, sie war zu müde, um ihn zurechtzuweisen.

Was China stark macht, erklärte einer, das sind die Menschen, die treten als Masse auf. Nicht so wie bei uns. In Europa will jeder sein eigenes Leben erfinden.

Lass die Chinesen erst mal den Individualismus entdecken. Dann läuft hier alles aus dem Ruder.

Das wird nicht geschehen, wegen Konfuzius, behauptete ein Deutscher.

Sie werden uns überholen, ganz gewiss, sagte ein Franzose.

Sie haben uns längst überholt, stellte ein Belgier fest.

Sie können ganz Europa aufkaufen, wenn sie nur wollen. Und über kurz oder lang werden wir darum betteln, dass sie es tun.

Ich lasse mir mein Haus nicht von denen wegkaufen, erklärte Keuner, der schon seit Jahren sein Haus in Deutschland nicht mehr betreten hatte. Sein Gesicht hatte sich im Verlauf des Abends rot verfärbt, er pochte mehrmals mit dem Bierglas auf den Tisch, legte dann, mit einem ernsten, fast heroischen Gesichtsausdruck, den Kopf zurück und trank das Glas leer.

Ach ihr Deutschen, rief ein Franzose vom anderen Ende des Tisches herüber, ihr wollt nie was hergeben. Am liebsten hättet ihr auch euren Kaiser Wilhelm nicht hergegeben, ihr hängt doch immer noch an ihm.

Aber la grande nation!, rief der Deutsche und fügte etwas in einem Gemisch aus Deutsch und Französisch hinzu, das niemand verstand, und vermutlich war es auch besser so.

Stumpf und trunken hackte die kleine Gesellschaft aufeinander ein. Luise bestellte einen Rotwein und stieß mit sich selbst auf die Runde an. Es war gut, eine Konkurrenz zu haben, die sich beständig um sich drehte. Es ging darum, zu überleben, und Luise wusste, dass man dabei am besten unauffällig blieb und sich den Gegebenheiten fügte. Man musste sich in das Spiel hineinwerfen, anstatt ängstlich an seinem Abgrund zu stehen.

Aber was heißt das für uns, fragte ein junger Franzose. Soll man nun schnell aus diesem Land raus oder soll man bleiben?

Das weißt du nicht?, fragte einer der Belgier belustigt. Dann hoffe ich, dass deine Firma es weiß. Wenn ihr keinen Plan habt, wie mit China umzugehen ist, dann seid ihr weg, schneller als du glaubst, nicht nur aus China. Also wenn ihr das nicht wisst –

Kennt ihr noch den alten Sowjetwitz?, unterbrach ihn

sein Kollege. Die Russen landen auf dem Mond und malen ihn rot an. Was machen die Amerikaner? Sie schicken zwei Astronauten hinterher und lassen mit weißer Farbe Coca-Cola daraufschreiben.

Die Amis haben doch gar kein Geld mehr für so viel Farbe, warf Luises Nachbar ein.

Und was machen die Chinesen?

Die Chinesen bauen den Mond nach, malen ihn rot an, schreiben Coca-Cola drauf und verkaufen ihn zum halben Preis.

Einige Belgier lachten, ein Franzose orderte die Rechnung.

Draußen hing die Luft stickig und dumpf in den Straßen. Während die kleine Gruppe über eine Prachtstraße lief, unterhielten sie sich über die europäische Krise, die natürlich ihre jeweilige Firma nicht im Geringsten tangierte.

Man müsse Europa als Familie verstehen, erklärte Mademoiselle Poinette vehement. In einer Familie halte man zusammen.

In einer Familie betrügt man aber auch nicht, wandte Keuner ein.

Betrug? Was meinen Sie damit? Ich wüsste nichts von einem Betrug. Ich sehe nur, dass jemand seine Angelegenheiten nicht so geregelt bekommt, wie er es sollte. In einer Familie hält man zusammen, auch in schlechten Zeiten, beharrte Mademoiselle.

Luise ging zwischen ihnen, ohne etwas zu sagen. Der Vergleich war natürlich unsinnig, so naiv konnte niemand sein. Familien hielten nur zusammen, wenn sie keine andere Wahl hatten. Es gab Eltern, die ihre Kinder enterbten, es gab Kinder, die sich mit ihren Geschwistern noch um den letzten Löffel aus dem Tafelsilber stritten. Es gab Erbschaftskriege, es gab Intrigen, es gab schwarze Schafe und verlorene Söhne. Wenn Europa eine Familie war, dann gute Nacht.

»Wir müssen handeln.«

Vor einem Jahr übernahm Luise Tietjen die Geschäftsführung des Frotteeunternehmens Tietjen und Söhne. Einen ersten Coup konnte sie bereits landen: Ihre Firma wird exklusiver Zulieferer von Bloomingdale's New York.

Linkes Bild: Erfahrung, frischer Wind und ihre Liebe zur Familientradition. Luise Tietjen im Gespräch mit der Rheinischen Post. *Rechtes Bild:* Schweres Erbe. Ihr Vater Kurt Tietjen im Landgericht Essen.

RP: Frau Tietjen, Sie sind mit siebenundzwanzig Jahren die jüngste Geschäftsführerin auf dem deutschen Textilmarkt. Fühlen Sie sich der Aufgabe gewachsen?

Tietjen: Ich bin mit dem Geschäft aufgewachsen, habe das Handwerk von der Krippe auf gelernt. Ich habe mich schon immer für die Abläufe in unserer Firma interessiert. Natürlich hätten wir problemlos eine andere Person für den Posten gewinnen können. Fakt aber ist, dass die jetzige Besetzung für das Unternehmen ideal ist. Wir wollen, dass unsere Produkte wieder für eine junge Zielgruppe attraktiv werden, dafür ist es wichtig, dass auch die Firmenleitung jung besetzt ist. Zudem gibt es neue ökonomische und insbesondere ökologische Herausforderungen, auf die, wie ich glaube, meine Generation schneller reagieren kann. Mein

Onkel und ich hielten es für wichtig, auch in der Leitungsebene zu zeigen: Wir sind ein junges Unternehmen mit starken Traditionen.

RP: Nachhaltigkeit, der bewusste Umgang mit Ressourcen und das kritische Hinterfragen von Arbeitsbedingungen ist Teil Ihrer neuen Strategie. Wie macht sich das bemerkbar?

Tietjen: Nachhaltigkeit und Wertebewusstsein lässt sich für uns nicht mehr vom Begriff der Qualität trennen. Wir wollen sicher sein, dass Kleidung in einer nachhaltigen Weise produziert wird. Wir kümmern uns um soziale Probleme ebenso wie um Umweltaspekte – das liegt uns sehr am Herzen. Alle Unternehmen sollten sich verantwortlich fühlen und nachhaltig handeln. Die ökologischen Probleme sind weltweit einfach zu groß, wir müssen handeln.

RP: Wie reagieren Sie auf Veränderungen des Marktes?

Tietjen: Wir verstehen uns als Scharnier zwischen Markt und Konsument. Die steigenden Baumwollpreise beispielsweise haben wir nicht an unsere Kunden weitergegeben. Wir haben selbstverständlich alles dafür getan, ein attraktives Preisniveau für unsere Produkte beizubehalten. Der Kunde kann nicht der Leidtragende von Teuerungen auf dem Rohstoffmarkt sein, da muss es andere Lösungen geben.

RP: Beeinflussen die steigenden Baumwollpreise die Art und Weise, wie Sie Textilien produzieren lassen? Experimentieren Sie mit anderen natürlichen Materialien und verwenden Sie mehr Kunststofffasern als bisher?

Tietjen: Wir investieren immer mehr in nachhaltige Materialien. Aber allein wegen des Baumwollpreises werden wir nicht auf andere Materialien umsteigen. Wenn der Kunde Baumwolle will, dann wird er Baumwolle bekommen.

RP: Welche Lösungen haben Sie?

Tietjen: Das Tietjen'sche Halbschlingenverfahren, das wir bereits verwenden und permanent auf den neuesten Stand bringen. Dieses Verfahren stellt sich bereits jetzt als absoluter Marktvorteil heraus.

RP: Ist dies auch einer der Gründe, weshalb sich eine der bekanntesten amerikanischen Kaufhausketten für eine Kooperation mit Tietjen Frottee entschieden hat?

Tietjen: Sicherlich war die Halbschlinge ein Pluspunkt für uns. Aber die Firma Tietjen hat weit mehr zu bieten: Mut zur Innovation, Wertarbeit und eine einhundertjährige Tradition. Erfahrung und frischer Wind, dafür steht Tietjen Frottee heute.

RP: Frau Tietjen, Ihr Vater ist in der Vergangenheit durch gerichtliche Prozesse in Erscheinung getreten, in denen er gegen die eigene Firma vorging. Als Unternehmer blieb er hingegen blass. Konnten Sie von einem solchen Mann lernen?

Tietjen: Selbstverständlich. Mein Vater hat das Unternehmen durch eine schwierige Periode hindurch geführt. Er war stets bemüht, das Richtige für die Firma zu tun. Er hat nicht immer die richtigen Entscheidungen getroffen, das gebe ich zu. Aber nur so lässt sich das Bewusstsein für die Gefahren des Marktes schärfen. Ich verdanke meinem Vater sehr viel.

RP: Frau Tietjen, ich danke Ihnen für das Gespräch.

XV Kurt Tietjen wusste, dass er die Kontrolle über sich verlor. Er wusste es seit jenem Nachmittag im März, einige Monate, nachdem er von seiner Reise aus China zurückgekehrt war, vielleicht hatte er es zuvor geahnt, aber er hielt nichts von Ahnungen, bis zu jenem Nachmittag im März hatte er nichts von Ahnungen gehalten. Er hatte auch nichts von Ärzten gehalten. Ein Tietjen war nicht krank, ein Tietjen war da oder nicht und gab sich mit keinen halben Sachen zufrieden.

Er steckte mitten in den Vorbereitungen zu einem neuen Produktionslauf, als etwas auf seine Papiere tropfte. Er blickte hinauf zur Decke, konnte jedoch nichts erkennen, das Wenden des Kopfes verursachte ihm Schwindel. Mit einer Hand hielt er sich an der Stuhllehne fest und tastete mit der anderen nach seiner Stirn, die sich feucht und kalt anfühlte. Die Tropfen waren aus seiner Haut gesickert, die Schläfen hinuntergeronnen, aufs Papier getropft. Er lehnte sich auf seinem Stuhl zurück, versuchte ruhig zu atmen, aber das Atmen selbst fiel ihm schon schwer. Vor seinen Augen drehte sich alles, er schloss die Augen, das machte es nur schlimmer.

Wie er in die Praxis gekommen war, wusste er nicht mehr. Später fand er einen Taxibeleg in seiner Jackentasche, er hatte, obwohl kaum noch zum Sprechen fähig, sich eine Quittung für das Finanzamt ausstellen lassen.

Kurt saß zusammengesunken auf der Lederbank von Doktor Reuter. Er hatte sich von der Sprechstundenhilfe umgehend in eines der Behandlungszimmer bringen lassen, wollte nicht gesehen werden, nicht von anderen Patienten, nicht von der Arzthelferin, am liebsten nicht einmal von Doktor Reuter selbst. Wer zum Arzt ging, zeigte Schwäche, nein, dachte Kurt, er hatte es eigentlich nicht nötig, hier zu sein.

Kurt atmete schwer. Seine Arterien waren verengt. Der schlanke, hochgewachsene Kurt Tietjen hatte seit einigen Monaten ein aufgeschwemmtes Gesicht, einen breiten Nacken, einen weichen Leib. Kurt, der sich mehr als fünfzig Jahre gesund ernährt hatte, gedünstetes Gemüse, mageres Fleisch, Schonkost, hatte nach seiner Rückkehr aus China begonnen, all das wahllos in sich hineinzustopfen, was er sein Leben lang entbehren musste: Imbissfleisch, Frittiertes und zum Nachtisch Buttercreme.

Reuter untersuchte ihn mit zunehmend unheilvollen Instrumenten, zuerst hatte er nur die weiche Schlaufe eines Pulsmessgerätes um Kurts Arm gelegt, am Ende hingen Kabel von Kurts Brust, und eiskalte Noppen waren auf seine Haut geklebt.

Ob es Herzinfarkte in seiner Familie gebe?

Nein, antwortete Kurt harsch, als hätte Reuter ihm einen Vorwurf gemacht. Er dachte nicht an seinen Vater, der an einem sonnigen Novembertag zusammengebrochen war. Er dachte überhaupt nicht, sah nur die glänzenden Instrumente vor sich liegen, eine kleine, feindliche Armee, die weiter gegen seinen Körper zu Felde rücken würde, wenn er die falschen Antworten gab.

Wir werden Sie ins Krankenhaus einweisen müssen. Ich gehe davon aus, dass wir Ihnen eine oder auch mehrere Gefäßstützen setzen müssen.

Wozu?, fragte Kurt. Er fröstelte, blickte an sich herunter, auf die Metallpfoten an seiner Brust. Er wollte nicht länger an einen fremden Kreislauf angeschlossen sein, dessen Funktion er nicht durchschaute.

Damit Sie uns noch lange erhalten bleiben, antwortete der Arzt.

Ihnen? Was läge Ihnen denn daran, Herr Reuter?

Ihrer Familie. Der Firma.

Kurt fuhr sich über die Stirn, die wieder trocken, aber noch immer eiskalt war, blickte aus dem Fenster, vor dem eine Birkenkrone im Sonnenlicht glitzernd zerfiel.

Herr Reuter, würde ich Sie in Schwierigkeiten bringen, wenn ich nicht ins Krankenhaus ginge?

Sie würden vor allem sich selbst in Schwierigkeiten bringen.

Ich befinde mich immer in irgendwelchen Schwierigkeiten, damit kann ich umgehen.

Herr Tietjen, unter uns: Wollen Sie sterben?

Herr Reuter, ich würde gerne leben, aber ich glaube nicht, dass ein paar Metallröhrchen dafür ausreichen.

Nehmen Sie es nicht zu leicht, Herr Tietjen. Der Arzt wandte sich von ihm ab, er hatte sich nur umgedreht, nicht das Zimmer verlassen, aber Kurt fühlte sich mit einem Mal unerträglich allein. Er sah auf die Birkenkrone, dann fühlte er wieder seine Stirn. Kalt wie die Stirn eines Toten.

Wie viele Tage im Krankenhaus denn nötig seien, fragte er.

Das kann ich so nicht sagen, aber es ist für Ihre Gesundheit unerlässlich, dass Sie sich heute noch einweisen lassen. Ich zwinge Sie nicht. Ich stelle nur fest. Wegen der Operation sollten Sie sich keine Gedanken machen, heutzutage ist das ein Standardeingriff, Sie sind ja nicht der Erste, der länger durchhält als seine Gefäße.

Vor der Operation habe er keine Angst, erklärte Kurt, aber er könne den Geruch von Krankenhäusern nicht ertragen, nicht das Essen und schon gar nicht die leidenden Gesichter. Im Übrigen bin ich mir gar nicht sicher, ob ich länger als meine Gefäße durchhalten will.

Herr Tietjen, seien Sie unbesorgt, ein Körper hält selten länger durch als der Wille seines Besitzers. Der Arzt drehte sich wieder zu ihm, legte seine festen, warmen Finger auf Kurts Brust und begann, die Metallstapfen zu entfernen. Wir werden den Eingriff also vornehmen? Das ist richtig, Herr Tietjen, das ist die richtige Entscheidung.

Ja, ja, murmelte Kurt, er sei es langsam leid, die richtigen Entscheidungen treffen zu müssen.

Der Arzt lächelte, fing sich wieder und erklärte in nüchternem Ton: Er dürfe keine stark cholesterinhaltige Nahrung zu sich nehmen, keinen Alkohol, keine Zigaretten, Herr Tietjen, auf keinen Fall Zigaretten!, er solle Stress vermeiden, ebenso Langstreckenflüge, am besten Flüge überhaupt, er dürfe sich nicht aufregen, nicht zu wenig schlafen, aber auch nicht zu viel.

Er habe nie etwas gedurft, sagte Kurt. Ob sein Arzt ihm nicht freundlicherweise jetzt, da es doch ohnehin zu spät sei, zur Abwechslung einmal etwas erlauben könne.

Herr Tietjen, unter uns gesagt, solange Sie nicht tot sind,

ist es für nichts zu spät. Das soll kein Rat sein. Ich stelle nur fest.

Kurt erzählte niemandem davon, weil ihn niemand danach fragte. Seine Frau war beim Friseur gewesen, als er in Doktor Reuters Praxis gesessen hatte, bei der Fitnesstrainerin, als er ins Krankenhaus ging, und als sie ihn an einem der folgenden Abende mit bleicher, im Schein der Esszimmerlichter fast bläulichen Haut antraf, vereinbarte sie umgehend einen Termin mit ihrer Kosmetikerin. Es war eine hilflose Geste, eine egoistische, aber immerhin eine Geste. Seine Tochter reagierte überhaupt nicht. Sie nahm das Abendessen mit den Eltern ein, und dann fuhr sie wieder in ihr Apartment, ohne eine Veränderung an Kurt bemerkt zu haben.

Dachte er an die Tage im Krankenhaus zurück, graute ihm davor, sein Leben noch einmal in die Hand eines Kardiologen zu legen, an Schläuche gesteckt zu werden, die kalt und fremd in seine Venen übergingen. Er wollte die Nervosität seiner Frau nicht mit ansehen und nicht die Gleichgültigkeit seiner Tochter. Er wollte weder das angespannte Warten der Konkurrenz erleben noch Werners Lauern. Er wollte nicht nach der Zukunft der Firma befragt werden, weder von seinem Notar noch vom Nachlassverwalter.

Er wollte an einem Ort sein, wo sich niemand nach seiner Gesundheit erkundigen würde. Wo sich niemand um ihn sorgte, weil niemand auf die Idee kam, dass er überhaupt ein Testament besaß. Er war, wie ihm sein Vater gesagt hatte, für die Firma gezeugt worden, er hatte sein gesamtes Leben für die Firma gelebt. Er wollte nicht auch noch für die Firma sterben.

Du weißt, dass wir uns so nicht rechnen. Also hör auf, mir diesen Unsinn einzureden.

Werners schweres Gesicht senkte sich über einen Teller, auf dem klein geschnittene Rohkost drapiert war, der lächerliche Versuch einer Diät. Sie waren bei W. W. zum Abendessen geladen, zwei Wochen vor Kurts Flug nach New York, in W. W.s aseptisch heller Zweitwohnung nahe des Grugaparks. Kurz hatte W. W. sie allein gelassen, um in der Küche die Aushilfe zurechtzuweisen.

Wenn du meinst, schlauer zu sein als wir alle, sagte Werner, dann schick mir morgen eine Kalkulation in mein Büro. Einstweilen bemühe ich mich um reelle Lösungen. Falls Schermerhorn die Firma Tietjen schluckt, ist das noch das Beste, was uns passieren kann. Die Bank sitzt uns im Nacken, sie sitzt uns seit Monaten im Nacken, und wenn wir nichts unternehmen, bricht sie uns das Genick, ehe wir auch nur einen Euro rübergerettet haben. Du weißt, dass wir in die Insolvenz müssen, und wenn du dich weiter querstellst, werden wir am Ende ohne einen einzigen Cent dastehen.

Kurt schnitt an einem Stück Lamm und antwortete nicht.

Weißt du, manchmal habe ich diese Arbeit auch satt, sagte Werner. Ein Unternehmen zu führen in unserem mit Subventionen gepolsterten Land, in dem jeder glaubt, ein Anrecht auf einen Arbeitsplatz zu haben. Wir haben diese Angestellten zu lange verschont, wir haben unsere eigene

Konjunktur damit geschwächt, weil wir, du und ich, so gute Menschen sind, oder einfach zu feige. Niemand konfrontiert die Leute gerne mit den Tatsachen, und es kommt nie der geeignete Moment, um die Menschen in die Freiheit zu entlassen, das ist das Letzte, wohin sie wollen. Fakt ist, das weißt du so gut wie ich, dass sie schon lange nicht mehr gebraucht werden. Und das Unternehmen Tietjen ebenso wenig.

Müssen wir denn alles wissen?, fragte Kurt.

Wir wissen es halt, sagte Werner und schenkte ihm den restlichen Wein ein. Du spielst den Aufrichtigen, aber in Wahrheit, Kurt, bist du keinen Deut besser als dein Vater. Du bist nur weniger geschickt als er.

W. W. betrat wieder den Raum, eine Dame vom Cateringservice vor sich her treibend, ein dünnes Ding in steifer Kleidung, das ihnen die Kanapees gereicht hatte und, wie W. W. erzählte, auch etwas von Ökonomie verstand. Man bekommt ja nur noch diese studentischen Aushilfen. Nichts Gelerntes mehr. Was soll man machen.

Er lächelte seinen Gästen zu und ließ sich neben Werner auf seinen Stuhl sinken.

Wir müssen schauen, was sich vor der Insolvenz aus dem Firmenbesitz auslagern lässt, erklärte W. W. Ich übernehme Tietjen ja nicht aus Barmherzigkeit, ich möchte meine Gewinne machen und so, wie ihr derzeit dasteht, würde ich keine Gewinne machen, sofern nicht noch ein paar Rüben vom Hänger fallen. Ihr wisst, was ich meine. Noch etwas Wein, Kurt? Wir werden dann alles dingfest machen, wenn du aus New York zurück bist. Zudem will ich, dass die Firma Tietjen endlich ganz aus China weggeht. Es ist notwendig. Man tut sich derzeit keinen Gefallen damit, dort zu produzieren.

Und wie werden wir die Arbeitsbedingungen in Bangladesch rechtfertigen?, fragte Werner.

Da stürzen sich die Leute nicht aus dem Fenster.

Noch nicht.

Weißt du, mir geht es nicht nur ums Image. Wir sind von China abhängig, wir alle, und dem muss man Grenzen setzen. Wer will schon ein Leibeigener sein, du etwa, Kurt? W. W. lachte blechern und hob sein Glas.

Im Flur fiel eine Tür zu, Lennart Wenzel traf ein, Abgeordneter im Landtag. W. W. klopfte ihm auf die Schulter, Werner zwinkerte ihm zu, Wenzel saß im Finanzausschuss. Kurt dachte an seinen Flug nach New York in zwei Wochen, dachte, dass er sie dann für drei, vier Tage alle los sein würde.

Natürlich, wenn das Wirtschaftswachstum zurückgeht, setzen wir unseren Wohlstand aufs Spiel, erklärte Lennart Wenzel mit lauter Stimme. Aber streuen Sie diese Meinung mal unter die Wähler. Wissen Sie, was ich letztens gehört habe? Dass uns eine Rezession guttun würde. Und in so einem Land soll man Politik machen.

Ohne Wachstum sind wir geliefert, natürlich, das werden die Leute schon merken über kurz oder lang.

Wenn es zu spät ist, warf Wenzel ein. Die Leute merken es immer erst, wenn es zu spät ist.

Kurt saß den beiden gegenüber, beobachtete das Mädchen vom Catering, das unruhig mit seinen Ringen spielte, das Lächeln wich nicht aus seinem Gesicht.

Aber sehen Sie, im Rheinland geht es mit dem Wachstum –

Wachstum, was wollen Sie immer mit Ihrem Wachstum, unterbrach Kurt den jungen Abgeordneten. Kennen Sie *Alice im Wunderland*? Da sehen Sie, was passiert, wenn man zu schnell wächst. Sie stoßen mit dem Kopf durchs Dach und stecken fest in Ihrem Gebäude.

Einen Moment sahen die Anwesenden ihn pikiert an. Dann hatte Wenzel sich gefangen, überging den Zwischenfall, als wäre nichts geschehen.

Jedenfalls, Werner, Sie müssen sich die Wachstumsprognosen im Rheinland anschauen, dann haben Sie ein völlig anderes Bild von der Sache.

Kurt Tietjen schnitt sein Lamm.

Gegen Ende des Abends war auch Krays erschienen, er hatte Kurt zugelächelt, ein junger Mann, der meinte, die Welt zu beherrschen. Vor der Haustür parkte Krays' Porsche, der silberne Lack schimmerte in der kläglichen Nachtbeleuchtung. Dass sie alle auf die gleichen Anreize hereinfielen. Ein Porsche war auch nur ein Serienwagen.

Kurt starrte auf die riesigen Augen des Wagens, dunkle Scheinwerfer. Von oben hörte er den Lärm der anderen, aufgeschreckt vom Alkohol. Kurt Tietjen wollte raus, aber man konnte ja nicht aus der Welt fallen, man hatte ja nur die eine, Alternativen waren nicht vorgesehen. Seine Familie stand immer über allem. Warum gelang ihm das nicht? Warum geriet alles zu dicht an ihn heran?

Die Lichter der vorbeifahrenden Autos reflektierten in den Pfützen auf der Fahrbahn. Kurt schwankte leicht. Sie hatten Weißwein getrunken, drei, vier Flaschen, obwohl er Weißwein schlecht vertrug, weil er ihn stets erschöpft wach liegen und seine Gedanken verrücktspielen ließ. Er ging zu

Fuß, um zur Ruhe zu kommen, dem Alkohol die aufputschende Wirkung zu nehmen, natürlich, es würde kaum helfen, ein wenig vielleicht.

Er bog in die kleine Seitenstraße ein, in der einmal eine Freundin von ihm gewohnt hatte, vor langer Zeit, sie hatte ihm nichts bedeutet, aber es hatte sie gegeben, nun ja, es gab sie wohl immer noch, er blickte an den Häusern hinauf, die Fenster waren bereits dunkel. An der Ecke löschte auch das Restaurant seine Außenlichter, eine einzelne Lampe war im Innern eingeschaltet, unter der ein Kellner die Einnahmen zählte. W. W. hatte Kurt gedrängt, ein Taxi zu nehmen, und Krays hatte sogar angeboten, ihn zu fahren. Kurt hatte abgelehnt. Er brauchte den Weg, die paar Schritte bis zu seiner Villa hinauf, er brauchte Ruhe. Er kam an Bänken vorbei, auf denen tags die Alkoholiker saßen und sich das Leben vom Leib soffen. Er hörte das gleichmäßige Schnarchen, sah den Schemen, der dort lag, ein Berg aus altem Gewebe, fettgezecht, mit blitzblanken Venen, Rotwein spülte die Gefäße frei. Kurt ging ein wenig schneller, am Gebüsch vorbei, er hätte die Alfredstraße überqueren können, die zu dieser Uhrzeit kaum befahren war, lediglich einige Laster zogen vorbei, doch er bog ab und folgte dem Weg zur Unterführung.

Das Licht wurde schal. Zu seiner Linken Beton, solide, endlos. Unten, im Schotter, flackerte ein Kerzenlicht, dahinter lag eine Obdachlosenkolonie, erbaut aus Plastiksäcken und Pappe. Er hörte ein Scharren, bemühte sich, keine Geräusche zu machen.

Eine Gestalt in Schwarz hob sich vor dem grauen Betongrund ab, Kurt wusste nicht, woher sie kam, sie war aus dem Nichts aufgestiegen. Ihm war, als bewege sich all der Dreck, der sich unter der Stadt angesammelt hatte, langsam auf ihn zu. Kurt stand da, wagte nicht, sich zu rühren, er würde nicht heil davonkommen, dachte er. Hatte er das verdient? Die Gestalt näherte sich ihm. Kurt roch das Laub, das in den Rinnen moderte, die Feuchtigkeit, er roch das zerschlissene Plastik der Tragetaschen, aus denen die Behausungen gebaut waren, roch den ungewaschenen Stoff eines Wintermantels, er roch all das, auch wenn es möglicherweise nicht zu riechen war, er hätte ein Taxi nehmen sollen, dachte er.

Eine Hand griff ihn am Ärmel, er wollte sich wehren, aber er spürte keinen Widerstand in sich, die Hand riss an ihm, sie würde ihn mit sich zerren, in den Spalt hinein. Dort würde es vorbei sein, dachte Kurt, da unten würde ihn niemand finden, wer suchte schon nach einem Tietjen in einer Pennerkolonie. Vorbei. Endgültig vorbei.

XVI

Die Augusthitze stach durch die Fenster der Firma Tietjen. In zehn Minuten brach die Mittagspause an, aber man hielt besser durch. Es wurde nicht gern gesehen, wenn Arbeit liegenblieb. Luise Tietjen entließ die Mitarbeiter mit einem Fingerschnippen und einem Lächeln im Gesicht. Christina Heller reckte sich, ihr Kreuz schmerzte, die Akten auf ihrem Tisch waren nicht einmal zur Hälfte bearbeitet, sie war langsam, das wusste sie, früher hatte sie es nicht einmal bemerkt, und jetzt hatte sie Angst vor sich selbst, vor ihrer Langsamkeit, gegen die sie nicht ankam, schon gar nicht bei dieser Hitze. Sie beugte sich vor, das Thermometer zeigte 26 Grad, unmöglich, es musste wärmer sein. Die Uhr an der Wand sprang auf zwölf. Man ging besser nicht in die Mittagspause.

Ines Leuschner blieb vor Christinas Schreibtisch stehen. Frau Heller?

Christina reckte sich, sie versuchte, den Rücken durchzustrecken und zu lächeln, hielt sich dabei an der Tischkante fest.

Frau Tietjen wünscht Sie in ihrem Büro zu sehen.

Der Fahrstuhl fuhr viel zu langsam, Christina Heller meinte, keinen Sauerstoff zu bekommen. Ihre Haut fühlte sich taub an. In der dritten Etage stieg ihr Kollege Stefan Baum ein.

Vierter Stock, Christina?

Zur Kaiserin, antwortete sie.

Um diese Uhrzeit? Da kannst du dich auf was gefasst machen.

Christina Heller starrte ausdruckslos auf den Alarmknopf vor ihr.

Am Anfang wirkte Frau Tietjen so verständnisvoll, sagte sie leise.

Ach, verständnisvoll! Sie wollte uns doch nur auf den Prüfstand stellen, meinte ihr Kollege. Deshalb hat sie uns ausgefragt.

Der Fahrstuhl hielt, er klopfte Christina auf die Schulter. Alles Gute, sagte er und eilte davon.

Auf dem Flur wäre Christina Heller beinah mit dem Potemkin zusammengestoßen, der gerade das Büro der Kaiserin verließ. Er nickte ihr zu. Frau Heller.

Herr Krays.

Luise Tietjen wurde von der Sonne beschienen, eine blendende Aureole umgab ihr hochgestecktes Haar. Das Licht überflutete den Schreibtisch, fiel auf Kopierer, Aktenschrank und Stuhl, fraß sich durch das gesamte Zimmer, bis in die hinterste Ecke hinein. Dennoch war es kalt in dem Büro, eisig, die Klimaanlage rauschte.

Es ist alles eine Frage der Motivation, Frau Heller. Da stimmen Sie mir doch zu?

Luise wies mit der Hand auf den Besucherstuhl, Christina Heller setzte sich.

Diese Zahlen, mit denen ich Sie vergangene Woche betraut habe, erinnern Sie sich? Ich meine, dass ich Ihnen etwas dazu gesagt habe. Diese Zahlen waren für den internen Gebrauch bestimmt. Ich wiederhole: Sie waren strengstens nur für eine kleine Gruppe von Personen bestimmt. Herrn von Weiden gehen diese Zahlen nichts an und meinen Onkel nur bedingt. Ich wollte nicht Herrn Rehlein dabeihaben, nicht Serner, nicht Bentsch. Und schon gar nicht den gesamten BDI. Und Sie, was machen Sie? Was um Himmels willen ist in Sie gefahren? Sie schicken diese Zahlen offen herum. Wissen Sie, was Sie da angerichtet haben?

Christina Heller hielt sich an der Tischkante fest.

Sie haben uns lächerlich gemacht, Sie haben uns vor dem gesamten BDI lächerlich gemacht.

Kurz war Christina Heller beeindruckt, sie hatte nicht geahnt, dass derlei in ihrer Macht stand.

Frau Heller, wir sind kein Wohltätigkeitsverein. Ich würde mich freuen, wenn es so wäre. Wir haben es lange mit Ihnen versucht. Wann sind Sie gekommen?

Luise schlug in den Akten nach, Christina Heller wagte nicht zu antworten, sie fürchtete, selbst jetzt einen Fehler zu begehen.

2008?, fragte Luise. Ist von denen, die mit Ihnen zusammen angefangen haben, noch jemand da? Sehen Sie, lediglich Herr Baum und Frau Kutschenreiter, und Frau Kutschenreiter, das werden Sie zugeben, ist eine unserer besten Angestellten, Sie werden sich nicht mit ihr messen wollen.

Luise blickte von den Unterlagen auf und lächelte. Es war dieses Lächeln, von dem Christina bislang nur gehört hatte.

Das war es schon, Frau Heller. Ich danke Ihnen, dass Sie Ihre Mittagspause für mich geopfert haben. Alles Weitere wird dann Frau Leuschner mit Ihnen regeln. Wir werden Ihnen natürlich ein gutes Entlassungszeugnis ausstellen.

Gut im Rahmen des Möglichen. Sie entschuldigen mich, ich habe eine Sitzung.

Die drei Eisheiligen saßen bereits aufgereiht in ihren blauen Anzügen am Konferenztisch. Bentsch notierte etwas auf seinen Unterlagen, Serner kritzelte Krupp-Kreise aufs Protokoll, Rehlein fächelte sich Luft zu. Das Grau der sechziger Jahre hing fest und schwer über ihnen, sie fühlten sich in der sozialen Marktwirtschaft sicher, als hätte es die Siebziger nicht gegeben, und bei der Bundestagswahl entschieden sie sich vermutlich noch immer zwischen Ludwig Erhard und Walter Scheel.

Krays öffnete die Tür, er winkte zu den Eisheiligen hinüber, guten Tag, die Herren, trat vors Fenster, blieb kurz mit geschlossenen Augen in der Sonne stehen, lächelte, streckte seine Arme aus. Wenigstens er ist lebendig, dachte Luise.

Wunderbar, da wir jetzt vollzählig sind –

Kiesbert kommt noch, unterbrach Werner sie.

So? Die Sitzung ist aber auf 12 Uhr 15 festgesetzt.

Luise winkte Serner ans Clipboard, seine Hände flatterten auf und ab, er wirkte wie ein aufgeschrecktes Huhn. Werners Telefon blinkte auf dem Konferenztisch. Was hat KvW hier zu suchen?, fragte Luise ihn per Kurznachricht. Werner warf einen Blick auf das Display, antwortete aber nicht. Vor einigen Wochen hatte er Kiesbert mit den Worten eingestellt: Weil ich ihn von früher kenne, was aus Luises Sicht der denkbar schlechteste Grund war, jemandem eine Stelle anzubieten. Werner hatte Kiesbert von seiner kümmerlichen New Yorker Existenz befreit, die immer leerer geworden war, seitdem er Ende der neunziger Jahre

Bergson Softstyle zielsicher in den Ruin geführt hatte. Warum man gerade so jemanden einstellen musste, war Luise schleierhaft, aber sie hatte Werners Vorschlag trotzdem abgesegnet, um ihn ruhigzustellen.

Bitte, Herr Serner, konzentrieren Sie sich, die elf Prozent Auslandsabsatz sehen auf Ihrem Diagramm aus, als würden wir unsere gesamte Firma damit finanzieren.

Das hier ist kein Malkurs, Frau Tietjen.

Das liegt nicht in Ihrem Entscheidungsbereich, Herr Bentsch.

Krays lachte kurz auf und zwinkerte Luise zu.

Entschuldigen Sie, ein dringendes Telefonat, ich habe es nicht eher geschafft. Kiesbert warf seine Akten auf den Tisch.

Sie brauchen sich nicht zu entschuldigen, Kiesbert, sagte Luise. Ich erinnere mich nicht, dass ich Sie um Viertel nach zwölf herbestellt habe. Ich meine sogar, ich hätte Sie gar nicht bestellt.

Rehlein drehte sich zu Luise. Es hat doch keinen Sinn, um den heißen Brei herumzureden. Die Zahlen, die uns diese Woche vorgelegt wurden, sind ein Fiasko.

Ein Fiasko, milde ausgedrückt, pflichtete Bentsch ihm bei. Über den geplanten Ausbau des Amerikageschäfts brauchen wir gar nicht mehr zu reden.

Wir werden darüber reden, und zwar heute, sagte Luise.

Erklären Sie diese Zahlen vorher unseren Investoren, Frau Tietjen.

Erklären Sie sie erst einmal uns, fügte Serner hinzu.

Vielleicht wollen Sie damit beginnen, uns darzulegen, weshalb die Zahlen bis letzte Woche ganz anders ausgesehen haben, schlug Rehlein vor, lehnte sich zurück und schaute Luise triumphierend an.

Konstantin Krays wippte auf dem Besucherstuhl in Luises Büro und grinste sie an wie ein kleiner Junge, doch das half nicht mehr. Es war einer der Tage, an denen Luise Tietjen gerne alles hingeworfen hätte.

Vielleicht solltest du ein wenig Urlaub nehmen, das würde dir guttun, sagte Krays. Er stand auf, kam auf ihre Seite des Tisches und nahm ihr Gesicht in seine Hände.

Du hast nicht darüber zu entscheiden, was mir guttut, entgegnete Luise und schob seine Hände weg.

Du machst dich kaputt, Luise, merkst du das denn nicht?

Hör auf mit dem Unsinn.

Ich möchte nicht dabei zusehen, wie du dich zugrunde richtest.

Woher willst du wissen, wann ich mich zugrunde richte, Krays?

Kannst du mich nicht einmal beim Vornamen nennen?

Sie lachte, es tat ihr leid, aber sie kam nicht dagegen an. Die Tage wuchsen ihr über den Kopf, und sie musste wenigstens Krays an ihrer Seite halten. Er strich ihr über die Schulter, Luise, Luise, er schüttelte leicht den Kopf. Seine Hand tastete über die Knopfleiste ihrer Bluse, umfasste ihre Brust, er küsste sie auf den Mund, vorsichtig, ein Kinderkuss. Sie hätte ihn erwidern müssen. Sie hätte seinen Kopf an sich ziehen, ihren Mund öffnen müssen, seine Zähne mit ihrer Zunge abtasten. Sie hatte hart dabei zu atmen. Doch es gelang ihr nicht. Sie musste sich überwinden. Luise zog seinen Kopf an sich, öffnete ihren Mund, fuhr mit der Zunge seine Zähne entlang. Krays' Speichel schmeckte fade. Sie fühlte sich wie in Plastik eingeschweißt, es fiel ihr schwer zu atmen. Sie stieß ihn von sich, er sah sie irritiert an.

Du wolltest etwas mit mir besprechen, deshalb bist du doch hier, sagte sie.

Das ist jetzt nicht dein Ernst.

Natürlich ist es das. Ich höre.

Krays wandte sich kurz von ihr ab, ordnete seine Kleidung, zog seinen Schlips zurecht. Wir sitzen hier nur noch zwischen Kulissen, Luise, auf ein paar roten Zahlen, die wir schwarz anmalen. Das wird rauskommen, über kurz oder lang. Diese Woche wäre es fast so weit gewesen. Bei Bloomingdale's bist du zu weit gegangen, das ist, nach der Rechtslage, die ich kenne –

Es gibt keine Rechtslage, unterbrach Luise ihn. Es gibt nur den besseren Anwalt.

Das ist kein Spiel, Luise.

Ich habe nie gespielt. Wir sind auf dem richtigen Weg, Krays, das weißt du, wir haben in den letzten zehn Monaten mehr Erfolge erzielt als Werner und Kurt in den letzten zehn Jahren. Willst du jetzt alles hinwerfen? Wir müssen vorübergehend unser Kapital aufstocken, sonst kommen wir nicht auf die nächste Stufe. Und da müssen wir hin, wenn wir in den nächsten zwei Jahren nicht dichtmachen wollen. Es geht doch hier nicht um Betrug, es geht darum, dass wir es fast geschafft haben.

Du hättest wenigstens mich ins Vertrauen ziehen können, Luise. Aber du hast lieber von deinem Papa gelernt, fein hast du das gemacht.

Krays setzte sich wieder, sie blickte auf sein jugendliches Gesicht, auf die weich geschwungenen Lippen, gleich würde er zu lachen beginnen, dachte Luise, er lehnte sich zurück, legte einen Arm über die Lehne des Stuhls, eine Lässigkeit, die sich nur für die Hausherrin schickte, gleich würde er beginnen zu lachen, dachte sie, aber Krays lachte nicht.

Du kennst meinen Vater doch überhaupt nicht, sagte sie.

Und du, du kennst ihn so gut?

Mir wäre es lieb, wenn du dich aus meinen Familienangelegenheiten heraushalten würdest. Ich weiß, was ich dir zu verdanken habe, Krays, aber denk bloß nicht, dass du dir deswegen alles herausnehmen kannst. Habe ich mich klar ausgedrückt?

Luise, ich glaube nicht, dass es hier um mich geht.

Sie zog die Augenbrauen hoch, wollte zynisch aussehen, doch es gelang ihr nicht.

Du träumst die Firma doch nur. Du träumst, dass es immer weitergeht, aber es geht nicht mehr weiter. Schon lange nicht mehr.

Luise wollte etwas entgegnen, aber sie hielt inne. Sie ließ ihren Blick durch den Raum schweifen, über die Bildergalerie, Heinemann, Schmidt, JFK, kein Bild von ihrem Vater, kein Bild von ihr. Heinemann blickte zur Seite, Schmidt überreichte ein Dokument.

Wir sind längst über die Katastrophe hinausgezogen, sagte Krays, aber das heißt nicht, dass wir sie überstanden haben. Und ich habe keine Lust mehr, Luise.

Sie erhob sich und trat ans Fenster. In der Ferne die Weststadttürme, unter ihnen ein Streifen erschöpftes Grün, ein paar kümmerliche Blüten waren dazwischengeraten. Tu, was du nicht lassen kannst, Krays. Es interessiert mich nicht mehr. Sie wandte sich zu ihm um. Im Übrigen wirst du damit nicht weit kommen, wir haben immer die besseren Anwälte gehabt.

XVII

Fünfzig Jahre seines Lebens hatten überwiegend aus Terminen bestanden, jetzt vergaß Kurt Tietjen oft sogar, welcher Tag es war. Allein wenn Luise in der Stadt war, alle zwei, drei Monate, bewegte er sich wieder linear, von einem Punkt zum anderen, zu einer bestimmten, vorab festgelegten Zeit. Eine verrostete Anzeigetafel zeigte 72° Fahrenheit an, daneben die Uhrzeit. Blaue Röhren zu Buchstaben geschlungen, Psychic Reading, Blue Ribbon Bar, 99 ¢.

Im Café warf jemand ein paar längliche Scheine auf den Tresen, ein anderer nahm sie, sie sahen aus wie Spielgeld, das achtlos herumgereicht wurde. Seine Tochter, zu der er sich an den Tisch setzte, blickte auf. Dass er zu spät gekommen sei, war alles, was sie zur Begrüßung sagte.

Eine Viertelstunde warte ich schon, früher wäre so etwas bei dir undenkbar gewesen, du hast nie jemanden warten lassen.

Als er sich vorsichtig nach seinem Schwager erkundigte, antwortete sie, dass es nicht mehr auf Werner ankomme. Kurt sah sie überrascht an, sie erwiderte seinen Blick, herrisch, ungeduldig, und dann, unvermittelt, lächelte sie. Ihre Stimme beinah mild: Du musst nicht mehr nach Werner fragen, sondern nach mir.

Kurt zog den Kaffeebecher an sich, starrte in das reflektierende Schwarz, er roch den Duft frischer Zimtwecken, er wollte Zimtwecken, lediglich Zimtwecken wollte er jetzt.

Ich kümmere mich um die Geschäfte, erklärte Luise. Werner hat nur noch wenig zu melden, wenn er es auch bislang vor sich selbst verleugnet. Das soll er gern tun, damit macht er es mir leichter. Luise hob ihre Tasse, ohne daraus zu trinken. Das Gleiche gilt übrigens für dich. Du hast in der Firma nichts mehr zu sagen.

Kurt blickte ihr ins Gesicht, aber er konnte nur Leere darin erkennen.

Wie hätte es denn anders weitergehen sollen?, fragte Luise. Wir mussten handlungsfähig werden, das weißt du. Ich musste es werden. Wir haben dich aus der Geschäftsführung entlassen.

Das könnt ihr nicht.

Natürlich können wir, alles geht auf die eine oder andere Weise. Man muss sich nur die richtigen Berater suchen, Werner hat das nie verstanden.

Warum weiß ich davon nichts?

Wessner hätte es dir mitteilen müssen. Er hat dir sicher einen Brief geschickt. Du hast ja auf keine seiner Nachrichten reagiert.

Und wie –, fragte Kurt und brach ab. Seine Tochter hob wieder eine Braue, diese elende Mimik. Wie sie ihn aus der Geschäftsführung hatten werfen können, fragte er.

Das war nicht sonderlich schwer. Du hast nicht einmal Wessner geschickt, um Einspruch zu erheben.

Ihr habt mich – in meiner Abwesenheit hast du – du hast mir die ganze Zeit nichts davon gesagt? Jedes Mal, wenn du hier warst?

Ich habe dich nicht aus Essen weggeschickt, sagte Luise. Du bist gegangen.

Sie öffnete ihre Aktentasche, hellbraunes Leder, zog Unterlagen heraus. Das sind die Pläne für den Umbau. Siehst du, ich lasse dich sogar teilhaben, obwohl ich nicht mehr dazu verpflichtet bin. Versteh es als Nettigkeit. Oder als Mitleid.

Als Mitleid?, wiederholte er fassungslos. Er sah seine Tochter an, aber er erkannte sie nicht mehr. Er blickte auf die Grafiken, Zahlen, Prognosen, die sie ihm zeigte, aber er verstand nichts. Weigerte sich, es zu verstehen. Es war sicher gewesen, dass die Firma, sobald er sich ihr entzog, auseinanderfallen würde. Er hörte ihre harten, abgehackten Sätze, die ihm die Zukunft der Firma darlegten, natürlich, sie hatte Verstand und einen eisernen Willen.

Du machst die gleichen Fehler, die alle Tietjens vor dir gemacht haben, fuhr er sie an. Und warum haben sie die Fehler gemacht? Damit wenigstens du etwas daraus lernst.

Luise hörte ihm zu, nickte, ohne ihm zuzustimmen, schüttelte ihre Armbanduhr unter ihrem Jackettärmel hervor.

Hör zu, ich muss los. Ich habe noch einen Termin mit einem Interessenten. Ich wollte dich nur in Kenntnis setzen. Jetzt weißt du, wie es steht. Und wenn du Geld brauchst, melde dich bei mir.

Sie stand auf, warf ein paar Scheine auf den Tresen, drehte sich noch einmal zu Kurt um, nickte ihm zu und verließ das Café. Er sah durch das Fenster, wie sie davonging, auf ihren champagnerfarbenen Pumps, die McGuiness Avenue entlang, eine Halde aus Sonderangeboten und Leuchtreklamen. Die Härte ihrer Schritte. Er versuchte sich zu überzeugen, dass das nicht seine Tochter war, aber er erkannte seine Tochter in ihr mehr denn je. Sie hatte Krays neben sich postiert, sie hatte Werner in seine Schranken verwiesen. Sie würde nicht nachgeben. Er hatte sie vor der Firma schützen wollen. Jetzt konnte er nur noch sich selbst schützen, vor ihr.

Was willst du eigentlich, Kurt? Endlich bist du die Firma los, und jetzt willst du sie nicht los sein?

Fanny saß am Esstisch und öffnete eine Flasche Wein aus seinem Vorrat. Sie bewegte sich wie selbstverständlich in seiner Wohnung, als sei sie die Hausherrin. Sie war häufig bei ihm, sie aßen abends zusammen, und wenn er spät heimkam, nachdem er lange durch die erleuchteten Straßen gezogen war, lag sie auf seinem Sofa und schlief.

Du hast genug Geld, sagte Fanny. Du brauchst doch diese Firma nicht.

Was verstehst du vom Geld, entgegnete Kurt. Es ist mir nie ums Geld gegangen.

Fanny schob ihm sein Glas zu, er aber beachtete es nicht, musterte sie, ihre aufrechte Haltung, ihr ebenes Gesicht. Den ausgewaschenen Pullover hatte sie gegen eine frische Seidenbluse eingetauscht, ihr Make-up war sanft, die Wimperntusche krümelte nicht mehr auf ihre Wangen, was war nur aus ihr geworden. Er fürchtete plötzlich, sie könne wegen des Geldes bei ihm sein. Natürlich, ein absurder Gedanke, wegen der paar hundert Dollar, die er ihr jeden Monat zusteckte. Anfangs hatte sie sich sogar geweigert, sein Geld anzunehmen, er hatte es ihr aufgedrängt, damit sie dem Café einen Tag lang fernbleiben konnte, dann noch einen und noch einen. Jetzt nahm sie sein Geld bereitwillig und ging nur noch selten in die Havemeyer Street. Sie überflog wie zufällig die Stellenanzeigen in der Zeitung, sie trug wieder bessere Kleidung, womöglich, um hübsch für ihn zu sein. Aber Kurt sah, je länger er sie anstarrte, eine Frau, die wegen des Geldes bei ihm war. Er ekelte sich vor ihr.

Kannst du überhaupt mit Geld umgehen?, fragte er. Es haben sich schon Menschen an einem Lottogewinn zu Tode gesoffen. Besser, wenn man von der Krippe auf lernt, was Geld ist und was es anrichten kann.

Und du glaubst, dir die Welt kaufen zu können?, fragte sie scharf. Selbst für dich gibt es Grenzen. Du wirst immer in der Park Avenue bleiben, auch wenn du meinst, du hättest dir am Coffey Park ein Versteck gebaut.

Ich, sagte Kurt, kann mir alles nehmen.

Alles? Fanny starrte auf die Tischplatte und schüttelte den Kopf. Du kannst froh sein, wenn man dir nicht alles nimmt. Es ist ein Wunder, dass deine Tochter dich überhaupt noch besuchen kommt.

Du hast keine Ahnung, wer meine Tochter ist. Sie redet davon, dass sie hier ins große Geschäft einsteigen will. Die Firma ist überhaupt nicht gut genug, um in New York jemanden zu interessieren.

Das wird deine Tochter wohl selbst wissen, oder nicht? Lass sie doch endlich in Frieden. Dann hat sie ihre Ruhe und wir haben unsere.

Du verstehst es nicht, rief er. Er stand auf, ging zum Schreibtisch und kam mit einer Mappe zurück, E-Mails, die er ausgedruckt und nach Datum sortiert hatte, Briefe mit dem Emblem der Firma Tietjen.

Eine Behauptung, sagte Kurt. Die Firma Tietjen ist nie

mehr als eine Behauptung gewesen. Dadurch ist sie groß geworden. Davon lebt sie. Und daran wird sie zugrunde gehen.

Woher hast du das?, fragte Fanny und durchblätterte die Papiere. Ein Vertrag über den US-amerikanischen Vertrieb des Tietjenfrottees bei Bloomingdale's, Korrespondenzen mit der Vertriebsleitung der Kaufhauskette, Quartalszahlen der Firma Tietjen, ein Vertragsentwurf für den Verkauf von Firmenanteilen zu einem erstaunlich hohen Preis, noch einmal Quartalszahlen, allerdings mit einem besseren Ergebnis. Fanny stutzte, blätterte zurück, die Zeiträume waren identisch, doch die Zahlen stimmten nicht miteinander überein.

Verstehst du jetzt, worum es mir geht? Siehst du, was sie da macht, meine Tochter? Ich kann dir mehr zeigen. Willst du mehr sehen? Er schrie es: Mehr? Er spuckte die Worte in ihr Gesicht: Gib's zu, du willst mehr sehen. Fanny blickte ihn entgeistert an, sie wollte aufstehen, aber er hielt sie am Handgelenk fest.

Kurt, was soll das, lass mich los.

Du kennst dich damit aus, sagte er, du hast jahrelang mit solchen Zahlen gearbeitet.

Ich werde nichts dazu sagen, erklärte Fanny. Das geht mich nichts an, und wenn du ehrlich bist, dich auch nicht.

Aber du siehst es doch. Das ist Betrug, was sie machen. Es liegt auf der Hand.

Das ist lächerlich, Kurt. Ein lächerlicher Betrug. Unwichtig. Die ganze Firma ist unwichtig. Zweihundertfünfzig Menschen, mein Gott, hier gehen an einem Tag Zehntausende vor die Hunde. Mach, was du willst, aber lass mich damit in Ruhe.

Es ist Betrug, wiederholte Kurt.

Warum kannst du nicht deinen Frieden mit der Firma schließen. Es ist nutzlos. Die Firma ist am Ende, sagte Fanny.

Er sah sie an, mit seinem überheblichen Lächeln, das er lange verborgen gehalten hatte. Wer ihrer Ansicht nach die Schuld dafür trug, dass die Firma am Ende war, hätte er fragen können, aber er wollte nicht hören, dass sie ihn für einen Versager hielt, dass er sein Erbe heruntergewirtschaftet hatte, dass er zu feige gewesen war.

Ich habe nie etwas verlangt, sagte Kurt. Ihr Handgelenk in seiner Hand, die Tür vier Schritte entfernt, Fanny hielt sich so reglos, als wolle sie hier verharren, lange, bis alles vorüber war. Er sah auf das kleine Gesicht Fannys, das sich kurz anspannte, als spüre sie den Schmerz in ihrem Handgelenk, ihr Puls pochte gegen seine Finger und er begriff: Sie würde sich ihm nicht widersetzen. Menschen waren von ihm abhängig, ganz gleich, was er tat, ganz gleich, wie weit er sich von seinem Vermögen entfernte. Er löste seinen Griff. Es würde geschehen, wie er es verlangte. So war es immer gewesen.

Um ihn herum liefen Jogger, von einer Seite der Brücke zur anderen rannten sie, ließen ihre Füße ein paarmal auf der Stelle gegen den Asphalt schlagen, schüttelten ihre Gliedmaßen, ohne aus dem Takt ihres Laufs zu kommen, und eilten weiter, schnell, immer schneller, hin und her zwischen den beiden Teilen der Stadt. Sollte einmal Ruhe einkehren, flöge alles auseinander.

Kurt Tietjen stand auf dem höchsten Punkt der Brooklyn

Bridge. Es war ein heller, fast noch herbstlicher Dezembertag. Fanny war seit ihrem Streit nicht mehr zu ihm gekommen. Er hatte einige Tage gewartet, dann war er hinüber zu ihrer Wohnung gegangen, hatte geklingelt, gewartet, wieder geklingelt, er hatte Schritte hinter der Tür gehört, aber sie hatte ihm nicht geöffnet. Am nächsten Tag hatte er eine Nachricht von ihr in seinem Briefkasten gefunden. Sie werde erst mit ihm sprechen, wenn er zur Besinnung gekommen sei. Denk drüber nach. Deine F.

Radfahrer fuhren an Kurt vorbei, hoben sich aus dem Sattel, um kräftiger in die Pedale zu treten. Wer war schon Fanny? Er war ja nicht abhängig von ihr.

Er ging allein die Brücke hinab, weiter durch die Straßen. Vor einer Stunde hatte er einen Brief eingeworfen. Nein, es war kein richtiger Brief, nur einige Zeilen an seine Tochter. Sie solle kommen. Sie habe zu kommen. Bald. Dringend. Es mochte klingen, als bestelle er sie wie schon so oft zu sich, doch es war anders, er bestellte sie nicht mehr, er lockte sie an. Er wollte sie zur Vernunft bringen, notfalls zur Vernunft zwingen. Vielleicht wollte er sich einfach nur rächen. Er hatte versucht, seine kaufmännischen Niederlagen aus seinem Gedächtnis zu streichen, doch seine Tochter breitete sie vor ihm aus. Sie leitete die Firma bestimmt und mit leichter Hand und führte ihm damit das ganze Ausmaß seines Versagens vor Augen. Und nun war auch noch eingetreten, womit er nie gerechnet hätte: Seine Tochter hatte ihm jeglichen Einfluss entzogen.

Ein halbes Jahr lang hatte Kurt Luises Nachrichten unbeantwortet gelassen, sie musste annehmen, er sei endgültig verschollen. In Wahrheit war er ihr näher gewesen denn je, hatte hinter ihr gestanden, ihr über die Schulter geblickt, ihre Wege in der Firma verfolgt. Vorsichtig hatte er sich mit Wessner als Mittelsmann an Bentsch, Serner und Rehlein herangetastet, auch zu Kiesbert hatte er Kontakt aufnehmen und in Erfahrung bringen lassen, ob einer von ihnen bereit war, ihm Unterlagen aus der Verwaltung zukommen zu lassen. Die drei Eisheiligen hatten sich erstaunlich schnell kooperativ gezeigt, so als hätten sie nur darauf gewartet, ihrem Missmut über Luise Luft zu machen. Kiesbert hatte zunächst gezögert, doch Kurt hatte nicht lockergelassen. Bekam er auch über Bentsch, Serner und Rehlein genügend Material, so war nun sein Ehrgeiz geweckt, er wollte auch den letzten Widerstand brechen, den es in der Firma gegen ihn gab. Nach dem fünften Anruf hatte Kiesbert nachgegeben und sich bereit erklärt, ihm Kopien von Korrespondenzen zukommen zu lassen.

In seinem Arbeitszimmer sortierte Kurt, was die vier ihm nach und nach schickten, Briefwechsel mit deutschen und amerikanischen Kaufhausketten, Entwürfe von Werbekampagnen, die zu groß für die Firma Tietjen waren, und immer wieder gefälschte Zahlen. Er meinte zu sehen, wie sich in Luises Handlungen all das fortsetzte, was er an seinem Vater und an seinem Großvater, vielleicht sogar an sich selbst verabscheut hatte, eine Mischung aus Verlogenheit, List und der Überzeugung, trotzdem auf der richtigen Seite zu stehen.

Kurz hatte er bereits mit Wessner darüber telefoniert. Die Unterlagen, die Kurt von Kiesbert bekommen habe, seien mustergültig. Ein mustergültiger Betrug, so Wessner am Telefon, er hatte euphorisch geklungen. Man müsse nur an den Zahlen kratzen, und schon käme das Rot unter der schwarzen Farbe zum Vorschein. Manchmal dachte Kurt, dass es vielleicht doch besser sei, alles zu ignorieren, was in Essen vor sich ging, aber es gelang ihm nicht mehr.

Die Letzte, der er vertraut hatte, war Fanny gewesen, aber offenbar hatte er sich auch in ihr geirrt. Sie hielt nicht zu ihm, wenn es darauf ankam. Er hatte sie aufgelesen, war ihr gefolgt, hatte sie stundenlang von sich erzählen lassen, aber zuletzt hatte sie ihn ausgefragt: Wohin er ginge, wann er zurückkäme, sie hatte ihn bewacht. Er war von seinem alten Leben weggelaufen und wieder dort angekommen, wo er hergekommen war. Fanny war nichts als eine ungeschickte Carola-Kopie. Er war in ein Labyrinth geraten, in eine dumme Verwechslung. Es war gut, dass Fanny für ihn verschwunden war.

Einige Male hatte er sie noch gesehen, wenn sie morgens das Haus verließ und abends wieder heimkam, meist allein, einmal in Begleitung, ein Schatten neben ihr, größer als sie, mehr hatte Kurt nicht erkannt, es war bereits dunkel gewesen.

Eine Woche später hatte er eine Umzugsfirma beauftragt, die Dinge aus seiner Wohnung in Redhook abzuholen. Im letzten Moment hatte er sich anders entschieden, hatte die Männer, die bereits im Treppenhaus gestanden hatten, angewiesen, alles stehen zu lassen, was sollte er mit dem Plunder. Nur einen Karton und einen Koffer hatte er mitgenommen und sich in dem fast leeren Transporter zu seiner neuen Wohnung fahren lassen. Auf der Straße hatte er die Männer ausbezahlt, jeder von ihnen so kräftig, dass er Kurt mit einem einzigen Stoß bewusstlos schlagen konnte. Sie hatten trotzdem nach seiner Pfeife getanzt. Er hatte Lust gehabt, ihnen weniger Geld zu geben, als sie vereinbart hatten, sie für ihre Hörigkeit zu bestrafen. Bei einem wie Kurt Tietjen hätten sie sich nicht gewehrt, bei einem, der von Redhook nach Brownsville zog, hingegen schon.

Kurt lief die Stufen zum Metrogang hinab, weicher, träger Gestank umschloss ihn. Auf der Zwischenebene spielte eine Reggae-Band. Er erreichte den dunklen Schlauch des U-Bahnhofs, die Bänke rochen nach frischem Desinfektionsmittel, und er konnte die Richtungen nicht auseinanderhalten. Bushwick? Nostrand? Seine Spaziergänge waren schon seit langem ziellos gewesen, aber seitdem er aus Redhook weggezogen war, kam ihm oft auch die Orientierung abhanden. Er fühlte, wie er verlorenging, mitten in New York.

Kurt hatte noch nie jemanden die Telefonapparate benutzen sehen, die an den Bahnsteigpfosten montiert waren. Früher wurden Geschäfte an diesen Apparaten abgewickelt, irgendwann in den Achtzigern, und so lange hing der Apparat hier schon, zwischen den Gleisen des L-Trains an der Station Union Square. Geschäfte. Kleine Drogendeals, Hausverkäufe, ein Unternehmen wurde von einem anderen geschluckt. Es fühlte sich gut an, als er den Hörer anhob. Schwer. Für die großen Hände großer Menschen in einem großen Land. Die Aufschrift *coins*, kurz und klar und tief in das Metall eingraviert.

Fanny hob nicht ab. Das Signal ihres Anrufbeantworters ertönte. Kurt schwieg, eine Nachricht von einigen Sekunden Schweigen, und dann, als er sah, wie sein Guthaben weniger wurde, 50 Cent, 40 Cent, 30 Cent, stotterte er hastig einige Sätze in den Apparat, seine neue Adresse, sie solle ihn doch besuchen, er warte auf sie, er vermisse sie, es täte ihm leid. Das meiste davon hatte er gegen das Tuten im Hörer angesprochen, die Münzen waren bereits durchgefallen.

Ein wenig benommen stieg er in die Subway. *Stand clear of the closing doors.* Er ließ sich auf einen Sitz zwischen einer jungen Frau im Trainingsanzug und einem älteren Herrn im Seemannskostüm sinken. Die Bahn rüttelte durch den Untergrund. Irgendwo wechselte er die Linie, achtete nicht auf die Station, fuhr so Stunde um Stunde unter der Stadt entlang, wusste nicht mehr, wohin mit sich.

Er war damals, nach dem letzten Abendessen mit W. W., nicht in der Obdachlosenkolonie verlorengegangen. Ihm war übel geworden, er hatte sich gegen die Betonwand gestemmt, um nicht zu fallen, und dann hatte er gemerkt, dass nicht er es war, der fiel, sondern dass sich jemand an ihm festhielt, an seinem Ärmel, und zu Boden sank. Aus dem Mund sickerte Wein oder Speichel oder Blut. Es ließ sich nicht erkennen, das Licht war zu schwach. Die Hand löste den Griff, gab seinen Ärmel frei. Kurt war über den Körper hinweggestolpert, verwirrt, benommen, war hinausgelaufen, raus aus der Unterführung. Oben hatte er das Licht, die frische Luft gierig eingeatmet, ein Taxi fuhr vorbei, besetzt, im Fond saßen zwei Frauen in Abendgarderobe, müde und bleich. Ein weiteres Taxi kam, er winkte es heran, ließ sich auf das Leder sinken, er wollte nach Hause, er wollte einfach nur zurück. Der Mann fuhr los, es war keine weite Strecke, und Kurt sah schon die Lichter der Hofeinfahrt, zahlte und stieg aus.

Er war in sein Wohnviertel zurückgekehrt, immer war er zurückgekehrt, er hatte es nie anders gekonnt, dachte Kurt, während er in der New Yorker Subway saß und den Stadtplan studierte. Er hatte es nie lange durchgehalten, seinem Platz fernzubleiben, und vielleicht machte er sich etwas vor, vielleicht würde auch sein New Yorker Aufenthalt in einer Lufthansamaschine Richtung Düsseldorf enden, später als gewöhnlich, doch unabänderlich wie stets.

An der Station Bowling Green verließ er die Metrogänge, die kühle Luft auf der Straße erfrischte ihn. Links die Dreieinigkeitskirche, rechts die Wall Street. Ein Mann mit Sammelbüchse rief den Vorbeilaufenden *Feed the homeless* zu, eine Baritonstimme. Es war lächerlich, dachte Kurt und ging schneller. Wer konnte schon jedem etwas geben, wer hatte schon die Zeit dazu.

Links Starbucks, rechts Men's Wearhouse. Der Zuccotti-Platz überfüllt, eine träge Gruppe zwischen den eiligen Fußgängern auf den Gehwegen. Er hatte sie in den Nachrichten gesehen, die Menschen mit ihren beschmierten Pappschildern, ein Stück Karton aus dem Müll. Kurt blieb stehen, betrachtete die Leute. Sie saßen auf den Steinstreben, standen um einzelne Redner herum, ein Mädchen las Zeitung, ein Touristenpaar machte Fotos. Die Stimmen verschwammen zu einem einzigen schrillen Ton, Kurt roch den Wind, der von der Bucht heraufwehte, herbe, feuchte Luft.

Zögerlich drang er in die Gruppe ein, bewegte sich am Rand der Demonstration, er fiel nicht auf, hier fiel er nicht auf. Ein Mann mit Wollmütze grüßte ihn, *Ey man, join us*, grinste ihm zu. Die Frauen waren jung, einige von ihnen jünger als Fanny, so jung wie seine Tochter. Kurt ließ sich tiefer hineintreiben, lief durch die ungeordneten Menschenreihen, einige saßen auf Planen und Isoliermatten, andere standen. Er fühlte sich wohl, beinahe glücklich. Kurz kam ihm Fanny in den Sinn. Er stellte sich vor, wie sie ohne ihn durch die Stadt ging, vielleicht schon an der Seite eines anderen, sollte sie doch, er brauchte Fanny nicht.

Zwei Sicherheitsmänner bewachten den Eingang eines Bürohauses, stoisch standen sie da, ihr kantiges Kinn vorgestreckt, alles an ihnen war trainiert. Kurt blieb neben ihnen stehen, musterte sie. Ein Mann in einer Windjacke näherte sich ihnen, und plötzlich hatte er eine Kamera in der Hand. Die beiden Sicherheitsmänner starrten ihn an, Bewegung kam in ihre reglosen Körper, panisch drängten sie ihn weg, wehrten die Kamera ab, stießen mit ihren Ellbogen um sich, die Kamera weg, die Kamera weg! Kurt wurde zurückgeworfen, ein Schlag, der Geruch teuren Textils, er stolperte, aber fiel nicht, *Put the camera away! Don't you hear me?*

Kurz war alles schwarz, dann sprangen die Farben wieder an, ungefiltert, durcheinandergeraten, er konnte die Formen nicht mehr auseinanderhalten. Alles war zu hell und dann wieder schummrig. Er taumelte. Leichte Übelkeit. Etwas hatte ihn am Kopf getroffen, er fürchtete, das Bewusstsein zu verlieren, auf den Fußweg zu fallen. Ihn fröstelte. In seinem Kopf lief Eis aus. Er bückte sich, vorsichtig, sofort wurde wieder alles schwarz.

Ein Geschoss in der Größe eines Tennisballs hatte ihn an der Schläfe getroffen. Er wog es in der Hand, blickte auf. Die Menschen hatten sich zu einer Menge zusammengezogen, er konnte nicht sagen, ob einer von ihnen es geworfen hatte. Er fühlte Übelkeit in sich aufkommen, metallisch und scharf. Niemand beachtete ihn, niemand schien mitbekommen zu haben, dass etwas vorgefallen war. Kurt Tietjen stand am Rand der Demonstration, aber die Menschenmenge schloss sich nun wie eine Mauer vor ihm.

Der Gegenstand in seiner Hand war schwerer, als er aussah, zylinderförmig, mit einem Gewinde versehen. War er beim Handgemenge mit den Sicherheitsmännern aus der Kamera herausgeschleudert worden? Die beiden Männer standen wieder reglos am Eingang, die Kamera war fort, sie hatten ihre Arbeit getan. Vor ihm die Demonstranten, worauf warteten sie, sie hielten immer noch ihre Pappschilder, braun und leer, ein bisschen Pappe, nicht mehr.

Kurt entfernte sich mit vorsichtigen Schritten vom Zuccotti-Platz. Die Menschen auf der Straße rückten zu nah an ihn heran, schrien im Vorbeigehen in sein Ohr, er verstand nicht, was sie sagten, es ging ihn auch nichts an, ihm war flau, er wollte die Augen schließen, die Autos fuhren langsam neben ihm her, hupten, alles zog sich um ihn zusammen, zu viel Masse auf zu wenig Raum.

Ein Nachbar hielt ihm die Tür auf, nickte ihm zu. Kurt stolperte die Stufen hinauf, ließ den ramponierten Fahrstuhl kommen. Oben in seiner Wohnung legte er sich aufs Bett, ihm schwindelte, die Geschosse des Hauses schaukelten, aber das würde sich geben, er musste nur schlafen, es dämmerte bereits, er sah die Buchstaben der noch dunklen Leuchtwerbung, die von hier Richtung Manhattan zeigten, *The Chase Manhattan Bank*, für ihn nur ein spiegelverkehrtes Gerüst. Einzelne Fenster in der Nachbarschaft leuchteten dumpf, in der Ferne ein Bürohochhaus, festlich bestrahlt, das Licht floss nach oben, gegen die Schwerkraft an.

Fanny würde kommen und sich um ihn kümmern, so wie sie all die Wochen über gekommen war, es ließ sich doch alles verhandeln. Wenn sie es wünschte, würde er nicht mehr von der Firma sprechen. Er würde die Sache auf sich beruhen lassen. In seinem Arbeitszimmer lagen die Unterlagen, die Kiesbert ihm geschickt hatte, es war ja nichts als Papier, und wenn Fanny kam, würde er alles in einen Reißwolf stecken.

Fanny, dachte er.

Es war möglich, dass sie nicht mehr kam, aber daran wollte er nicht denken. Er blickte auf die verkehrte Schrift der Leuchtwerbung, die dunkel blieb, während sich die Lichter hinter den Fenstern mehrten, vor seinen Augen flackerten, an- und aussprangen, die Konturen flossen ihm davon. Er musste nur schlafen, morgen würde Fanny kommen und alles würde gut sein, am Ende würde alles gut sein, warum sollte es das nicht.

XVIII

Das Telefon pulsierte in ihrer Tasche, Luise hatte den Ton abgestellt, aber sie fühlte den Herzschlag des kleinen Geräts, automatisch griff sie danach, obwohl dies nicht der richtige Moment war. Im Flur eilte jemand zur Tür, und am Telefon fragte Werner ungeduldig: Was ist denn nun? Ich dachte, wir hätten eine Verabredung.

Entschuldige, die Leute vom Beerdigungsinstitut kommen gerade. Luise stand im Türrahmen, halb im Zimmer, in dem ihr Vater verstorben war, halb im Flur, in dem sich die Anwesenden versammelt hatten, und Werner, der in Essen saß und von nichts eine Ahnung hatte, ermahnte sie: Es mag dein Vater sein, aber er gehört dir nicht allein. Wenn ihm etwas zugestoßen ist, hat das Auswirkungen auf die Firma, also solltest du mir mitteilen, wie es steht.

Wie es stand: Die Kurve hatte sich in der Mitte eingependelt, schlug nicht mehr nach oben oder unten aus, wie die Nulllinie auf einem EKG. Die Gläubiger versuchten eilig, die Kurve wiederzubeleben, doch dann erklärte sie ein langer Dünner endgültig für verloren und die Investoren wandten sich ab. Sie hörte das Pochen im Hörer, ein weiterer Anruf ging ein.

Du kannst dir nicht vorstellen, was hier los ist, rief Krays am Telefon. Ich weiß nicht, wer sie gegen uns aufgehetzt hat, aber heute früh haben sie uns das Büro ausgeräumt. Alles beschlagnahmt.

Luise blickte hinüber zu ihrem Vater, es war nur eine Erhebung unter der Decke, ein Stück Tuch, darunter lag Kurts Gesicht. Sie achtete nicht mehr auf das, was Krays sagte. Für einen Moment war es beinahe still im Zimmer, nur entfernt heulte eine Sirene, ein zermürbender Ton, der mitteilt, was man nicht ändern kann.

Luise, sagte Krays, ich muss dringend wissen, wie es bei dir steht. Wann bist du zurück?

Der Sirenenton wurde leiser, erstarb, und eine mechanisch kalte Stimme trug im Wohnzimmer eine weitere Jeopardy-Frage vor.

Bist du noch dran?, fragte Krays laut.

Krays, es tut mir leid, ich rufe dich später zurück.

Die beiden Männer trugen grobe Schuhe, von deren Sohlen Dreck auf den Teppich herunterbröckelte, als seien sie Gartenarbeiter, und was waren sie schon anderes, dachte Luise, während sie ihr Telefon in die Tasche zurücksteckte. Selbst auf einen Kurt Tietjen wartete am Ende nicht mehr als ein Grabbeet.

Wohin?, fragte sie der Größere und Luise schien plötzlich mit den beiden allein in der Wohnung zu sein, die anderen hatten sich verzogen, selbst der Fernseher war kurz verstummt.

Die beiden Männer schoben die Bahre neben das Bett, der eine fuhr sich mit dem Taschentuch über die Stirn.

Sie haben wohl Angst vor uns gehabt, bemerkte er in breitem Südstaatenenglisch.

Wir haben ja nicht mal Angst vor Toten, entgegnete Luise.

Sie hätten sofort anrufen können. Sie hätten – der Mann

warf einen Blick aufs Bett – vor ein paar Stunden anrufen können.

Luise sagte nicht, dass es Fannys Schuld gewesen war, dass sie selbst und die Übrigen erst nach und nach hinzugekommen waren. Luise blieb stumm, und sie überlegte, ob sie es nicht sagte, weil es sich nach einer Ausrede angehört hätte oder weil auch sie selbst bereits seit Stunden durch den Nachmittag trieb, sich eine halbe Folge Jeopardy angesehen hatte und einen Kaffee nach dem anderen getrunken. Nein, sie sagte es nicht, weil sie nicht zugeben wollte, dass nicht sie, sondern Fanny in dieser Wohnung die Verantwortung trug.

Der Mann, das begriff Luise, als sie aufsah, erwartete keine Antwort. Wer in diesem Zimmer das Sagen hatte, das war nicht Luise Tietjen, das war auch nicht Fanny, die sich im Nebenraum auf dem Sofa streckte und von einem Programm zum nächsten schaltete. Luise blickte hinab auf das Gesicht. Es war zu weiß, um das Gesicht ihres Vaters zu sein. Fleckig. Die Wangen eingefallen, als könne er die Spannung nicht mehr halten. Dass das ihr Vater sein sollte –

Ob er sich hätte vorstellen können, dass sie die Firma nicht geliebt, dass sie sie aber auch nicht gehasst hatte? Dass sie die Firma nicht besitzen, sie aber ebenso wenig zerstören wollte, dass sie ihre Herkunft nicht abstreifen musste, auch wenn sie nicht immer glücklich war, vierzehn Stunden am Tag in der Firma durchzuhalten? Nein, dachte sie, er hätte es wohl nicht gekonnt.

Die Männer griffen, einer von links, einer von rechts, unter den Körper. Er wehrte sich nicht. Es war nicht mehr als ein Gegenstand. Sie sah das Glänzen im Nacken der Männer und das Metallgestell, über das sie sich beugten. Zweckmäßig war es, wie ein großer Aktenwagen. Zwischen den beiden Arbeitern, die das Zimmer ausmisteten, blieb nur noch ein Bettbezug, gestreiftes Muster, ein Spannbettlaken mit daumennagelgroßem Loch. Luise wandte ihren Blick ab, entdeckte sich im Spiegel, der gegenüber der Tür hing. Sie verließ das Zimmer, stieß gegen Schrank und Beistelltisch, tastete sich durch den Flur, und erst als sie die Melodie von Jeopardy hörte, drehte sie sich um. Fanny starrte gelangweilt in das Flirren auf dem Fernsehbildschirm.

Im Nebenraum stieß etwas Schweres und Sperriges gegen ein Möbelstück, die beiden Männer redeten miteinander, aber Luise verstand nicht, was sie sagten. Einer von ihnen oder ihr Vorgesetzter würde ihr eine Rechnung schreiben. Das Schnaufen und Husten der Männer war in den Flur vorgedrungen, es würde sich regeln lassen, wie sich alles regeln ließ, Luises Steuerberater würde das Geld von der Steuer absetzen oder auch nicht, sie hatte keine Ahnung, ob das möglich war, und sie würde nicht darüber nachdenken, sie bezahlte Menschen, damit solche Dinge für sie geregelt wurden, so war es immer gewesen, so würde es bleiben.

Die schweren Schritte hatten sich bereits aus dem Flur entfernt, als Kiesbert sich vor den Fernsehapparat stellte. Die beiden Polizisten standen neben ihm. Er sagte nichts, sondern musterte Luise nur, sie hatte den Eindruck, er genieße den Moment. Sie fühlte sich nackt, nicht nur körperlich, sondern als dränge er auch in ihre Gedanken ein.

Luise? Kiesbert blickte an ihr vorbei. Wir haben einiges mit Ihnen zu besprechen, sagte er.

Sicher weniger, als Sie glauben, sagte Luise.

Sicher mehr, als Sie glauben, erwiderte Kiesbert.

Ich wäre Ihnen verbunden, wenn wir die Angelegenheit hier endlich über die Bühne bringen würden. Ich werde in Essen gebraucht. Ich muss mich um die Firma kümmern.

Sie werden die Firma nicht erben, erklärte Kiesbert.

Ich führe die Firma bereits.

Sie haben Ihren Vater während seiner Abwesenheit vertreten, aber ein Toter kann sich nicht vertreten lassen, ein Toter ist tot.

Es gibt einen Pflichtanteil, der Kindern zusteht.

In Ihrem Fall ist die Sache leider etwas komplizierter. Er lächelte verhalten. Es liegt eine Strafanzeige gegen Sie vor.

Das ist doch lächerlich, entgegnete Luise und blickte Richtung Schlafzimmer. Wer bitte schön soll Anzeige gegen mich erstattet haben?

Können Sie sich das nicht denken?, fragte Kiesbert.

Ich bin nicht zum Rätselraten hier. Es handelt sich zweifellos um ein Missverständnis, das ist ärgerlich genug, wir haben bereits einen halben Tag vergeudet.

Gründe gibt es genug, sagte Kiesbert. Machen Sie sich darum keine Sorgen. Es ist alles genau dokumentiert. Sie sitzen im Vorstand einer insolventen Firma und weigern sich, die Insolvenz anzumelden.

Ich habe die Firma da herausgeführt, nicht hinein. Wenn überhaupt, dann müsste man meinen Onkel verklagen. Oder meinen Vater.

Sie haben mit falschen Umsatzzahlen operiert, Luise, mischte sich nun auch Fanny ein. Sie haben Interessenten getäuscht und eine hiesige Firma zu einer kapitalintensiven Investition verleitet. Sie haben mehr Geld von dieser Firma gezahlt bekommen, als Ihre eigene Firma überhaupt noch wert ist.

Was wissen ausgerechnet Sie von unserer Firma?

Sie werden mit einer Geldstrafe davonkommen, Luise, erklärte Kiesbert mild, als wolle er plötzlich ihren Verbündeten spielen. Er lächelte wieder, was ihn dümmlich aussehen ließ. Natürlich wird dann Ihre Karriere gelaufen sein, das ist klar, fügte er hinzu.

Es tut mir leid, sagte Fanny und erhob sich vom Sofa, der Bademantel fiel träg um ihren mageren Körper. Es tut mir wirklich leid, Luise. Fannys Gesicht war ihr zugewandt, es sah aus, als wolle sie Luise in den Arm nehmen. Luise wich zurück. Es musste ein Witz sein, wenn Fanny der Witz auch nicht gelungen war, aber was erwartete Luise von jemandem wie ihr. In Luises Tasche vibrierte erneut das Handy, sie unterließ es, den Anruf entgegenzunehmen. Sie musste zurück ins Hotel, ein Telefonat mit Krays stand an, und um 20 Uhr hatte sie einen Termin in der Upper West, wo sie den Vize-Einkaufsleiter von Bloomingdale's zum Abendessen treffen würde.

Wenn Sie die übrigen Fragen mit meinem Anwalt besprechen würden.

Keiner der Anwesenden antwortete. Sie betrachteten Luise Tietjen, die mit beherrschter Eleganz einen Fuß vor den anderen setzte. Der Teppich war zu weich für ihre hohen Absätze, aber sie schritt darüber hinweg, ohne zu stolpern. Es war still im Zimmer, nur eine entfernte Sirene drang von draußen herein.

Die »zahllose Menge ähnlicher Wesen« (S. 33) wurde aus »Demokratie in Amerika« von Alexis de Tocqueville zitiert, auf Seite 253 f. wurden einige Formulierungen aus einem Interview mit Karl-Johan Persson übernommen, geführt von Grit Thönissen und veröffentlicht im »Tagesspiegel« am 2. 5. 2011. Für Bayreuth danke ich Hans Thill.

Ulrich Woelk im dtv

»Was Woelk zeigen will, zeigt er. Er kennt seine Figuren genau und verrät sie nicht an Einsichten.«
Stephan Krass in der ›Neuen Zürcher Zeitung‹

Liebespaare
Roman
ISBN 978-3-423-**13092**-9
»Sollen wir es lassen?« fragt er. Nora schüttelt den Kopf. »Jetzt sind wir doch fast da.« Allmählich aber dämmert es Fred, dass der Besuch in einem Swinger-Club schwer verdaulich sein könnte …

Die letzte Vorstellung
Roman
ISBN 978-3-423-**13253**-4
Opernmusik aus einem verlassenen Haus am Strand führt einen Jogger zu einer Leiche. Was zunächst aussieht wie ein gewöhnlicher Mord, entpuppt sich als ein gesellschaftspolitisches Verwirrspiel um Gewalt, politische Macht, Gerechtigkeit und Verantwortung.

Freigang
Roman
ISBN 978-3-423-**13397**-5
»Ich habe meinen Vater umgebracht. Die Idee kam im Suff.« Ein junger Physiker versucht seine Vergangenheit zu rekonstruieren.

Rückspiel
Roman
ISBN 978-3-423-**13559**-7
Vom Tod eines Schülers, von der Schuld eines alten Lehrers und vom Liebes-drama zweier Männer und einer Frau.

Amerikanische Reise
Roman
ISBN 978-3-423-**13648**-8
Eindringliche Dreiecks-Geschichte auf einer Reise durch die USA.

Ulrich Woelk im dtv

»Was Ulrich Woelk schreibt, ist eine großartige Prosa, ganz auf der Höhe der Zeit.«
Süddeutsche Zeitung

Einstein on the lake
Eine Sommer-Erzählung
dtv premium
ISBN 978-3-423-**24427**-5

Hat Einstein seine geheimsten Unterlagen im Templiner See versteckt? Der Jurist Anselm macht sich auf die Suche nach dem wissenschaftlichen Schatz.

Schrödingers Schlafzimmer
Roman · dtv premium
ISBN 978-3-423-**24561**-6

Eine Studie über die Gesetze der Naturwissenschaften, die Psychologie und Schrödingers Zimmer, in dem eine Katze zugleich tot und lebendig sein kann.

Joana Mandelbrot und ich
Roman · dtv premium
ISBN 978-3-423-**24664**-4

Eine böse Satire auf den Literaturbetrieb, ein Kompliment an die Mathematik und eine Huldigung an die Stärke der Frauen.

Was Liebe ist
Roman · dtv premium
ISBN 978-3-423-**24949**-2

Roland, 36, Unternehmer, folgt seiner großen Liebe, Zoe, einer Jazzsängerin, von Berlin nach Amsterdam. Doch die dunkle Seite seiner Familiengeschichte scheint ihn einzuholen.